施耐庵

卷

第四一回至第六〇回

編者序

《水滸傳》和《三國演義》一樣，也是由民間說話藝人和文人作家共同創作的作品，描寫北宋徽宗宣和年間（西元一一一九～一一二五）以宋江為首的一百零八條好漢，從反貪官汙吏到被招安抗敵的過程。如果《三國演義》七實三虛，那麼《水滸傳》就是三實七虛了。

歷史上關於宋江起義的記載雖然簡略，但聲勢極盛。南宋時期，水滸故事開始在民間廣泛流傳，不同時期和不同階層的人為它加油添醋，於是內容和人物也就越來越複雜了。

宋元之間的《大宋宣和遺事》，其中有一段三四千字的梁山泊故事，楊志賣刀、智取生辰綱、宋江殺惜、招安方臘等情節已經出現，也是《水滸傳》最後成書的重要基礎。元代雜劇中，有不少水滸題材的劇目，大多以人物為中心，又以李逵的為最多。

關於《水滸傳》的寫定者是誰，歷來有不同的看法，一是認為施耐庵所作，二是認為羅貫中所作，三是認為施作羅編，四是認為施作羅續；學界一般認為離成書時間較近的高儒《百川雜志》的說法較可靠，定為元末明初的施耐庵作，或施耐庵作又經過羅貫中加工。

《水滸傳》版本也比較複雜，一般分為繁本和簡本。

簡本因文學價值不高，多用於研究；繁本中最精簡的是明末金聖嘆的七十回本，另有百回本和百二十本。《人人文庫》採繁本中的一百二十回本，也就是《水滸全傳》本。

《水滸傳》中第一次出現大規模行動，是晁蓋和吳用等人發動的「智取生辰綱」。「生辰綱」是北京大名府留守良中書送給當朝太師、他的岳父蔡京的壽禮，價值十萬貫的金銀珠寶，都是他靠巧取豪奪的手段從老百姓那兒搜括來的；所以「不義之財，取之何礙」，有別於一般盜匪的打家劫舍，而顯示出這些好漢們行動的正當性。

《水滸傳》裡的惡人代表是禁軍統帥高俅，官逼民反的結果，造就了這批梁山英雄。起義隊伍由小到大，從無到有，由盲目行動到有嚴明紀律；被朝廷招安後，征大遼，除田虎、王慶，在平靖方臘時遭到重大挫敗，一百零八條好漢僅餘二十七人。

故事到了最後，宋江、盧俊義被酖，李逵、吳用、花榮追隨赴死，令讀者掩卷嘆息，心中好不慘然。

《水滸傳》的英雄人物，如宋江、李逵、魯智深、武松、林沖、三阮等，性格鮮明，令人印象深刻。宋江出場雖晚（第二十回），卻是本書的靈魂人物。他本山東鄆城刀筆小吏，面目黝黑，身材矮小，但他與生俱來的領導能力，使得他個人的思想性格引導了梁山泊義軍的走向。鹵莽粗豪的李逵，是反對招安最激烈的一個，因佩服宋江哥哥的義氣，依然跟隨到底。

魯智深出身行伍，「殺人須見血，救人須救徹」是他的基本信念，但他粗中有細，和李逵又不一樣。武松身軀凜凜，相貌堂堂，根本就是力與勇的化身；血濺鴛鴦樓，手刃張都監全家十幾口，既殘酷卻又讓人感到痛快淋漓。

人人出版公司《人人文庫》系列的四大小說——《紅樓夢》、《三國演義》、《水滸傳》、《西遊記》——於二〇一七年首度合體登場，盼提供讀者最豐富的閱讀饗宴。

《人人文庫》系列秉持好看、好讀的「輕」小說原則，方便您一卷在手，隨身攜帶。不但選用輕韌的日本紙，注解和編排更是簡明易懂，賞心悅目。祈願讀者們盡情優游書海，享受閱讀的樂趣。

【目次】卷3

第四一回至第六〇回

第四一回

宋江智取無為軍
張順活捉黃文炳

話說江州城外白龍廟中，梁山泊好漢劫了法場，救得宋江、戴宗。正是晁蓋、花榮、黃信、呂方、郭盛、劉唐、燕順、杜遷、宋萬、朱貴、王矮虎、鄭天壽、石勇、阮小二、阮小五、阮小七、白勝，共是一十七人，領帶著八、九十個悍勇壯健小嘍囉。

潯陽江上來接應的好漢：張順、張橫、李俊、李立、穆弘、穆春、童威、童猛、薛永九籌好漢，也帶四十餘人，都是江面上做私商的伙家，撐駕三隻大船，前來接應。城裡「黑旋風」李逵引眾人殺至潯陽江邊。兩路救應，通共有一百四、五十人，都在白龍廟裡聚義。

只聽得小嘍囉報道：「江州城裡軍兵擂鼓，搖旗鳴鑼，發喊追趕到來。」

那黑旋風李逵聽得，大吼了一聲，提兩把板斧，先出廟門，眾好漢吶聲喊，都挺手中軍器，齊出廟來迎敵。劉唐、朱貴先把宋江、戴宗護送上船，李俊同張順、三阮整頓船隻。就江邊看時，見城裡出來的官軍約有五七千馬軍，當先都是頂盔衣甲，全副弓箭，手裡都使長槍，背後步軍簇擁，搖旗吶喊，殺奔前來。這裡李逵當先，掄著板斧，赤條條地飛奔砍將入去，背後便是花榮、黃信、呂方、郭盛四將擁護。

花榮見前面的軍馬都扎住了槍，只怕李逵著傷，偷手取弓箭出來，搭上箭，拽滿弓，望著為頭領的一個馬軍，颼地一箭，只見翻筋斗射下馬去。那一夥馬軍，吃了一驚，各自奔命，撥轉馬頭便走，倒把步軍先衝倒了一半。這裡眾多好漢們一齊衝突將去，殺得那官軍屍橫野爛，血染江紅，直殺到江州城下，城上策應官軍早把檑木、炮石打將下來。

官軍慌忙入城，關上城門。好幾日不敢出來。眾多好漢拖轉黑旋風，回到白龍廟前下船。晁蓋整點眾人完備，都叫分頭下船，開江便走。

卻值順風，拽起風帆，三隻大船載了許多人馬頭領，卻投穆太公莊上來。一帆順風，早到岸邊埠頭。一行眾人，都上岸來。穆弘邀請眾好漢到莊內堂上，穆太公出來迎接，宋江等眾人都相見了。

太公道：「眾頭領連夜勞神，且請客房中安歇，將息貴體。」各人且去房裡暫歇將養，整理衣服器械。當日穆弘叫莊客宰了一頭黃牛，殺了十數個豬、羊、雞、鵝、魚、鴨，珍饈異饌，排下筵席，管待眾頭領。飲酒中間，說起許多情節。

晁蓋道：「若非是二哥眾位把船相救，我等皆被陷於縲紲。」

穆太公道：「你等如何卻打從那條路上來？」

李逵道：「我自只揀人多處殺將去，他們自要跟我來，我又不曾叫他。」眾人聽了，都大笑。

宋江起身與眾人道：「小人宋江，若無眾好漢相救時，和戴院長皆死於非命，今日之恩，深於滄海，如何報答得眾位？只恨黃文炳那廝搜根剔齒◈，幾番唆毒◈，要害我們。這冤仇如何不報？怎地啟請眾位好漢，再做個天大人情，去打了無為軍，殺得黃文炳那廝，也與宋江消了這口無窮之恨。那時回去如何？」

晁蓋道：「我們眾人偷營劫寨，只可使一遍，如何再行得？似此奸賊已有提備，不若且回山寨去，聚起大隊人馬，一發和學究、公孫二先生，並林沖、秦明，都來報仇，也未為晚。」

宋江道：「若是回山去了，再不能夠得來。一者山遙路遠，二乃江州必然申開明文，各處謹守，不要痴想；只是趁這個機會，便好下手，不要等他做了準備。」

◈**開江**—船隻起碇離岸。　**縲絏**—古代捆綁犯人的繩索。身陷縲絏指犯罪坐牢。縲音雷。絏音謝。
搜根剔齒—百般挑剔別人的毛病、錯處。　**唆毒**—搬弄是非。

花榮道：「哥哥見得是。雖然如此，只是無人識得路徑，不知它地理如何。先得個人去那裡城中探聽虛實，也要看無為軍出沒的路徑去處，就要認黃文炳那賊的住處了，然後方好下手。」

薛永便起身說道：「小弟多在江湖上行，此處無為軍最熟，我去探聽一遭如何？」

宋江道：「若得賢弟去走一遭最好。」薛永當日別了眾人自去了。

只說宋江自和眾頭領在穆弘莊上商議要打無為軍一事，整頓軍器槍刀，安排弓弩箭矢，打點大小船隻等項。提備已了，只見薛永去了兩日，帶將一個人回到莊上來，拜見宋江。

宋江便問道：「兄弟，這位壯士是誰？」

薛永答道：「這人姓侯，名健，祖居洪都人氏。做得第一手裁縫，端的是飛針走線，更兼慣習槍棒，曾拜薛永為師。人見他黑瘦輕捷，因此喚他做『通臂猿』。現在這無為軍城裡黃文炳家做生活。小弟因見了，就請在此。」宋江大喜，便教同坐商議。

那人也是一座地煞星之數，自然義氣相投。

宋江便問江州消息，無為軍路徑如何，薛永說道：「如今蔡九知府計點官軍、百姓，被殺死有五百餘人；帶傷中箭者，不計其數。現今差人星夜申奏朝廷去了。城門日中後便關，出入的好生盤問得緊。

「原來哥哥被害一事，倒不干蔡九知府事，都是黃文炳那廝，三回五次點撥知府，教害二位。如今見劫了法場，城中甚慌，曉夜提備。小弟又去無為軍打聽，正撞見侯健這個兄弟出來吃飯，因是得知備細。」

宋江道：「侯兄何以知之？」

侯健道：「小人自幼只愛習學槍棒，多得薛師父指教，因此不敢忘恩。近日黃通判特取小人來他家做衣服，因出來遇見師父，提起仁兄大名，說起此一節事來。小人要結識仁兄，特來報知備細。這黃文炳有個嫡親哥哥，喚做黃文燁，與這文炳是一母所生二子。

「這黃文燁平生只是行善事，修橋補路，塑佛齋僧，扶危濟困，救拔貧苦，那無為軍城中，都叫他『黃佛子』。這黃文炳雖是罷閒通判，心裡只要害人，慣行歹事，無為軍都叫他做『黃蜂刺』。他弟兄兩個分開做兩處住，只在一條巷內出入，靠北門裡便是他家。

「黃文炳貼著城住，黃文燁近著大街。小人在他那裡做生活，卻聽得黃通判回家來說這件事：『蔡九知府已被瞞過了，卻是我點撥他，教知府先斬了，然後奏去。』

「黃文燁聽得說時，只在背後罵說道：『又做這等短命促掐的事。於你無干，何故定要害他？倘或有天理之時，報應只在目前，卻不是反招其禍。』這兩日聽得劫了法場，好生吃驚。昨夜去江州探望蔡九知府，與他計較，尚兀自未回來。」

宋江道：「黃文炳隔著他哥哥家多少路？」

侯健道：「原是一家分開的，如今只隔著中間一個菜園。」

宋江道：「黃文炳家多少人口？有幾房頭？」

侯健道：「男子婦人通有四、五十口。」

宋江道：「天教我報仇，特地送這個人來。雖是如此，全靠眾弟兄維持。」

眾人齊聲應道：「當以死向前，正要驅除這等贓濫奸惡之人，與哥哥報仇雪恨。」

宋江又道：「只恨黃文炳那賊一個，卻與無為軍百姓無干。他兄既然仁德，亦不可害他，休教天下人罵我等不仁。眾弟兄去時，不可分毫侵害百姓。今去那裡，我有一計，只望眾人扶助扶助。」

眾頭領齊聲道：「專聽哥哥指教。」

宋江道：「有煩穆太公對付◆八、九十個叉袋，又要百十束蘆柴，用著五隻大船，兩隻小船，央及張順、李俊駕兩隻小船，在江面上與他如此行。五隻大船上，用著張橫、三阮、童威和識水的人護船。此計方可。」

◆**罷閒**—罷官閒居。　**促掐**—就是促狹、缺德的意思。　**對付**—設法湊集。

穆弘道：「此間蘆葦、油柴、布袋都有，我莊上的人都會使水駕船，便請哥哥行事。」

宋江道：「卻用侯家兄弟引著薛永並白勝，先去無為軍城中藏了，來日三更二點為期，且聽門外放起帶鈴鵓鴿，便教白勝上城策應，先插一條白絹號帶，近黃文炳家，便是上城去處。再又教石勇、杜遷扮做丐者，去城門邊左近埋伏，只看火為號，便要下手殺把門軍士。李俊、張順只在江面上往來巡綽◆，等候策應。」

宋江分撥已定。薛永、白勝、侯健先自去了。隨後再是石勇、杜遷扮做丐者，身邊各藏了短刀暗器，也去了。這裡自一面扛抬沙土布袋和蘆葦、油柴，上船裝載。眾好漢至期個個拴束了，身上都準備了器械，船艙裡埋伏軍漢，眾頭領分撥◆下船。

晁蓋、宋江、花榮在童威船上，燕順、王矮虎、鄭天壽在張橫船上，戴宗、劉唐、黃信在阮小二船上，呂方、郭盛、李立在阮小五船上，穆弘、穆春、李逵在阮小七船上。只留下朱貴、宋萬在穆太公莊上，看理江州城裡消息。先使童猛棹一隻打魚快船，前去探路，小嘍囉並軍健都伏在艙裡，火家莊客、水手撐駕船隻，當夜密地望無為軍來。

此時正是七月盡天氣，夜涼風靜，月白江清，水影山光，上下一碧。昔日參廖子有首詩題這江景，道是：

洪濤滾滾煙波沓，月淡風清九江曉。
欲從舟子問如何，但覺廬山眼中小。

是夜初更前後，大小船隻都到無為江岸邊，揀那有蘆葦深處，一字兒纜定了船隻。只見童猛回船來報道：「城裡並無些動靜。」

宋江便叫手下眾人，把這沙土布袋和蘆葦乾柴都搬上岸，望城邊來。聽那更鼓時，正打二更。宋江叫小嘍囉個個扛了沙土布袋並蘆柴，就城邊堆

◆巡綽──到處視察、警備。　分撥──分派、分配。

垛了。眾好漢各挺手中軍器，只留張橫、三阮、兩童守船接應，其餘頭領都奔城邊來。望城上時，約離北門有半里之路，宋江便叫放起帶鈴鵓鴿。只見城上一條竹竿，縛著白號帶，風飄起來。宋江見了，便叫軍士就這城邊堆起沙土布袋，吩咐軍漢，一面挑擔蘆葦油柴上城。只見白勝已在那裡接應等候，把手指與眾軍漢道：「只那條巷便是黃文炳住處。」

宋江問白勝道：「薛永、侯健在哪裡？」

白勝道：「他兩個潛入黃文炳家裡去了，只等哥哥到來。」

宋江又問道：「你曾見石勇、杜遷麼？」

白勝道：「他兩個在城門邊左近伺候。」宋江聽罷，引了眾好漢下城來，逕到黃文炳門前。

只見侯健閃在房簷下，宋江喚來，附耳低言道：「你去將菜園門開了，放他軍士把蘆葦油柴堆放裡面，可教薛永尋把火來點著；卻去敲黃文炳門道：『間壁大官人家失火，有箱籠什物搬來寄頓。』敲得門開，我自有擺布◈。」

宋江教眾好漢分幾個把住兩頭。侯健先去開了菜園門，軍漢把蘆柴搬來，堆在裡面。侯健就討了火種，遞與薛永，將來點著。

侯健便閃出來，卻去敲門叫道：「間壁大官人家失火，有箱籠搬來寄頓，快開門則個！」裡面聽得，便起來看時，望見隔壁火起，連忙開門出來。

晁蓋、宋江等吶聲喊殺將入去，眾好漢亦各動手，見一個殺一個，見兩人殺一雙，把黃文炳一門內外大小四、五十口，盡皆殺了，不留一人，只不見了文炳一個。眾好漢把他從前酷害良民，積攢下許多家私金銀，收拾俱盡。大哨一聲，眾多好漢都扛了箱籠家財，卻奔城上來。且說石勇、杜遷見火起，各掣出尖刀，便殺把門軍人，卻見前街鄰舍拿了水桶梯子，都來救火。

◈擺布——安排、支配。

石勇、杜遷大喝道：「你那百姓，休得向前！我們是梁山泊好漢數千在此，來殺黃文炳一門良賤，與宋江、戴宗報仇，不干你百姓事。你們快回家躲避了，休得出來閒管事！」

眾鄰舍還有不信的，立住了腳看，只見黑旋風李逵掄起兩把板斧，著地捲將來，眾鄰舍方才吶聲喊，抬了梯子水桶，一哄都走了。這邊後巷也有幾個守門軍漢，帶了些人，拖了麻搭火鈎，都奔來救火。早被花榮張起弓，當頭一箭，射翻了一個，李逵大喝道：「要死的便來救火！」那夥軍漢一齊都退去了。只見薛永拿著火把，便就黃文炳家裡前後點著，亂亂雜雜火起。看那火時，但見：

黑雲匝地，紅焰飛天，
卒律律◆走萬道金蛇，焰騰騰散千團火塊。
狂風相助，雕梁畫棟片時休。炎焰漲空，大廈高堂彈指沒。
這不是火，卻是：文炳心頭惡，觸惱丙丁神。
害人施毒驗焰，惹火自燒身。

當時石勇、杜遷已殺倒把門軍士，李逵砍斷鐵鎖，大開了城門，一半人從城上出去，一半人從城門下出去。張橫、三阮、兩童都來接應，合做一處，扛抬財物上船。無為軍已知江州被梁山泊好漢劫了法場，殺死無數的人，如何敢出來追趕，只得迴避了。這宋江一行眾好漢，只恨拿不著黃文炳，都上了船去，搖開了，自投穆弘莊上來，不在話下。

卻說江州城裡望見無為軍火起，蒸天價紅，滿城中講動，只得報知本府。這黃文炳正在府裡議事，聽得報說了，慌忙來稟知府道：「敝鄉失火，急欲回家看覷。」

蔡九知府聽得，忙叫開城門，差一隻官船相送。黃文炳謝了知府，隨即出來，帶了從人，慌速下船，搖開江面，望無為軍來。

看見火勢猛烈，映得江面上都紅，艄公說道：「這火只是北門裡火。」

黃文炳見說了，心裡越慌。看看搖到江心裡，只見一隻小船從江面上搖過

◆卒律律——形容風火猛烈急促的樣子。

去了，不多時，又是一隻小船搖將過來，卻不逕過，望著官船直撞將來。從人喝道：「甚麼船，敢如此直撞來！」只見那小船上一個大漢跳起來，手裡拿著撓鉤，口裡應道：「去江州報失火的船。」

黃文炳便鑽出來問道：「哪裡失火？」那大漢道：「北門裡黃通判家，被梁山泊好漢殺了一家人口，劫了家私，如今正燒著哩！」黃文炳失口叫聲苦，不知高低。那漢聽了，一撓鉤搭住了船，便跳過來。黃文炳是個乖覺的人，早瞧了八分，便奔船梢後走，望江裡踴身便跳。忽見江面上一隻船，水底下早鑽過一個人，把黃文炳劈腰抱住，攔頭揪起，扯上船來。船上那個大漢早來接應，便把麻索綁了。水底下活捉了黃文炳的，便是浪裡白條張順，船上把撓鉤的，便是混江龍李俊。兩個好漢立在船上，那搖官船的艄公只顧下拜。

李俊說道：「我不殺你們，只要捉黃文炳這廝，你們自回去說與蔡九知府那賊驢◆知道，俺梁山泊好漢們權寄下他那顆驢頭，早晚便要來取。」

艄公戰抖抖◆的道：「小人去說。」李俊、張順拿了黃文炳過自己的小船上，放那官船去了。

兩個好漢棹了兩隻快船，逕奔穆弘莊上，早搖到岸邊，望見一行頭領，都在岸上等候，搬運箱籠上岸。見說拿得黃文炳，宋江不勝之喜。眾好漢一齊心中大喜，說：「正要此人見面！」

李俊、張順早把黃文炳帶上岸來，眾人看了，監押著，離了江岸，到穆太公莊上來。朱貴、宋萬接著眾人，入到莊裡草廳上坐下。宋江把黃文炳剝了濕衣服，綁在柳樹上，請眾頭領團團坐定。宋江叫取一壺酒來，與眾人把盞。上自晁蓋，下至白勝，共是三十位好漢，都把遍了。

宋江大罵黃文炳：「你這廝！我與你往日無冤，近日無仇，你如何只要

◆**踴身**—縱身。　**賊驢**—罵人像笨賊笨驢一樣的笨蛋。　**戰抖抖**—因恐懼或發怒而發抖的樣子。

害我，三回五次，教唆蔡九知府殺我兩個！你既讀聖賢之書，如何要做這等毒害的事？我又不與你有殺父之仇，你如何定要謀我？

「你哥哥黃文燁，與你這廝一母所生，他怎恁般修善，久聞你那城中都稱他做黃佛子，我昨夜分毫不曾侵犯他。你這廝在鄉中只是害人，交結權勢，浸潤官長，欺壓良善，我知道無為軍人民都叫你做黃蜂刺。我今日且替你拔了這個刺！」

黃文炳告道：「小人已知過失，只求早死。」

晁蓋喝道：「你那賊驢，怕你不死！你這廝早知今日，悔不當初！」

宋江便問道：「哪個兄弟替我下手？」

只見黑旋風李逵跳起身來說道：「我與哥哥動手割這廝。我看他肥胖了，倒好燒吃。」

晁蓋道：「說得是，教取把尖刀來，就討盆炭火來，細細地割這廝燒來下酒，與我賢弟消這怨氣。」

李逵拿起尖刀，看著黃文炳笑道：「你這廝在蔡九知府後堂且會說黃道黑◈，撥置◈害人，無中生有攛掇他。今日你要快死，老爺卻要你慢死！」便把尖刀先從腿上割起，揀好的，就當面炭火上炙來下酒。割一塊，炙一塊，無片時，割了黃文炳，李逵方才把刀割開胸膛，取出心肝，把來與眾頭領做醒酒湯。眾多好漢看割了黃文炳，都來草堂上與宋江賀喜。有詩為證：

文炳趨炎巧計乖，卻將忠義苦擠排。
奸謀未遂身先死，難免刳◈心炙肉災。

只見宋江先跪在地下，眾頭領慌忙都跪下，齊道：「哥哥有甚事，但說不妨，兄弟們敢不聽。」宋江便道：「小可不才，自小學吏，初世為人，便要結識天下好漢。奈緣力薄才疏，不能接待，以遂平生之願。自從刺配江州，多感晁頭領並眾

◈說黃道黑──比喻對人對事任意評論。 撥置──設計、挑撥。 刳──剖開。刳音哭。

豪傑苦苦相留，宋江因守父親嚴訓，不曾肯住。正是天賜機會，於路直至潯陽江上，又遭際許多豪傑。不想小可不才，一時間酒後狂言，險累了戴院長性命。

「感謝眾位豪傑不避凶險，來虎穴龍潭，力救殘生；又蒙協助，報了冤仇。如此犯下大罪，鬧了兩座州城，必然申奏去了。今日不由宋江不上梁山泊投托哥哥去，未知眾位意下若何？如是相從者，只今收拾便行；如不願去的，一聽尊命。只恐事發，反遭負累，煩可尋思。」

說言未絕，李逵跳將起來，便叫道：「都去，都去！但有不去的，吃我一鳥斧，砍做兩截便罷！」

宋江道：「你這般粗鹵說話，全在各人弟兄們心肯意肯，方可同去。」

眾人議論道：「如今殺死了許多官軍人馬，鬧了兩處州郡，他如何不申奏朝廷，必然起軍馬來擒獲。今若不隨哥哥去，同死同生，卻投哪裡去？」

宋江大喜，謝了眾人。當日先叫朱貴和宋萬前回山寨裡去報知，次後分作五起進程：頭一起便是晁蓋、宋江、花榮、戴宗、李逵；第二起便是劉唐、杜遷、石勇、薛永、侯健；第三起便是李俊、李立、呂方、郭盛、童威、童猛；第四起便是黃信、張順、張橫、阮家三弟兄；第五起便是燕順、王矮虎、穆弘、穆春、鄭天壽、白勝。五起二十八個頭領，帶了一千人等，將這所得黃文炳家財個個分開，裝載上車子，穆弘帶了穆太公並家小人等，將應有家財金寶裝載車上。

莊客數內有不願去的，都齎發他些銀兩，自投別主去傭工；有願去的，一同便往。前四起陸續去了，已自行動。穆弘收拾莊內已了，放起十數個火把，燒了莊院，撇下了田地，自投梁山泊來。

且不說五起人馬登程，節次◈進發，只隔二十里而行。先說第一起晁蓋、宋江、花榮、戴宗、李逵五騎馬，帶著車仗人等，在路行了三日，前面來到

◈節次──依次、依序。這裡指一隊接一隊。

一個去處，地名喚做黃門山。

宋江在馬上與晁蓋說道：「這座山生得形勢怪惡，莫不有大夥在內？可著人催趲後面人馬上來，一同過去。」說猶未了，只見前面山嘴上鑼鳴鼓響。

宋江道：「我說麼！且不要走動，等後面人馬到來，好和他廝殺！」花榮便拈弓搭箭在手，晁蓋、戴宗各執朴刀，李逵拿著雙斧，擁護著宋江，一齊趲馬向前。

只見山坡邊閃出三五百個小嘍囉，當先簇擁出四籌好漢，各挺軍器在手，高聲喝道：「你等大鬧了江州，劫掠了無為軍，殺害了許多官軍百姓，待回梁山泊去，我四個等你多時。會事的只留下宋江，都饒了你們性命！」

宋江聽得，便挺身出去，跪在地下，說道：「小可宋江被人陷害，冤屈無伸，今得四方豪傑救了性命，小可不知在何處觸犯了四位英雄，萬望高抬貴手，饒恕殘生！」

那四籌好漢見了宋江跪在前面，都慌忙滾鞍下馬，撇了軍器，飛奔前來，拜倒在地下，說道：「俺弟兄四個只聞山東及時雨宋公明大名，想殺也不能夠見面。俺聽知哥哥在江州為事吃官司，我弟兄商議定了，正要來劫牢，只是不得個實信。

「前日使小嘍囉直到江州來打聽，回來說道：『已有多少好漢鬧了江州，劫了法場救出，往揭陽鎮去了。後又燒了無為軍，劫掠黃通判家。』料想哥哥必從這裡來。節次使人路中來探望，猶恐未真，故反作此一番詰問。衝撞哥哥，萬勿見罪。今日幸見仁兄，小寨裡略備薄酒粗食，權當接風。請眾好漢同到敝寨盤桓片時。」

宋江大喜，扶起四位好漢，逐一請問大名。為頭的那人姓歐，名鵬，祖貫是黃州人氏，守把大江軍戶，因惡了本官，逃走在江湖上綠林中，熬出

◈**會事**——明白事理。

這個名字，喚做「摩雲金翅」。

第二個好漢姓蔣，名敬，祖貫是湖南潭州人氏，原是落科舉子出身，科舉不第，棄文就武，頗有謀略，精通書算，積萬累千，纖毫不差，亦能刺槍使棒，布陣排兵，因此人都喚他做「神算子」。

第三個好漢姓馬，名麟，祖貫是南京建康人氏，原是小番子閑漢◈出身，吹得雙鐵笛，使得好大滾刀，百十人近他不得，因此人都喚他做「鐵笛仙」。

第四個好漢姓陶，名宗旺，祖貫是光州人氏。莊家田戶出身，慣使一把鐵鍬，有的是氣力，亦能使槍掄刀，因此人都喚做「九尾龜」。

怎見得四個好漢英雄，有《西江月》為證：

力壯身強無賽，行時捷似飛騰，摩雲金翅是歐鵬，首位黃山排定。
幼恨毛錐◈失利，長從韜略搜精，如神算法善行兵，文武全才蔣敬。
鐵笛一聲山裂，銅刀兩口神驚，馬麟形貌更猙獰，廝殺場中超乘。
宗旺力如猛虎，鐵鍬到處無情，神龜九尾喻多能，都是英雄頭領。

這四籌好漢接住宋江，小嘍囉早捧過果盒，一大壺酒，兩大盤肉，托過來把盞。先遞晁蓋、宋江，次遞花榮、戴宗、李逵，與眾人都相見了，一面遞酒。沒兩個時辰，第二起頭領又到了，一個個盡都相見。

把盞已遍，邀請眾位上山。

兩起十位頭領先來到黃門山寨內，那四籌好漢便叫椎牛宰馬管待。卻教小嘍囉陸續下山，接請後面那三起十八位頭領上山來筵宴。未及半日，三起好漢已都來到了，盡在聚義廳上筵席相會。

宋江飲酒中間，在席上開話道：「今次宋江投奔了哥哥晁天王，上梁山泊去，一同聚義，未知四位好漢肯棄了此處，同往梁山泊大寨相聚否？」

四個好漢齊答道：「若蒙二位義士不棄貧賤，情願執鞭墜鐙。」

宋江、晁蓋大喜，便說道：「既是四位肯從大義，便請收拾起程。」

眾多頭領俱各歡喜。在山寨住了一日，過了一夜。

◈**小番子閑漢**——差役的耳目、幫手。　**毛錐**——毛筆。毛錐失利便是指科舉落第。

次日，宋江、晁蓋仍舊做頭一起下山，進發先去。次後依例而行，只隔著二十里遠近。四籌好漢收拾起財帛金銀等項，帶領了小嘍囉三五百人，便燒毀了寨柵，隨作第六起登程。

宋江又合得這四個好漢，心中甚喜，於路在馬上對晁蓋說道：「小弟來江湖上走了這幾遭，雖是受了些驚恐，卻也結識得這許多好漢。今日同哥哥上山去，這回只得死心塌地，與哥哥同死同生。」

一路上說著閒話，不覺早來到朱貴酒店裡了。

且說四個守山寨的頭領吳用、公孫勝、林沖、秦明和兩個新來的蕭讓、金大堅，已得朱貴、宋萬先回報知，每日差小頭目棹船出來酒店裡迎接，一起人都到金沙灘上岸，擂鼓吹笛，眾好漢們都乘馬轎，迎上寨來。

到得關下，軍師吳學究等六人，把了接風酒，都到聚義廳上，焚起一爐好香。

晁蓋便請宋江為山寨之主，坐第一把交椅，宋江哪裡肯，便道：「哥哥差矣！感蒙眾位不避刀斧，救拔宋江性命，哥哥原是山寨之主，如何卻讓不才？若要堅執如此相讓，宋江情願就死！」

晁蓋道：「賢弟如何這般說？當初若不是賢弟擔那血海般干係，救得我等七人性命上山，如何有今日之眾？你正是山寨之恩主！你不坐，誰坐？」

宋江道：「仁兄，論年齒，兄長也大十歲，宋江若坐了，豈不自羞。」再三推晁蓋坐了第一位，宋江坐了第二位，吳學究坐了第三位，公孫勝坐了第四位。

宋江道：「休分功勞高下，梁山泊一行舊頭領去左邊主位上坐，新到頭領去右邊客位上坐，待日後出力多寡，那時另行定奪。」

眾人齊道：「哥哥言之極當。」

左邊一帶，是林沖、劉唐、阮小二、阮小五、阮小七、杜遷、宋萬、朱貴、白勝；右邊一帶，論年甲次序，互相推讓，花榮、秦明、黃信、戴宗、李逵、李俊、穆弘、張橫、張順、燕順、呂方、郭盛、蕭讓、王矮虎、薛永、金大

◈第一把交椅—排在第一的座位。指地位或能力為人所推崇。

堅、穆春、李立、歐鵬、蔣敬、童威、童猛、馬麟、石勇、侯健、鄭天壽、陶宗旺，共是四十位頭領坐下。大吹大擂，且吃慶喜筵席。

宋江說起江州蔡九知府揑造謠言一事，說與眾人：「叵耐黃文炳那廝，事又不干他自己，卻在知府面前胡言亂道，解說道：『耗國因家木』，耗散國家錢糧的人，必是家頭著個『木』字，不是個『宋』字？『刀兵點水工』，興動刀兵之人，必是三點水著個『工』字，不是個『江』字？這個正應宋江身上。

「那後兩句道：『縱橫三十六，播亂在山東。』合主宋江造反在山東。以此拿了小可。不期戴院長又傳了假書，以此黃文炳那廝攛掇知府，只要先斬後奏。若非眾好漢救了，焉得到此？」

李逵跳將起來道：「好！哥哥正應著天上的言語，雖然吃了他些苦，黃文炳那賊也吃我割得快活。放著我們有許多軍馬，便造反怕怎地？晁蓋哥哥便做了大皇帝，宋江哥哥便做了小皇帝，吳先生做個丞相，公孫道士便做個國師，我們都做個將軍，殺去東京，奪了鳥位，在那裡快活，卻不好？不強似這個鳥水泊裡？」

戴宗連忙喝道：「鐵牛，你這廝胡說！你今日既到這裡，不可使你那在江州性兒，須要聽兩位頭領哥哥的言語號令，亦不許你胡言亂語，多嘴多舌。再如此多言插口，先割了你這顆頭來為令，以警後人。」

李逵道：「哎也！若割了我這顆頭，幾時再長得一個出來？我只吃酒便了。」眾多好漢都笑。

宋江又提起拒敵官軍一事，說道：「那時小可初聞這個消息，好不驚恐，不期今日輪到宋江身上。」

吳用道：「兄長當初若依了弟兄之言，只住山上快活，不到江州，不省了多少事？這都是天數注定如此。」

宋江道：「黃安那廝，如今在哪裡？」

晁蓋道：「那廝住不夠兩三個月，便病死了。」宋江嗟嘆不已。

當日飲酒，個個盡歡。

晁蓋先叫安頓穆太公一家老小。叫取過黃文炳的家財，賞勞了眾多出力的小嘍囉。取出原將來的信籠，交還戴院長收用。戴宗哪裡肯要，定教收放庫內，公支使用。晁蓋叫眾多小嘍囉參拜了新頭領李俊等，都參見了。連日山寨裡殺牛宰馬，作慶賀筵席，不在話下。

再說晁蓋教向山前山後各撥定房屋居住，山寨裡再起造房舍，修理城垣。至第三日，酒席上宋江起身對眾頭領說道：「宋江還有一件大事，正要稟眾弟兄。小可今欲下山走一遭，乞假數日，未知眾位肯否？」晁蓋便問道：「賢弟今欲要往何處，幹甚麼大事？」宋江不慌不忙，說出這個去處。有分教：槍刀林裡，再逃一遍殘生；山嶺邊旁，傳授千年勳業。正是：

只因玄女書三卷，留得清風史數篇。

畢竟宋公明要往何處去走一遭？且聽下回分解。

第四二回 還道村受三卷天書 宋公明遇九天玄女

話說當下宋江在筵上對眾好漢道：「小可宋江自蒙救護上山，到此連日飲宴，甚是快樂，不知老父在家正是何如。即目江州申奏京師，必然行移濟州，著落鄆城縣追捉家屬，比捕◆正犯。恐老父存亡不保，宋江想念，欲往家中搬取老父上山，以絕掛念。不知眾弟兄還肯容否？」

晁蓋道：「賢弟，這件是人倫中大事，不成我和你受用快樂，倒教家中老父吃苦，如何不依賢弟。只是眾兄弟們連日辛苦，寨中人馬未定，再停兩日，點起山寨人馬，一逕去取了來。」

宋江道：「仁兄，再過幾日不妨，只恐江州行文到濟州追捉家屬，以此事不宜遲。也不須點多人去，只宋江潛地◈自去，和兄弟宋清搬取老父連夜上山來。那時鄉中神不知，鬼不覺。若還多帶了人伴去，必然驚嚇鄉里，反招不便。」

晁蓋道：「賢弟路中倘有疏失，無人可救。」

宋江道：「若為父親，死而不怨。」當日苦留不住，宋江堅執要行，便取個氈笠帶了，提條短棒，腰帶利刃，便下山去。眾頭領送過金沙灘自回。

且說宋江過了渡，到朱貴酒店裡上岸，出大路投鄆城縣來。路上少不得飢餐渴飲，夜住曉行。一日奔宋家村晚了，到不得，且投客店歇了。次日趲行，到宋家村時卻早，且在林子裡伏了，等待到晚，卻投莊上來敲後門。莊裡聽得，只見宋清出來開門，見了哥哥，吃那一驚，慌忙道：「哥

◈比捕—限定時限，令警吏逮捕犯人歸案。　潛地—暗中。

哥，你回家來怎地？」

宋江道：「我特來家取父親和你。」

宋清道：「哥哥，你在江州做了的事，如今這裡都知道了。本縣差下這兩個趙都頭，每日來勾取，管定了我們，不得轉動。只等江州文書到來，便要捉我們父子二人，下在牢裡監禁，聽候拿你。日裡夜間，一二百土兵巡綽。你不宜遲，快去梁山泊請下眾頭領來，救父親並兄弟！」

宋江聽了，驚得一身冷汗。不敢進門，轉身便走，奔梁山泊路上來。是夜月色朦朧，路不分明，宋江只顧揀僻靜小路去處走。約莫也走了一個更次，只聽得背後有人發喊起來。宋江回頭聽時，只隔一二里路，看見一簇火把照亮，只聽得叫道：「宋江休走！」

宋江一頭走，一面肚裡尋思：「不聽晁蓋之言，果有今日之禍！皇天可憐，垂救宋江則個！」遠遠望見一個去處，只顧走。

少間風掃薄雲，現出那輪明月，宋江方才認得仔細，叫聲苦，不知高低。看了那個去處，有名喚做還道村。原來團團都是高山峻嶺，山下一遭澗水，中間單單只一條路。入來這村，左來右去走，只是這條路，更沒第二條路。宋江認得這個村口，欲待回身，卻被背後趕來的人已把住了路口，火把照耀如同白日，宋江只得奔入村裡來，尋路躲避。抹過一座林子，早看見一所古廟。但見：

牆垣頹損，殿宇傾斜，兩廊畫壁長蒼苔，滿地花磚生碧草。門前小鬼，折臂膊不顯猙獰；殿上判官，無幞頭◈不成禮數。供床上蜘蛛結網，香爐內螻蟻◈營窠；狐狸常睡紙爐中，蝙蝠不離神帳裡。

宋江只得推開廟門，乘著月光，入進廟裡來，尋個躲避處。前殿後殿，相了一回，安不得身，心裡越慌。

◈**幞頭**──帽子的一種，一般內襯木骨，以藤草編成巾子為裡，外罩漆紗。 **螻蟻**──螻蛄及螞蟻。

只聽得外面有人道：「都管只走在這廟裡？」宋江聽得時，是趙能聲音。急沒躲處，見這殿上一所神廚◈，宋江揭起帳幔，望裡面探身便鑽入神廚裡。安了短棒，做一堆兒伏在廚內，氣也不敢喘。只聽得外面拿著火把，照將入來。

宋江在神廚裡偷眼看時，趙能、趙得引著四、五十人，拿著火把，各到處照，看看照上殿來。宋江道：「我今番走了死路，望陰靈庇護則個，神明庇佑！」一個個都走過了，沒人看著神廚裡。

宋江道：「卻不是天幸！」

只見趙得將火把來神廚內照一照，宋江道：「我這番端的受縛！」趙得一隻手將朴刀桿挑起神帳，上下把火只一照，火煙沖將起來，沖下一片黑塵來，正落在趙得眼裡，眯了眼，便將火把丟在地下，一腳踏滅了。走出殿門外來，對土兵們道：「這廝不在廟裡。別又無路，卻走向哪裡去了？」

眾土兵道：「多應這廝走入村中樹林裡去了。這裡不怕他走脫，這個村喚做還道村，只有這條路出入，裡面雖有高山林木，卻無路上得去。都頭只把住村口，他便會插翅飛上天去，也走不脫了。待天明，村裡去細細搜捉。」趙能、趙得道：「也是。」引了土兵下殿去了。

宋江道：「卻不是神明護佑。若還得了性命，必當重修廟宇，再建祠堂，陰靈保佑則個。」說猶未了，只聽得有幾個土兵在廟門前叫道：「都頭，在這裡了！」趙能、趙得和眾人一夥搶入來。

宋江道：「卻不又是晦氣，這遭必被擒捉！」

趙能到廟前問道：「在哪裡？」

土兵道：「都頭你來看，廟門上兩個塵手跡，一定是卻才推開廟門，閃在裡面去了。」

◆神廚—供奉神靈的石室或龕子。

趙能道：「說得是，再仔細搜一搜看。」

這夥人再入廟裡來搜看，宋江道：「我命運這般蹇拙，今番必是休了！」那夥人去殿前殿後搜遍，只不曾翻過磚來。

眾人又搜了一回，火把看看照上殿來，趙能道：「多是只在神廚裡。卻才兄弟看不仔細，我自照一照看。」

一個土兵拿著火把，趙能一手揭起帳幔，五七個人伸頭來看。不看萬事俱休，才看一看，只見神廚裡捲起一陣惡風，將那火把都吹滅了，黑騰騰罩了廟宇，對面不見。

趙能道：「卻又作怪！平地裡捲起這陣惡風來，想是神明在裡面，定嗔怪我們只管來照，因此起這陣惡風顯應。我們且去罷！只守住村口，待天明再來尋。」

趙得道：「只是神廚裡不曾看得仔細，再把槍去搠一搠。」

趙能道：「也是。」

兩個卻待向前，只聽得殿後又捲起一陣怪風，吹得飛沙走石，滾將下來，搖得那殿宇吸吸◆地動，罩下一陣黑雲，布合了上下，冷氣侵人，毛髮豎起。趙能情知不好，叫了趙得道：「兄弟快走，神明不樂！」眾人一哄都奔下殿來，望廟門外跑走，有幾個攧翻了的，也有閃朒◆了腿的，爬得起來，奔命走出廟門。

只聽得廟裡有人叫：「饒恕我們！」

趙能再入來看時，兩三個土兵跌倒在龍墀◆裡，被樹根鉤住了衣服，死也掙不脫，手裡丟了朴刀，扯著衣裳叫饒。宋江在神廚裡聽了，忍不住笑。

趙能把土兵衣服解脫了，領出廟門去。

有幾個在前面的土兵說道：「我說這神道◆最靈，你們只管在裡面纏障◆，引得小鬼發作起來。我們只去守住了村口等他，須不吃他飛了去。」

◆**吸吸**—雲動的樣子。 **朒**—扭傷、折傷。朒音女四聲。 **龍墀**—指官府或祠廟的臺階。
神道—神祇。 **纏障**—糾纏不清。

趙能、趙得道：「說得是。只消村口四下裡守定。」眾人都望村口去了。

只說宋江在神廚裡口稱慚愧道：「雖不被這廝們拿了，卻怎能夠出村口去？」

正在廚內尋思，百般無計，只聽得後面廊下有人出來，宋江道：「卻又是苦也！早是不鑽出去。」

只見兩個青衣童子，逕到廚邊舉口道：「小童奉娘娘法旨，請星主◈說話。」宋江哪裡敢做聲答應。

外面童子又道：「娘娘有請，星主可行。」宋江也不敢答應。

外面童子又道：「宋星主休得遲疑，娘娘久等。」宋江聽得鶯聲燕語，不是男子之音，便從神櫃底下鑽將出來，看時，卻是兩個青衣女童侍立在床邊。宋江吃了一驚，卻是兩個泥神。

只聽得外面又說道：「宋星主，娘娘有請。」宋江分開帳幔，鑽將出來，只見是兩個青衣螺髻◈女童，齊齊躬身，各打個稽首。宋江看那女童時，但見：

朱顏綠髮，皓齒明眸。飄飄不染塵埃，耿耿天仙風韻。

螺螄髻山峰堆擁，鳳頭鞋蓮瓣輕盈。

領抹深青，一色織成銀縷；帶飛真紫，雙環結就金霞。

依稀閬苑董雙成，彷彿蓬萊花鳥使。

當下宋江問道：「二位仙童自何而來？」

青衣道：「奉娘娘法旨，有請星主赴宮。」

宋江道：「仙童◈差矣。我自姓宋，名江，不是甚麼星主。」

青衣道：「如何差了？請星主便行，娘娘久等。」

宋江道：「甚麼娘娘？亦不曾拜識，如何敢去？」

◈**星主**—品德行為等異於常人的人，係上界重要星宿轉世，因稱其為星主。

螺髻—螺螄形的髮髻。　**仙童**—伏侍仙人的童子。

青衣道：「星主到彼便知，不必詢問。」宋江道：「娘娘在何處？」

青衣道：「只在後面宮中。」

青衣前引便行，宋江隨後跟下殿來，轉過後殿側首一座子牆◈角門◈，青衣道：「宋星主從此間進來。」

宋江跟入角門來看時，星月滿天，香風拂拂，四下裡都是茂林修竹。宋江尋思道：「原來這廟後又有這個去處。早知如此，卻不來這裡躲避，不受那許多驚恐。」

宋江行時，覺道香塢兩行夾種著大松樹，都是合抱不交的，中間平坦，一條龜背大街◈。宋江看了，暗暗尋思道：「我倒不想古廟後有這般好路徑。」

跟著青衣，行不過一里來路，聽得潺潺的澗水響。看前面時，一座青石橋，兩邊都是朱欄，岸上栽種奇花異草、蒼松茂竹、翠柳夭桃，橋下翻銀滾雪般的水，流從石洞裡去。過得橋基看時，兩行奇樹，中間一座大朱紅櫺星門◈。宋江入得櫺星門看時，抬頭見一所宮殿，但見：

金釘朱戶，碧瓦雕簷。
飛龍盤柱戲明珠，雙鳳幃屏明曉日。
紅泥牆壁，紛紛御柳間宮花；翠靄樓臺，淡淡祥光籠瑞影。
窗橫龜背，香風冉冉透黃紗；簾捲蝦鬚◆，皓月團團懸紫綺。
若非天上神仙府，定是人間帝王家。

宋江見了，尋思道：「我生居鄆城縣，不曾聽得說有這個去處。」心中驚恐，不敢動腳。青衣催促請星主行。

一引引入門內，有個龍墀，兩廊下盡是朱紅亭柱，都掛著繡簾，正中一所大殿，殿上燈燭熒煌。青衣從龍墀內一步步引到月臺上，聽得殿上階前又有幾個青衣道：「娘娘有請星主進來。」

◆**子牆**—院落內的小牆。　**角門**—在正門左右的側門。
龜背大街—龜背，龜的背部，亦形容物體中部隆起之狀。龜背大街形容街道中間微微隆起似龜背。
櫺星門—一說即為天門。　**蝦鬚**—簾子的別稱。

宋江到大殿上，不覺肌膚戰慄，毛髮倒豎，下面都是龍鳳磚階。

青衣入簾內奏道：「請至宋星主在階前。」

宋江到簾前御階之下，躬身再拜，俯伏在地，口稱：「臣乃下濁庶民，不識聖上，伏望天慈，俯賜憐憫。」

御簾內傳旨，教請星主坐。宋江哪裡敢抬頭。教四個青衣扶上錦墩◈坐，宋江只得勉強坐下。殿上喝聲捲簾，數個青衣早把珠簾捲起，搭在金鈎上。娘娘問道：「星主別來無恙？」

宋江起身再拜道：「臣乃庶民，不敢面覷聖容。」

娘娘道：「星主既然至此，不必多禮。」

宋江恰才敢抬頭舒眼，看見殿上金碧交輝，點著龍燈鳳燭；兩邊都是青衣女童，持笏捧圭，執旌擎扇侍從；正中七寶九龍床上，坐著那個娘娘。

宋江看時，但見：

頭綰九龍飛鳳髻，身穿金縷絳綃衣，

藍田玉帶曳長裙，白玉圭璋擎彩袖。
臉如蓮萼，天然眉目映雲環；脣似櫻桃，自在規模端雪體。
正大仙容描不就，威嚴形象畫難成。

那娘娘口中說道：「請星主到此。」命童子獻酒，兩下青衣女童，執著奇花寶瓶，捧酒過來，斟在玉杯內，一個為首的女童，執玉杯遞酒，來勸宋江。宋江起身，不敢推辭，接過玉杯，朝娘娘跪飲了一杯。宋江覺道這酒馨香馥郁，如醍醐灌頂，甘露灑心。又是一個青衣，捧過一盤仙棗，上勸宋江。宋江戰戰兢兢，怕失了體面，尖著指頭，拿了一枚，就而食之，懷核在手。青衣又斟過一杯酒來勸宋江，宋江又一飲而盡。娘娘法旨，教再勸一杯，青衣再斟一杯酒過來勸宋江，宋江又飲了。仙女托過仙棗，又食了兩

◆錦墩──用錦裝飾的一種坐具，其狀略似長鼓。

枚。共飲過三杯仙酒，三枚仙棗。

宋江便覺道春色微醺，又怕酒後醉失體面，再拜道：「臣不勝酒量，望乞娘娘免賜。」

殿上法旨道：「既是星主不能飲，酒可止。教取那三卷天書賜與星主。」青衣去屏風背後，玉盤中托出黃羅袱子，包著三卷天書，度與宋江。宋江看時，可長五寸，闊三寸，厚三寸，不敢開看，再拜祇受，藏於袖中。

娘娘法旨道：「宋星主，傳汝三卷天書，汝可替天行道：星主全忠仗義，為臣輔國安民，去邪歸正。吾有四句天言，汝當記取，終身佩受，勿忘勿洩。」宋江再拜：「願受天言。」娘娘法旨道：

遇宿重重喜，逢高不是凶。外夷及內寇，幾處見奇功。

宋江聽畢，再拜謹受。

娘娘法旨道：「玉帝因為星主魔心未斷，道行未完，暫罰下方，不久重登紫府，切不可分毫懈怠！若是他日罪下酆都，吾亦不能救汝。此三卷之書，可以善觀熟視，只可與天機星同觀，其他皆不可見。功成之後，便可焚之，勿留在世。所囑之言，汝當記取。目今天凡相隔，難以久留，汝當速回。」便令童子急送星主回去，「他日瓊樓金闕，再當重會。」

宋江便謝了娘娘，跟隨青衣女童下得殿庭來，出得櫺星門，送至石橋邊，青衣道：「恰才星主受驚，不是娘娘護佑，已被擒拿。天明時，自然脫離了此難。星主，看石橋下水裡二龍相戲。」

宋江憑欄看時，果見二龍戲水。二青衣望下一推，宋江大叫一聲，卻撞在神廚內，覺來乃是南柯一夢。

宋江爬將起來看時，月影正午，料是三更時分。宋江把袖子裡摸時，手內棗核三個，袖裡帕子包著天書。摸將出來看時，果是三卷天書，又只覺口裡酒香。

◆祗受——恭敬地接受。　紫府——傳說中神仙住的地方。

宋江想道：「這一夢真乃奇異，似夢非夢。若把做夢來，如何有這天書在袖子裡，口中又酒香，棗核在手裡，說與我的言語，都記得，不曾忘了一句？不把做夢來，我自分明在神廚裡，一跤攧將入來。有甚難見處？想是此間神聖最靈，顯化如此。只是不知是何神明？」揭起帳幔看時，九龍椅上坐著一個妙面娘娘，正和夢中一般。

宋江尋思道：「這娘娘呼我做星主，想我前生非等閒人也。這三卷天書，必然有用。吩咐我的四句天言，不曾忘了。青衣女童道：『天明時自然脫離此村之厄。』如今天色漸明，我卻出去。」

便探手去廚裡摸了短棒，把衣服拂拭了，一步步走下殿來，便從左廊下轉出廟前，仰面看時，舊牌額上刻著四個金字道：「玄女之廟。」

宋江以手加額，稱謝道：「慚愧！原來是九天玄女娘娘傳受與我三卷天書，又救了我的性命。如若能夠再見天日之面，必當來此重修廟宇，再建殿庭。伏望聖慈俯垂護佑。」稱謝已畢，只得望著村口悄悄出來。

離廟未遠，只聽得前面遠遠地喊聲連天。宋江尋思道：「又不濟了！」立住了腳，「且未可出去。我若到他面前，定吃他拿了。不如且在這裡路旁樹背後躲一躲。」卻才閃得入樹背後去，只見數個士兵急急走得喘做一堆，把刀拄著，一步步攧將入來，口裡聲聲都只叫道：「神聖救命則個！」宋江在樹背後看了，尋思道：「卻又作怪。他們把著村口，等我出來拿我，卻又怎地搶入來？」再看時，趙能也搶入來，口裡叫道：「我們都是死也！」宋江道：「那廝如何恁地慌？」卻見背後一條大漢追將入來。那大漢上半截不著一絲，露出鬼怪般肉，手裡拿著兩把夾鋼板斧，口裡喝道：「含鳥休走！」遠觀不審，近看分明，正是黑旋風李逵。宋江想道：「莫非是夢裡麼？」不敢走出去。

◆以手加額——把手放在額頭上，表示慶幸、感激。

趙能正走到廟前，被松樹根只一絆，一跤攧在地下。

李逵趕上，就勢一腳踏住脊背，手起大斧，卻待要砍，背後又是兩籌好漢趕上來，把氈笠兒掀在脊梁上，各挺一條朴刀，上首的是歐鵬，下首的是陶宗旺。李逵見他兩個趕來，恐怕爭功，壞了義氣，就手把趙能一斧，砍做兩半，連胸脯都砍開了，跳將起來，把土兵趕殺，四散走了。

宋江兀自不敢便走出來。背後只見又趕上三籌好漢，也殺將來。前面赤髮鬼劉唐，第二石將軍石勇，第三催命判官李立。

這六籌好漢說道：「這廝們都殺散了，只尋不見哥哥，卻怎生是好？」

石勇叫道：「兀那松樹背後一個人立在那裡？」

宋江方才敢挺身出來，說道：「感謝眾兄弟們又來救我性命，將何以報大恩！」

六籌好漢見了宋江，大喜道：「哥哥有了！快去報與晁頭領得知。」石勇、李立分頭去了。

宋江問劉唐道：「你們如何得知來這裡救我？」

劉唐答道：「哥哥前腳下得山來，晁頭領與吳軍師放心不下，便叫戴院長隨即下來，探聽哥哥下落。晁頭領又自己放心不下，再著我等眾人前來接應，只恐哥哥有些疏失，半路裡撞見戴宗道：『兩個賊驢追趕捕捉哥哥。』晁頭領大怒，吩咐戴宗去山寨，只教留下吳軍師、公孫勝、阮家三兄弟、呂方、郭盛、朱貴、白勝看守寨柵，其餘兄弟，都叫來此間尋覓哥哥。「聽得人說道：『趕宋江入還道村去了。』村口守把的這廝們，盡數殺了，不留一個，只有這幾個奔進村裡來。隨即李大哥追來，我等都趕入來，不想哥哥在這裡。」

說猶未了，石勇引將晁蓋、花榮、秦明、黃信、薛永、蔣敬、馬麟到來，李立引將李俊、穆弘、張橫、張順、穆春、侯健、蕭讓、金大堅一行，眾多好漢都相見了。宋江作謝眾位頭領。

晁蓋道：「我叫賢弟不須親自下山，不聽愚兄之言，險些兒又做出事來。」宋江道：「小可兄弟，只為父親這一事，懸腸掛肚，坐臥不安，不由宋江不來取。」

晁蓋道：「好教賢弟歡喜！令尊並令弟家眷，我先叫戴宗引杜遷、宋萬、王矮虎、鄭天壽、童威、童猛送去，已到山寨中了。」

宋江聽得，大喜，拜謝晁蓋道：「得仁兄如此施恩，宋江死亦無怨！」晁蓋、宋江俱各歡喜，與眾頭領個個上馬，離了還道村口，宋江在馬上以手加額，望空頂禮，稱謝神明庇佑之力，容日專當拜還心願。有古風一篇，單道宋江忠義得天之助：

昏朝氣運將顛覆，四海英雄起微族。
流光垂象在山東，天罡上應三十六。
瑞氣盤旋繞鄆城，此鄉生降宋公明。
幼年涉獵諸經史，長來為吏惜人情。
仁義禮智信皆備，兼受九天玄女經。
豪傑交遊滿天下，逢凶化吉天生成。

他年直上梁山泊，替天行道動天兵。

且說一行人馬離了還道村，逕回梁山泊來。吳學究領了守山頭領，直到金沙灘，都來迎接，同到得大寨聚義廳上，眾好漢都相見了。

宋江急問道：「老父何在？」晁蓋便叫請宋太公出來，不多時，鐵扇子宋清策著一乘山轎◈，抬著宋太公到來，眾人扶策下轎上廳來。

宋江見了，喜從天降，笑逐顏開。宋江再拜道：「老父驚恐，宋江做了不孝之子，負累了父親吃驚受怕。」

宋太公道：「叵耐趙能那廝弟兄兩個，每日撥人來守定了我們，只待江州公文到來，便要捉取我父子二人，解送官司。聽得你在莊後敲門，此時已有八九個土兵在前面草廳上，續後不見了，不知怎地趕出去了。到三更時候，又有二百餘人把莊門開了，將我搭扶上轎抬了，教你兄弟四郎收拾

◈微族—地位卑微的家族。　山轎—將椅子捆在杠子上，由人抬著走的登山工具。

了箱籠，放火燒了莊院。那時不由我問個緣由，逕來到這裡。」

宋江道：「今日父子團圓相見，皆賴眾兄弟之力也！」叫兄弟宋清拜謝了眾頭領。

晁蓋眾人都來參拜宋太公已畢，一面殺牛宰馬，且做慶喜筵席，作賀宋公明父子團圓。當日盡醉方散，次日又排筵席賀喜，大小頭領盡皆歡喜。

第三日，晁蓋又梯己備個筵席，慶賀宋江父子完聚，忽然感動公孫勝一個念頭：思憶老母在薊州，離家日久，未知如何。

眾人飲酒之時，只見公孫勝起身對眾頭領說道：「感蒙眾位豪傑相待貧道許多時，恩同骨肉；只是小道自從跟著晁頭領到山，逐日宴樂，一向不曾還鄉看視老母；亦恐我真人本師懸望，欲待回鄉省視一遭，暫別眾頭領三五個月，再回來相見，以滿小道之願，免致老母掛念懸望。」

晁蓋道：「向日已聞先生所言，令堂在北方無人侍奉，今既如此說時，難以阻擋，只是不忍分別。雖然要行，再待來日相送。」公孫勝謝了。當日盡醉方散，各自歸房安歇。次日早，就關下排了筵席，與公孫勝餞行。

且說公孫勝依舊做雲遊道士打扮了，腰裹腰包、肚包，背上雌雄寶劍，肩膊上掛著棕笠，手中拿把鱉殼扇，便下山來。眾頭領接住，就關下筵席，個個把盞送別。餞行已遍，晁蓋道：「一清先生，此去難留，卻不可失信。本是不容先生去，只是老尊堂在上，不敢阻擋。百日之外，專望鶴駕◈降臨，切不可爽約。」

公孫勝道：「重蒙列位頭領看待許久，小道豈敢失信！回家參過本師真人，安頓了老母，便回山寨。」

宋江道：「先生何不將帶幾個人去，一發就搬取老尊堂◈上山，早晚也得侍奉。」

公孫勝道：「老母平生只愛清幽，吃不得驚唬，因此不敢取來。家中自

◈**鶴駕**—對仙人車駕的敬稱。　**老尊堂**—尊稱人年歲已高的母親，即老母親。

有田產山莊，老母自能料理。小道只去省視一遭便來，再得聚義。」

宋江道：「既然如此，專聽尊命。只望早早降臨為幸！」

晁蓋取出一盤黃白之資◆相送，公孫勝道：「不消許多，但只夠盤纏足矣。」晁蓋定教收了一半，打拴在腰包裡，打個稽首，別了眾人，過金沙灘便行，望薊州去了。

眾頭領席散，卻待上山，只見黑旋風李逵就關下放聲大哭起來。宋江連忙問道：「兄弟，你如何煩惱？」

李逵哭道：「干鳥氣◆麼？這個也去取爺，那個也去望娘，偏鐵牛是土掘坑裡鑽出來的！」晁蓋便問道：「你如今待要怎地？」

李逵道：「我只有一個老娘在家裡，我的哥哥又在別人家做長工，如何養得我娘快樂？我要去取她來這裡，快樂幾時也好。」

晁蓋道：「兄弟說得是。我差幾個人同你去，取了上山來，也是十分好事。」

宋江便道：「使不得。李家兄弟生性不好，回鄉去必然有失。若是教人和他去，亦是不好。況且他性如烈火，到路上必有衝撞。他又在江州殺了許多人，哪個不認得他是黑旋風？這幾時，官司如何不行移文書到那裡了，必然原籍追捕。你又形貌凶惡，倘有疏失，路程遙遠，如何得知？你且過幾時，打聽得平靜了去取未遲。」

李逵焦躁，叫道：「哥哥，你也是個不平心的人。你的爺，便要取上山來快活，我的娘，由她在村裡受苦。兀的不是氣破了鐵牛的肚子！」

宋江道：「兄弟，你不要焦躁。既是要去取娘，只依我三件事，便放你去。」李逵道：「你且說哪三件事。」宋江點兩個指頭，說出這三件事來。有分教：李逵施為撼地搖天手，來鬥爬山跳澗蟲。

畢竟宋江對李逵說出哪三件事來？且聽下回分解。

◆**黃白之資**──指金銀錢財。 **干鳥氣**──罵人的粗話。表示生氣憤恨。

第四三回

假李逵剪徑劫單人
黑旋風沂嶺殺四虎

話說李逵道：「哥哥，你且說哪三件事。」

宋江道：「你要去沂州沂水縣搬取母親，第一件，逕回，不可吃酒；第二件，因你性急，誰肯和你同去？你只自悄悄地取了娘便來；第三件，你使的那兩把板斧，休要帶去，路上小心在意，早去早回。」

李逵道：「這三件事，有甚麼依不得？哥哥放心，我只今日便行，我也不住了。」

當下李逵拽扎◆得爽利，只跨一口腰刀，提條朴刀，帶了一錠大銀，三五個小銀子，吃了幾杯酒，唱個大喏，別了眾人，便下山來，過金沙灘去了。

晁蓋、宋江與眾頭領送行已罷，回到大寨裡聚義廳上坐定。宋江放心不下，對眾人說道：「李逵這個兄弟，此去必然有失。不知眾兄弟們，誰是他鄉中人？可與他那裡探聽個消息。」

杜遷便道：「只有朱貴原是沂州沂水縣人，與他是鄉里。」

宋江聽罷，說道：「我卻忘了。前日在白龍廟聚會時，李逵已自認得朱貴是同鄉人。」宋江便著人去請朱貴，小嘍囉飛報下山來，直至店裡，請得朱貴到來。

宋江道：「今有李逵兄弟前往家鄉搬取老母。因他酒性不好，為此不肯差人與他同去，誠恐路上有失。今知賢弟是他鄉中人，你可去他那裡探聽走一遭。」

◈拽扎—收拾。

朱貴答道：「小弟是沂州沂水縣人，現有一個兄弟喚做朱富，在本縣西門外開著個酒店。這李逵他在本縣百丈村董店東住。有個哥哥，喚做李達，專與人家做長工。這李逵自小凶頑，因打死了人，逃走在江湖上，一向不曾回歸。如今著小弟去那裡探聽也不妨，只怕店裡無人看管。小弟也多時不曾還鄉，亦就要回家探望兄弟一遭。」

宋江道：「這個看店，不必你憂心，我自教侯健、石勇替你暫管幾時。」

朱貴領了這言語，相辭了眾頭領下山來。便走到店裡，收拾包裹，交割鋪面與石勇、侯健，自奔沂州去了。這裡宋江與晁蓋在寨中，每日筵席，飲酒快樂，與吳學究看習天書，不在話下。

且說李逵獨自一個離了梁山泊，取路來到沂水縣界。於路，李逵端的不吃酒，因此不惹事，無有話說。

行至沂水縣西門外，見一簇人圍著榜看，李逵也立在人叢中，聽得讀道：「榜上第一名正賊宋江，係鄆城縣人；第二名從賊戴宗，係江州兩院押獄；第三名從賊李逵，係沂州沂水縣人。」

李逵在背後聽了，正待指手畫腳，沒做奈何處◆，只見一個人搶向前來，攔腰抱住，叫道：「張大哥，你在這裡做甚麼？」李逵扭過身看時，認得是旱地忽律朱貴。

李逵問道：「你如何也來在這裡？」朱貴道：「你且跟我來說話。」

兩個一同來西門外近村一個酒店內，直入到後面一間靜房中坐了。朱貴指著李逵道：「你好大膽！那榜上明明寫著賞一萬貫錢捉宋江，五千錢捉戴宗，三千錢捉李逵，你卻如何立在那裡看榜？倘或被眼疾手快的拿了送官，如之奈何？宋公明哥哥只怕你惹事，不肯教人和你同來，又怕你到這裡做出怪來，續後◆特使我趕來探聽你的消息。我遲下山來一日，又先到你一日，你如何今日才到這裡？」

◆**不在話下**——事情理所當然或告一段落，用不著多費唇舌談論。**沒做奈何處**——亦作「沒做理會處」。不知怎麼辦才好。**續後**——隨後。

李逵道：「便是哥哥吩咐，教我不要吃酒，以此路上走得慢了。你如何認得這個酒店裡？你是這裡人，家在哪裡住？」

朱貴道：「這個酒店，便是我兄弟朱富家裡。我原是此間人，因在江湖上做客，消折了本錢，就於梁山泊落草。今次方回。」又叫兄弟朱富來與李逵相見了。朱富置酒管待李逵。

李逵道：「哥哥吩咐，教我不要吃酒，今日我已到鄉裡了，便吃兩碗兒，打甚麼鳥緊？」朱貴不敢阻擋他，由他吃。

當夜直吃到四更時分，安排些飯食，李逵吃了，趁五更曉星殘月，霞光明朗，便投村裡去。

朱貴吩咐道：「休從小路去，只從大朴樹轉彎，投東大路，一直往百丈村去，便是董店東。快取了母親來，和你早回山寨去。」

李逵道：「我自從小路去，卻不近？大路走，誰耐煩！」

朱貴道：「小路走，多大蟲，又有乘勢奪包裹的剪徑賊人。」

李逵應道：「我卻怕甚鳥！」戴上氈笠兒，提了朴刀，跨了腰刀，別了朱貴、朱富，便出門投百丈村來。約行了數十里，天色漸漸微明，去那露草之中，趕出一隻白兔兒來，望前路去了。

李逵趕了一直，笑道：「那畜生倒引了我一程路。」有詩為證：

山徑崎嶇靜復深，西風黃葉滿疏林。
偶因逐兔過前界，不記倉忙◈行路心。

正走之間，只見前面有五十來株大樹叢雜，時值新秋，葉兒正紅。李逵來到樹林邊廂◈，只見轉過一條大漢，喝道：「是會的留下買路錢，免得奪了包裹！」

李逵看那人時，戴一頂紅絹抓髯兒頭巾，穿一領粗布衲襖，手裡拿著兩

◈**消折**─虧損、損失。　**一直**─正朝著某方向。　**倉忙**─匆忙、慌忙。　**邊廂**─旁邊。

把板斧，把黑墨搽在臉上。李逵見了，大喝一聲：「你這廝是甚麼鳥人？敢在這裡剪徑！」

那漢道：「若問我名字，嚇碎你心膽，老爺叫做『黑旋風』！你留下買路錢並包裹，便饒了你性命，容你過去。」

李逵大笑道：「沒你娘鳥興◈！你這廝是甚麼人？哪裡來的？也學老爺名目，在這裡胡行◈！」

李逵挺起手中朴刀，來奔那漢，那漢哪裡抵擋得住，卻待要走，早被李逵腿股上一朴刀，搠翻在地，一腳踏住胸脯，喝道：「認得老爺麼？」

那漢在地下叫道：「爺爺，饒恁孩兒性命！」

李逵道：「我正是江湖上的好漢黑旋風李逵，你這廝辱沒老爺名字！」

那漢道：「小人雖然姓李，不是真的黑旋風。為是爺爺江湖上有名目，提起好漢大名，神鬼也怕；因此小人盜學爺爺名目，胡亂在此剪徑。但有孤單客人經過，聽得說了黑旋風三個字，便撇了行李，逃奔了去，以此得這些利息，實不敢害人。小人自己的賤名叫做李鬼，只在這前村住。」

李逵道：「叵耐這廝無禮，卻在這裡奪人的包裹、行李，壞我的名目，學我使兩把板斧。且教他先吃我一斧！」劈手奪過一把斧來便砍。

李鬼慌忙叫道：「爺爺殺我一個，便是殺我兩個。」

李逵聽得，住了手問道：「怎的殺你一個，便是殺你兩個？」

李鬼道：「小人本不敢剪徑，家中因有個九十歲的老母，無人養贍，因此小人單題爺爺大名唬嚇人，奪些單身的包裹，養贍老母；其實並不曾敢害了一個人。如今爺爺殺了小人，家中老母必是餓殺◆。」

李逵雖是個殺人不眨眼的魔君，聽得說了這話，自肚裡尋思道：「我特地歸家來取娘，卻倒殺了一個養娘的人，天地也不佑我。罷，罷，我饒了你這廝性命！」放將起來，李鬼手提著斧，納頭便拜。

李逵道：「只我便是真『黑旋風』，你從今以後，休要壞了俺的名目。」

◆沒你娘鳥興——罵人瞎胡鬧。　胡行——胡作妄為。　餓殺——餓壞了。

李鬼道：「小人今番得了性命，自回家改業，再不敢倚著爺爺名目，在這裡剪徑。」

李逵道：「你有孝順之心，我與你十兩銀子做本錢，便去改業。」李逵便取出一錠銀子，把與李鬼，拜謝去了。

李逵自笑道：「這廝卻撞在我手裡。既然他是個孝順的人，必去改業◈，我若殺了他，也不合天理。我也自去休。」拿了朴刀，一步步投山僻小路而來。詩曰：

李逵迎母卻逢傷，李鬼何曾為養娘。
可見世間忠孝處，事情言語貴參詳。

走到巳牌時分，看看肚裡又餓又渴，四下裡都是山徑小路，不見有一個酒店、飯店。正走之間，只見遠遠在山凹裡露出兩間草屋。李逵見了，奔到那人家裡來，只見後面走出一個婦人來，髽髻鬢邊插一簇野花，搽一臉胭脂鉛粉◈。

李逵放下朴刀道：「嫂子，我是過路客人，肚中飢餓，尋不著酒食店，我與妳一貫足錢，央妳回些酒飯吃。」

那婦人見了李逵這般模樣，不敢說沒，只得答道：「酒便沒買處，飯便做些與客人吃了去。」

李逵道：「也罷。只多做些個，正肚中飢出鳥來。」

那婦人道：「做一升米不少麼？」

李逵道：「做三升米飯來吃。」

那婦人向廚中燒起火來，便去溪邊淘了米，將來做飯。李逵卻轉過屋後山邊來淨手，只見一個漢子攧手攧腳從山後歸來。李逵轉過屋後聽時，那婦人正要上山討菜◈，開後門，見了，便問道：「大哥，哪裡閃朒了腿？」

那漢子應道：「大嫂，我險些兒和妳不廝見了，妳道我晦鳥氣麼？指望出去等個單身的過，整整等了半個月，不曾發市，甫能今日抹著一個，妳

◈改業—改行。　鉛粉—古代女子化妝用的白粉。　討菜—挖野菜。

道是誰？原來正是那真『黑旋風』。

「卻恨撞著那驢鳥，我如何敵得他過？倒吃他一朴刀，攧翻在地，定要殺我，吃我假意叫道：『你殺我一個，卻害了我兩個。』

「他便問我緣故，我便告道：『家中有個九十歲的老娘，無人養贍，定是餓死。』

「那驢鳥真個信我，饒了我性命，又與我一個銀子做本錢，教我改了業養娘。我恐怕他省悟了，趕將來，且離了那林子裡僻靜處睡了一回，從後山走回家來。」

那婦人道：「休要高聲。卻才一個黑大漢來家中，教我做飯，莫不正是他？如今在門前坐地，你去張一張看。若是他時，你去尋些麻藥來，放在菜內，教那廝吃了，麻翻在地。我和你卻對付了他，謀得他些金銀，搬往縣裡住，去做些買賣，卻不強似在這裡剪徑！」

李逵已聽得了，便道：「叵耐這廝！我倒與了他一個銀子，又饒了性命，他倒又要害我！這個正是情理難容！」一轉踅到後門邊。這李鬼恰待出門，被李逵劈髯揪住，那婦人慌忙自望前門走◆了。李逵捉住李鬼，按翻在地，身邊掣出腰刀，早割下頭來。

拿著刀，卻奔前門尋那婦人時，正不知走哪裡去了。再入屋內來，去房中搜看，只見有兩個竹籠，盛些舊衣裳，底下搜得些碎銀兩並幾件釵環，李逵都拿了。又去李鬼身邊搜了那錠小銀子，都打縛在包裹裡。卻去鍋裡看時，三升米飯早熟了，只沒菜蔬下飯。

李逵盛飯來吃了一回，看看自笑道：「好痴漢◆！放著好肉在面前，卻不會吃！」

拔出腰刀，便去李鬼腿上割下兩塊肉來，把些水洗淨了，灶裡抓些炭火來便燒。一面燒，一面吃，吃得飽了，把李鬼的屍首拖放屋下，放了把火，提了朴刀，自投山路裡去了。

◆走——這裡是指逃跑。　痴漢——愚蠢之人。

比及趕到董店東時，日已平西。逕奔到家中，推開門，入進裡面，只聽得娘在床上問道：「是誰人來？」

李逵看時，見娘雙眼都盲了，坐在床上念佛。李逵道：「娘，鐵牛來家了。」

娘道：「我兒，你去了許多時，這幾年正在哪裡安身？你的大哥，只是在人家做長工，只博得些飯食吃，養娘全不濟事。我時常思量你，眼淚流乾，因此瞎了雙目。你一向正是如何？」

李逵尋思道：「我若說在梁山泊落草，娘定不肯去，我只假說便了。」

李逵應道：「鐵牛如今做了官，上路特來取娘。」

娘道：「恁地卻好也！只是你怎生和我去得？」

李逵道：「鐵牛背娘到前路，卻覓一輛車兒載去。」

娘道：「你等大哥來，卻商議。」

李逵道：「等做甚麼？我自和妳去便了。」

恰待要行，只見李達提了一罐子飯來。入得門，李逵見了，便拜道：「哥哥，多年不見。」李達罵道：「你這廝歸來則甚？又來負累◈人。」娘便道：「鐵牛如今做了官，特地家來取我。」李逵道：「娘呀，休信他放屁！當初他打殺了人，教我披枷帶鎖，受了萬千的苦。如今又聽得他和梁山泊賊人通同，劫了法場，鬧了江州，現在梁山泊做了強盜。

「前日江州行移公文到來，著落原籍追捕正身，卻要捉我到官比捕，又得財主◈替我官司分理，說：『他兄弟已自十來年不知去向，亦不曾回家，莫不是同名同姓的人冒供鄉貫◈？』又替我上下使錢，因此不吃官司，杖限追要。現今出榜，賞三千錢捉他。你這廝不死，卻走家來胡說亂道！」

李逵道：「哥哥不要焦躁，一發和你同上山去快活，多少是好。」

◈負累—連累。　財主—富豪。　鄉貫—籍貫、本籍。

李達大怒，本待要打李逵，卻又敵他不過，把飯罐撇在地下，一直去了。

李逵道：「他這一去，必然報人來捉我，卻是脫不得身，不如及早走罷。我大哥從來不曾見這大銀，我且留下一錠五十兩的大銀子，放在床上。大哥歸來見了，必然不趕來。」

李逵便解下腰包，取一錠大銀，放在床上，叫道：「娘，我自背妳去休。」

娘道：「你背我哪裡去？」

李逵道：「妳休問我，只顧去快活便了。我自背妳去不妨。」李逵當下背了娘，提了朴刀，出門望小路裡便走。

卻說李達奔來財主家報了，領著十來個莊客，飛也似趕到家裡看時，不見了老娘，只見床上留下一錠大銀子。

李達見了這錠大銀，心中忖道：「鐵牛留下銀子，背娘去哪裡藏了。必是梁山泊有人和他來，我若趕去，倒吃他壞了性命。想他背娘，必去山寨裡快活。」眾人不見了李逵，都沒做理會處。

李逵卻對眾莊客說道：「這鐵牛背娘去，不知往哪條路去了，這裡小路甚雜，怎地去趕他？」眾莊客見李達沒理會處，俄延了半晌，也各自回去了，不在話下。

這裡只說李逵怕李達領人趕來，背著娘只望亂山深處僻靜小路而走。看看天色晚了，但見：

暮煙橫遠岫，宿霧鎖奇峰。慈鴉撩亂投林，百鳥喧呼傍樹。行行雁陣，墜長江形入蘆花；點點螢光，明野徑偏依腐草。捲起金風飄敗葉，吹來霜氣布深山。

當下李逵背娘到嶺下，天色已晚了。娘雙眼不明，不知早晚。李逵卻自認得這條嶺，喚做沂嶺。過那邊去，方才有人家。娘兒兩個，趁著星明月朗，一步步捱上嶺來。娘在背上說道：「我兒，哪裡討口水來我吃也好。」

李逵道：「老娘，且待過嶺去，借了人家安歇了，做些飯吃。」

娘道：「我日中吃了些乾飯，口渴得當不得！」

李逵道：「我喉嚨裡也煙發火出。妳且等我背妳到嶺上，尋水與妳吃。」

娘道：「我兒，端得渴殺我也！救我一救！」

李逵道：「我也困倦得要不得！」

李逵看看捱得到嶺上，松樹邊一塊大青石上，把娘放下，插了朴刀在側邊，吩咐娘道：「耐心坐一坐，我去尋水來妳吃。」李逵聽得溪澗裡水響，聞聲尋將去，盤過了兩三處山腳，到得那澗邊看時，一溪好水，怎見得，有詩為證：

穿崖透壑不辭勞，遠望方知出處高。
溪澗豈能留得住，終歸大海作波濤。

李逵來到溪邊，捧起水來，自吃了幾口，尋思道：「怎生能夠得這水去把與娘吃？」

立起身來，東觀西望，遠遠地山頂上見個庵兒，李逵道：「好了。」攀藤攬葛，上到庵前，推開門看時，卻是個泗州大聖祠堂。面前有個石香爐。李逵用手去掇，原來卻是和座子鑿成的。李逵拔了一回，哪裡拔得動。一時性起來，連那座子掇出，前面石階上一磕，把那香爐磕將下來。拿了再到溪邊，將這香爐水裡浸了，拔起亂草，洗得乾淨。挽了半香爐水，雙手擎來。再尋舊路，夾七夾八◆走上嶺來。

到得松樹裡邊，石頭上不見了娘，只見朴刀插在那裡。李逵叫娘吃水，杳無蹤跡，叫了幾聲不應。李逵心慌，丟了香爐，定住眼四下裡看時，並不見娘。走不到三十餘步，只見草地上一團血跡。李逵見了，心裡越疑惑，趁著那血跡尋將去。尋到一處大洞口，只見兩個小虎兒在那裡舐一條

◆夾七夾八——這裡形容行動不方便的樣子。

人腿。正是：

假黑旋風真搗鬼，生時欺心死燒腿。
誰知娘腿亦遭傷，餓虎餓人皆為嘴。

李逵心裡忖道：「我從梁山泊歸來，特為老娘來取她，千辛萬苦，背到這裡，卻把來與你吃了！那鳥大蟲拖著這條人腿，不是我娘的，是誰的？」

心頭火起，赤黃鬚豎立起來，將手中朴刀挺起來，搠那兩個小虎。這小大蟲被搠得慌，也張牙舞爪鑽向前來，被李逵手起，先搠死了一個。那一個望洞裡便鑽了入去，李逵趕到洞裡，也搠死了。李逵卻鑽入那大蟲洞內，伏在裡面張外面時，只見那母大蟲張牙舞爪望窩裡來。

李逵道：「正是你這業畜◈吃了我娘！」放下朴刀，胯邊掣出腰刀。那母大蟲到洞口，先把尾去窩裡一剪，便把後半截身軀坐將入去。李逵在窩內看得仔細，把刀朝母大蟲尾底下盡平生氣力捨命一戳，正中那母大蟲糞門◆。李逵使得力重，和那刀靶也直送入肚裡去了。那母大蟲吼了一聲，就洞口帶著刀，跳過澗邊去了。李逵卻拿了朴刀，就洞裡趕將出來，那老虎負疼，直搶下山石巖下去了。李逵恰待要趕，只見就樹邊捲起一陣狂風，吹得敗葉樹木如雨一般打將下來。

自古道：「雲生從龍，風生從虎。」那一陣風起處，星月光輝之下，大吼了一聲，忽地跳出一隻吊睛白額虎來。那大蟲望李逵勢猛一撲，那李逵不慌不忙，趁著那大蟲的勢力，手起一刀，正中那大蟲頷下。那大蟲不曾再展再撲：一者護那疼痛，二者傷著他那氣管。那大蟲退不夠五七步，只聽得響一聲，如倒半壁山，登時間死在巖下。

那李逵一時間殺了子母四虎，還又到虎窩邊，將著刀復看了一遍，只恐還有大蟲，已無有蹤跡。李逵也困乏了，走向泗州大聖廟裡，睡到天明。

◆**業畜**——作孽的畜生。　**糞門**——肛門。

次日早晨，李逵卻來收拾親娘的兩腿及剩的骨殖，把布衫包裹了，直到泗州大聖庵後掘土坑葬了。李逵大哭了一場，有詩為證：

沂嶺西風九月秋，雌雄虎子聚林丘。
因將老母殘軀啖，致使英雄血淚流。
猛拚一身探虎穴，立誅四虎報冤仇。
泗州廟後親埋葬，千古傳名李鐵牛。

這李逵肚裡又飢又渴，不免收拾包裹，拿了朴刀，尋路慢慢的走過嶺來。只見五七個獵戶都在那裡收窩弓弩箭，見了李逵一身血汙，行將下嶺來，眾獵戶吃了一驚，問道：「你這客人莫非是山神土地，如何敢獨自過嶺來？」

李逵見問，自肚裡尋思道：「如今沂水縣出榜，賞三千貫錢捉我，我如何敢說實話？只謊說罷。」

答道：「我是客人。昨夜和娘過嶺來，因我娘要水吃，我去嶺下取水，被那大蟲把我娘拖去吃了。我直尋到虎窩裡，先殺了兩個小虎，後殺了兩個大虎，泗州大聖廟裡睡到天明，方才下來。」

眾獵戶齊叫道：「不信你一個人如何殺得四個虎？便是李存孝和子路也只打得一個！這兩個小虎且不打緊，那兩個大虎非同小可。我們為這兩個畜生，不知都吃了幾頓棍棒。這條沂嶺自從有了這窩虎在上面，整三五個月，沒人敢行。我們不信，敢是你哄我？」

李逵道：「我又不是此間人，沒來由哄你做甚麼？你們不信，我和你上嶺去尋討與你，就帶些人去扛了下來。」

眾獵戶道：「若端的有時，我們自重重的謝你。卻是好也！」

眾獵戶打起唿哨來，一霎時聚起三、五十人，都拿了撓鉤槍棒，跟著李逵再上嶺來。此時天大明朗，都到那山頂上，遠遠望見窩邊果然殺死兩個小虎，一個在窩內，一個在外面；一隻母大蟲死在山巖邊，一隻雄虎死在泗州大聖廟前。眾獵戶見了殺死四個大蟲，盡皆歡喜，便把索子抓縛起來，眾人扛抬下嶺，就邀李逵同去請賞。一面先使人報知里正上戶，都來迎接著，抬到一個大戶人家，喚做曹太公莊上。

那人原是閒吏，專一在鄉放刁把濫◈。近來暴有幾貫浮財◈，只是為人行短。當時曹太公親自接來相見了，邀請李逵到草堂上坐定，動問那殺虎的緣由。李逵卻把夜來同娘到嶺上要水吃，因此殺死大蟲的話，說了一遍。眾人都呆了。

曹太公動問壯士高姓名諱，李逵答道：「我姓張，無名，只喚做張大膽。」詩曰：

人言只有假李逵，從來再無李逵假。
如何李四冒張三，誰假誰真皆作耍。

曹太公道：「真乃是大膽！壯士不恁地膽大，如何殺得四個大蟲？」一壁廂叫安排酒食管待，不在話下。

且說當村裡得知沂嶺上殺了四個大蟲，抬在曹太公家，講動了村坊道店，哄得前村後村，山僻人家，大男幼女◆，成群拽隊，都來看虎，入見曹太公相待著打虎的壯士，在廳上吃酒。

數中卻有李鬼的老婆，逃在前村爹娘家裡，隨著眾人也來看虎，卻認得李逵的模樣，慌忙來家對爹娘說道：「這個殺虎的黑大漢，便是殺我老公，燒了我屋的！他正是梁山泊黑旋風李逵！」爹娘聽得，連忙來報知里正。

里正聽了道：「他既是黑旋風時，正是嶺後百丈村打死了人的李逵，逃走在江州，又做出事來，行移到本縣原籍追捉。如今官司出三千貫賞錢拿他，他卻走在這裡！」暗地使人去請得曹太公到來商議。

曹太公推道更衣，急急的到里正家裡。里正說這個殺虎的壯士，便是嶺後百丈村裡的黑旋風李逵，現今官司著落拿他。

◆放刁把濫—指刁難敲詐，胡作非為。　浮財—指金錢、首飾、糧食、衣服、什物等動產。
大男幼女—此指男男女女。

曹太公道：「你們要打聽得仔細。倘不是時，倒惹得不好；若真個是時，卻不妨。要拿他時也容易，只怕不是他時卻難。」

里正道：「現有李鬼的老婆認得。他曾來李鬼家做飯吃，殺了李鬼。」

曹太公道：「既是如此，我們且只顧置酒請他，卻問他：『今番殺了大蟲，還是要去縣裡請功，只是要村裡討賞？』若還他不肯去縣裡請功時，便是黑旋風了。著人輪換把盞，灌得醉了，縛在這裡。卻去報知本縣，差都頭來取去，萬無一失。」有詩為證：

常言芥投針孔◈，窄路每遇冤家。
李鬼鬼魂不散，旋風風色非佳。
打虎功思縣賞，殺人身被官拿。
試看螳螂黃雀，勸君得意休誇。

眾人道：「說得是。」里正與眾人商量定了。曹太公回家來款◈住李逵，一面且置酒來相待，便道：「適間拋撇，請勿見怪。且請壯士解下腰間包裹，放下朴刀，寬鬆坐一坐。」

李逵道：「好好，我的腰刀已搠在雌虎肚裡了，只有刀鞘在這裡。若是開剝時，可討來還我。」

曹太公道：「壯士放心，我這裡有的是好刀，相送一把與壯士懸帶。」

李逵解了腰刀、尖刀並纏袋、包裹，都遞與莊客收貯，便把朴刀倚在壁邊。曹太公叫取大盤肉、大壺酒來。眾多大戶並里正、獵戶人等，輪番把盞，大碗大鍾，只顧勸李逵。

曹太公又請問道：「不知壯士要將這虎解官請功，只是在這裡討些齎發？」

李逵道：「我是過往客人，忙些個。偶然殺了這窩猛虎，不須去縣裡請功，只此有些齎發便罷。若無，我也去了。」

曹太公道：「如何敢輕慢了壯士！少刻村中斂取盤纏相送。我這裡自解

◆芥投針孔——比喻很難的事。　款——慰留。

虎到縣裡去。」李逵道：「布衫先借一領與我換了上蓋。」

曹太公道：「有，有。」當時便取一領細青布衲襖，就與李逵換了身上的血汙衣裳。只見門前鼓響笛鳴，都將酒來，與李逵把盞作慶，一杯冷，一杯熱。李逵不知是計，只顧開懷暢飲，全不記宋江吩咐的言語。不兩個時辰，把李逵灌得酩酊大醉，立腳不住。

眾人扶到後堂空屋下，放翻在一條板凳上，就取兩條繩子，連板凳綁住了。便叫里正帶人，飛也似去縣裡報知；就引李鬼老婆去做原告，補了一紙狀子。

此時哄動了沂水縣裡，知縣聽得大驚，連忙升廳問道：「黑旋風拿住在哪裡？這是謀叛的人，不可走了！」

原告人並獵戶答應道：「現縛在本鄉曹大戶家，為是無人禁得他，誠恐有失，路上走了，不敢解來。」知縣隨即叫喚本縣都頭去取來。就廳前轉過一個都頭來聲喏，那人是誰？有詩為證：

面闊眉濃鬚鬢赤，雙睛碧綠似番人。
沂水縣中青眼虎，豪傑都頭是李雲。

當下知縣喚李雲上廳來，吩咐道：「沂嶺下曹大戶莊上拿住黑旋風李逵，你可多帶人去，密地解來，休要哄動村坊，被他走了。」李都頭領了臺旨，下廳來，點起三十個老郎土兵，各帶了器械，便奔沂嶺村中來。

這沂水縣是個小去處，如何掩飾得過。此時街市上講動了，說道：「拿著了鬧江州的黑旋風，如今差李都頭去拿來。」朱貴在東莊門外朱富家聽了這個消息，慌忙來後面對兄弟朱富說道：「這黑廝又做出事來了，如何解救？宋公明特為他，誠恐有失，差我來打聽消息。如今他吃拿了，我若不救得他時，怎的回寨去見哥哥？似此怎生是好？」

朱富道：「大哥且不要慌。這李都頭一身好本事，有三、五十人近他不得，我和你只兩個同心合意，如何敢近傍他？只可智取，不可力敵。李雲日常時最是愛我，常常教我使些器械，我卻有個道理對他，只是在這裡安不得身了。

「今晚煮了三、二十斤肉，將十數瓶酒，把肉大塊切了，卻將些蒙汗藥拌在裡面。我兩個五更帶數個火家挑著，去半路裡僻靜處等候他解來時，只做與他把酒賀喜，將眾人都麻翻了，卻放李逵如何？」

朱貴道：「此計大妙。事不宜遲，可以整頓，及早便去。」

朱富道：「只是李雲不會吃酒，便麻翻了，終久醒得快。還有件事，倘或日後得知，須在此安身不得。」

朱貴道：「兄弟，你在這裡賣酒也不濟事。不如帶領老小，跟我上山，一發入了夥，論秤分金銀，換套穿衣服，卻不快活！今夜便叫兩個伙家覓了一輛車兒，先送妻子和細軟行李起身，約在十里牌等候，都去上山。我如今包裹內帶得一包蒙汗藥在這裡，李雲不會吃酒時，肉裡多糝些，逼著他多吃些，也麻倒了。救得李逵同上山去，有何不可。」

朱富道：「哥哥說得是。」便叫人去覓下了一輛車兒，打拴了三五個包箱，捎在車兒上，家中粗物都棄了。叫渾家和兒女上了車子，吩咐兩個伙家，跟著車子，只顧先去。

且說朱貴、朱富當夜煮熟了肉，切做大塊，將藥來拌了，連酒裝做兩擔，帶了二、三十個空碗。又有若干菜蔬，也把藥來拌了。恐有不吃肉的，也教他著手。兩擔酒肉，兩個火家各挑一擔，弟兄兩個，自提了些果盒之類，四更前後，直接將來僻靜山路口坐等。到天明，遠遠地只聽得敲著鑼響，朱貴接到路口。

且說那三十來個土兵，自村裡吃了半夜酒，四更前後，把李逵背剪綁了解將來。後面李都頭坐在兜轎兒上，看看來到面前。

◈糝——撒落、散開。

朱富便向前攔住，叫道：「師父且喜！小弟將來接力。」桶內舀一壺酒來，斟一大鍾，上勸李雲。朱貴托著肉來，伙家捧過果盒。

李雲見了，慌忙下馬，跳向前來說道：「賢弟，何勞如此遠接！」

朱富道：「聊表徒弟孝順之心。」李雲接過酒來，到口不吃。

朱富跪下道：「小弟已知師父不飲酒，今日這個喜酒，也飲半盞兒。」

李雲推卻不過，略呷了兩口。朱富便道：「師父不飲酒，須請吃些肉。」

李雲道：「夜間已飽，吃不得了。」

朱富道：「師父行了許多路，肚裡也飢了。雖不中吃，胡亂請些，也免小弟之羞。」揀兩塊好的，遞將過來。李雲見他如此殷勤，只得勉意吃了兩塊。

朱富把酒來勸上戶、里正並獵戶人等，都勸了三鍾。朱貴便叫士兵、莊客眾人都來吃酒。這夥男女哪裡顧個冷熱、好吃不好吃，酒肉到口只顧吃，正如這風捲殘雲，落花流水，一齊上來搶著吃了。李逵光著眼，看了朱貴兄弟兩個，已知用計，故意道：「你們也請我吃些！」

朱貴喝道：「你是歹人，有何酒肉與你吃！這般殺才，快閉了口！」李雲看著土兵，喝道叫走，只見一個個都面面廝覷，走動不得，口顫腳麻，都跌倒了。李雲急叫：「中了計了！」恰待向前，不覺自家也頭重腳輕，暈倒了，軟做一堆，睡在地下。

當時朱貴、朱富各奪了一條朴刀，喝聲：「孩兒們休走！」兩個挺起朴刀，來趕這夥不曾吃酒肉的莊客並那看的人。走得快的走了，走得遲的，就搠死在地。李逵大叫一聲，把那綁縛的麻繩都掙斷了，便奪過一條朴刀來殺李雲。

朱富慌忙攔住叫道：「不要害他！他是我的師父，為人最好。你只顧先走。」

李逵應道：「不殺得曹太公老驢，如何出得這口氣？」李逵趕上，手起一朴刀，先搠死曹太公並李鬼的老婆，續後里正也殺了。性起來，把獵戶排頭兒一味價搠將去，那三十來個土兵都被搠死了。這看的人和眾莊客，只恨爹娘少生兩隻腳，都望深村野路逃命去了。

李逵還只顧尋人要殺，朱貴喝道：「不干看的人事，休只管傷人！」慌忙攔住，李逵方才住了手，就土兵身上剝了兩件衣服穿上。三個人提著朴刀，便要從小路裡走。

朱富道：「不好，卻是我送了師父性命！他醒時，如何見得知縣？必然趕來。你兩個先行，我等他一等。我想他日前教我的恩義，且是為人忠直，等他趕來，就請他一發上山入夥，也是我的恩義，免得教回縣去吃苦。」

朱貴道：「兄弟，你也見得是。我便先去跟了車子行，留李逵在路旁幫你等他。只有李雲那廝吃的藥少，沒一個時辰便醒。若是他不趕來時，你們兩個休執迷等他。」

朱富道：「這是自然了。」當下朱貴前行去了。

只說朱富和李逵坐在路旁邊等候，果然不到一個時辰，只見李雲挺著一條朴刀，飛也似趕來，大叫道：「強賊休走！」

李逵見他來得凶，跳起身，挺著朴刀，來鬥李雲，恐傷朱富。正是：

梁山泊內添雙虎，聚義廳前慶四人。

畢竟黑旋風鬥青眼虎，二人勝敗如何？且聽下回分解。

第四四回

錦豹子小徑逢戴宗
病關索長街遇石秀

話說當時李逵挺著朴刀來鬥李雲，兩個就官路旁邊鬥了五七合，不分勝敗。

朱富便把朴刀去中間隔開，叫道：「且不要鬥，都聽我說！」二人都住了手。

朱富道：「師父聽說，小弟多蒙錯愛，指教槍棒，非不感恩。只是我哥哥朱貴現在梁山泊做了頭領，今奉『及時雨』宋公明將令，著他來照管李大哥。不爭被你拿了解官，教我哥哥如何回去見得宋公明？因此做下這場手段。

「卻才李大哥乘勢要壞師父，卻是

小弟不肯容他下手，只殺了這些士兵。我們本待去得遠了，猜道師父回去不得，必來趕我。小弟又想師父日常恩念，特地在此相等。師父，你是個精細的人，有甚不省得？

「如今殺害了許多人性命，又走了黑旋風，你怎生回去見得知縣？你若回去時，定吃官司，又無人來相救。不如今日和我們一同上山，投奔宋公明入了夥。未知尊意若何？」

李雲尋思了半晌，便道：「賢弟，只怕他那裡不肯收留我麼。」

朱富笑道：「師父，你如何不知山東『及時雨』大名，專一招賢納士，結識天下好漢？」

李雲聽了，嘆口氣道：「閃得我有家難奔，有國難投！只喜了我又無妻小，不怕吃官司拿了，只得隨你們去休！」

李逵便笑道：「我哥哥，你何不早說！」便和李雲剪拂了。

這李雲不曾娶老小，亦無家當，當下三人合作一處，來趕車子，半路上朱貴接見了大喜。四籌好漢跟了車仗便行，於路無話。

看看相近梁山泊路上，又迎著馬麟、鄭天壽，都相見了，說道：「晁、宋二頭領又差我兩個下山來探聽你消息。今既見了，我兩個先去回報。」當下二人先上山來報知。

次日，四籌好漢帶了朱富家眷，都至梁山泊大寨聚義廳來。朱貴向前，先引李雲拜見晁、宋二頭領，相見眾好漢，說道：「此人是沂水縣都頭，姓李名雲，綽號『青眼虎』。」

次後朱貴引朱富參拜眾位說道：「這是舍弟朱富，綽號『笑面虎』。」都相見了。李逵拜了宋江，給還了兩把板斧，訴說取娘至沂嶺，被虎吃了，因此殺了四虎。又說假李逵剪徑被殺一事，眾人大笑。

晁、宋二人笑道：「被你殺了四個猛虎，今日山寨裡又添得兩個活虎，正宜作慶。」眾多好漢大喜，便教殺羊宰馬，做筵席慶賀。兩個新到頭領，晁蓋便叫去左邊白勝上首坐定。

吳用道：「近來山寨十分興旺，感得四方豪傑望風而來，皆是晁、宋二兄之德，亦眾弟兄之福也。然是如此，還請朱貴仍復掌管山東酒店，替回石勇、侯健。朱富老小，另撥一所房舍住居。目今山寨事業大了，非同舊日，可再設三處酒館，專一探聽吉凶事情，往來義士上山。

「如若朝廷調遣官兵捕盜，可以報知如何進兵，好做準備。西山地面廣闊，可令童威、童猛弟兄帶領十數個夥伴那裡開店。令李立帶十數個火家，去山南邊那裡開店。令石勇也帶十來個伴當，去北山那裡開店。仍復都要設立水亭、號箭，接應船隻，但有緩急軍情，飛捷報來。

「山前設置三座大關，專令杜遷總行守把，但有一應委差，不許調遣，早晚不得擅離。又令陶宗旺把總監工，掘港汊，修水路，開河道，整理宛子城垣，修築山前大路。他原是莊戶出身，修理久慣。

「令蔣敬掌管庫藏倉廒，支出納入，積萬累千，書算帳目。令蕭讓設置寨中寨外、山上山下、三關把隘許多行移關防文約，大小頭領號數。煩令金大堅刊造雕刻、一應兵符、印信、牌面等項。令侯健管造衣袍鎧甲五方旗號等件。令李雲監造梁山泊一應房舍、廳堂。令馬麟監管修造大小戰船。令宋萬、白勝去金沙灘下寨。令王矮虎、鄭天壽去鴨嘴灘下寨。令穆春、朱富管收山寨錢糧。呂方、郭盛於聚義廳兩邊耳房安歇。令宋清專管筵宴。」都分撥已定，筵席了三日，不在話下。

梁山泊自此無事，每日只是操練人馬，教演武藝。水寨裡頭領都教習駕船赴水，船上廝殺，亦不在話下。

忽一日，宋江與晁蓋、吳學究並眾人閒話道：「我等弟兄眾位今日都共聚大義，只有公孫一清不見回還。我想他回薊州探母參師，期約百日便回，今經日久，不知信息，莫非昧信◈不來？可煩戴宗兄弟與我去走一遭，探聽他虛實下落，如何不來。」

戴宗願往。宋江大喜，說道：「只有賢弟去得快，旬日便知信息。」當日戴宗別了眾人，次早打扮做承局，下山去了。正是：

雖為走卒，不占軍班。一生常作異鄉人，兩腿欠他行路債。
監司出入，皂花藤杖掛宣牌；帥府行軍，黃色絹旗書令字。
家居千里，日不移時便到廳階；緊急軍情，時不過刻不違宣限。

早向山東餐黍米，晚來魏府吃鵝梨◈。

且說戴宗自離了梁山泊，取路望薊州來，把四個甲馬拴在腿上，作起神行法來，於路只吃些素茶素食。在路行了三日，來到沂水縣界，只聞人說道：「前日走了黑旋風，傷了好多人，連累了都頭李雲，不知去向，至今無獲處。」戴宗聽了冷笑。

當日正行之次，只見遠遠地轉過一個人來，手裡提著一根渾鐵筆管槍。那人看見戴宗走得快，便立住了腳，叫一聲：「神行太保！」戴宗聽得，回過臉來定睛看時，見山坡下小徑邊立著一個大漢，生得頭圓耳大，鼻直口方，眉秀目疏，腰細膀闊。

戴宗連忙回轉身來問道：「壯士素不曾拜識，如何呼喚賤名？」那漢慌忙答道：「足下果是神行太保！」撇了槍，便拜倒在地。

◈**昧信**—背信、失信。　**魏府鵝梨**—鵝梨是河北有名的水果，滋味清甜。魏府為盛產鵝梨之地。

戴宗連忙扶住答禮，問道：「足下高姓大名？」

那漢道：「小弟姓楊，名林，祖貫彰德府人氏，多在綠林叢中安身，江湖上都叫小弟做『錦豹子』楊林。數月之前，路上酒肆裡遇見公孫勝先生，同在店中吃酒相會，備說梁山泊晁、宋二公招賢納士，如此義氣，寫下一封書，教小弟自來投大寨入夥。只是不敢輕易擅進，誠控不鈉。「公孫先生又說：『李家道口舊有朱貴開酒店在彼，招引上山入夥的人。山寨中亦有一個招賢飛報頭領，喚做神行太保戴院長，日行八百里路。今見兄長行步非常，因此喚一聲看，不想果是仁兄。正是天幸，無心得遇！」

戴宗道：「小可特為公孫勝先生回薊州去，杳無音信，今奉晁、宋二公將令，差遣來薊州探聽消息，尋取公孫勝還寨，不期卻遇足下。」

楊林道：「小弟雖是彰德府人，這薊州管下地方州郡都走遍了，倘若不棄，就隨侍兄長同去走一遭。」

戴宗道：「若得足下作伴，實是萬幸。尋得公孫先生見了，一同回梁山泊去未遲。」楊林見說了，大喜，就邀住戴宗，結拜為兄。

戴宗收了甲馬，兩個緩緩而行，到晚就投村店歇了。楊林置酒請戴宗，戴宗道：「我使神行法，不敢食葷。」兩個只買些素饌相待。

過了一夜，次日早起，打火吃了早飯，收拾動身。楊林便問道：「兄長使神行法走路，小弟如何走得上？只怕同行不得。」

戴宗笑道：「我的神行法也帶得人同走。我把兩個甲馬拴在你腿上，作起法來，也和我一般走得快，要行便行，要住便住。不然，你如何趕得我走？」

楊林道：「只恐小弟是凡胎濁骨◆的人，比不得兄長神體。」

戴宗道：「不妨，我這法，諸人都帶得，作用了時，和我一般行。只是我自吃素，並無妨礙。」

◆凡胎濁骨──人世間普通、平庸的人。

當時取兩個甲馬，替楊林縛在腿上。戴宗也只縛了兩個，作用了神行法，吹口氣在上面。兩個輕輕地走了去，要緊要慢，都隨著戴宗行。兩個於路閒說些江湖上的事，雖只見緩緩而行，正不知走了多少路。兩個行到巳牌時分，前面來到一個去處，四圍都是高山，中間一條驛路。

楊林卻自認得，便對戴宗說道：「哥哥，此間地名喚做飲馬川，前面兀那高山裡常常有大夥在內，近日不知如何。因為山勢秀麗，水繞峰環，以此喚做飲馬川。」

兩個正來到山邊時，只聽得忽地一聲鑼響，戰鼓亂鳴，走出一二百小嘍囉，攔住去路。當先擁著兩籌好漢，各挺一條朴刀，大喝道：「行人須住腳！你兩個是甚麼鳥人？哪裡去的？會事的快把買路錢來，饒你兩個性命！」

楊林笑道：「哥哥，你看我結果那呆鳥。」拈著筆管槍搶將入去。

那兩個好漢見他來得凶，走近前來看了，上首的那個便叫道：「且不要動手！兀的不是楊林哥哥麼？」楊林見了，卻才認得。

上首那個大漢提著軍器向前剪拂了，便喚下首這個長漢都來施禮罷。楊林請過戴宗說道：「兄長且來和這兩個弟兄相見。」

戴宗問道：「這兩個壯士是誰？如何認得賢弟？」

楊林便道：「這個認得小弟的好漢，他原是蓋天軍襄陽府人氏，姓鄧，名飛。為他雙睛紅赤，江湖上人都喚他做『火眼狻猊』。能使一條鐵鏈，人皆近他不得。多曾合夥，一別五年，不曾見面，誰想今日卻在這裡相遇著！」

鄧飛便問道：「楊林哥哥，這位兄長是誰！必不是等閒人也。」

楊林道：「我這仁兄，是梁山泊好漢中神行太保戴宗的便是。」

鄧飛聽了道：「莫不是江州的戴院長，能行八百里路程的？」

戴宗答道：「小可便是。」

那兩個頭領慌忙剪拂道：「平日只聽得說大名，不想今日在此拜識尊顏！」戴宗看那鄧飛時，生得如何？有詩為證：

原是襄陽閒撲漢，江湖飄蕩不思歸。

多餐人肉雙睛赤，火眼狻猊是鄧飛。

當下二位壯士施禮罷。戴宗又問道：「這位好漢高姓大名？」鄧飛道：「我這兄弟，姓孟，名康，祖貫是真定州人氏，善造大小船隻。原因押送花石綱，要造大船，嗔怪這提調官催併責罰他，把本官一時殺了，棄家逃走在江湖上綠林中安身，已得年久。因他長大白淨，人都見他一身好肉體，起他一個綽號，叫他做『玉幡竿』孟康。」戴宗見說，大喜。看那孟康怎生模樣？有詩為證：

能攀強弩衝頭陣，善造艨艟越大江。
真州妙手樓舡匠，白玉幡竿是孟康。

當時戴宗見了二人，心中甚喜。四籌好漢說話間，楊林問道：「二位兄弟在此聚義幾時了？」鄧飛道：「不瞞兄長說，也有一年多了。只半載前在這直西地面上遇著一個哥哥，姓裴，名宣，祖貫是京兆府人氏，原是本府六案孔目出身，極好刀筆，為人忠直聰明，分毫不肯苟且，本處人都稱他『鐵面孔目』。亦會拈槍使棒，舞劍掄刀，智勇足備。

「為因朝廷除將一員貪濫知府到來，把他尋事刺配沙門島，從我這裡經過，被我們殺了防送公人，救了他在此安身，聚集得三二百人。這裴宣極使得好雙劍，讓他年長，現在山寨中為主。煩請二位義士同往小寨，相會片時。」便叫小嘍囉牽過馬來，請戴宗、楊林都上了馬，四騎馬望山寨來。

行不多時，早到寨前，下了馬，裴宣已有人報知，連忙出寨，降階◈而接。戴宗、楊林看裴宣時，果然好表人物，生得面白肥胖，四平八穩，心中暗喜。有詩為證：

問事時巧智心靈，落筆處神號鬼哭。
心平恕毫髮無私，稱裴宣鐵面孔目。

◈降階——走下臺階，以示尊敬。

當下裴宣邀請二位義士到聚義廳上，俱各講禮罷，謙讓戴宗正面坐了，次是裴宣、楊林、鄧飛、孟康，五籌好漢，賓主相待，坐定筵宴。當日大吹大擂飲酒。看官聽說，這也都是地煞星之數，時節到來，天幸自然義聚相逢。

眾人飲酒中間，戴宗在筵上說起晁、宋二頭領招賢納士，結識天下四方豪傑，待人接物，一團和氣，仗義疏財，許多好處。眾頭領同心協力，八百里梁山泊如此雄壯，中間宛子城、蓼兒洼，四下裡都是茫茫煙水；更有許多兵馬，何愁官兵來到。只管把言語說他三個。

裴宣回道：「小弟寨中也有三百來人馬，財貨亦有十餘輛車子，糧食草料不算，倘若仁兄不棄微賤時，引薦於大寨入夥，願聽號令效力，未知尊意若何？」

戴宗大喜道：「晁、宋二公待人接物，並無異心。更得諸公相助，如錦上添花，若果有此心，可便收拾下行李，待小可和楊林去薊州見了公孫勝先生回來，那時一同扮做官軍，星夜前往。」眾人大喜。酒至半酣，移去後山斷金亭上，看那飲馬川景致吃酒，端的好個飲馬川。但見：

一望茫茫野水，周迴隱隱青山。
幾多老樹映殘霞，數片彩雲飄遠岫。
荒田寂寞，應無稚子看牛；古渡淒涼，那得奚人飲馬。
只好強人安寨柵，偏宜好漢展旌旗。

戴宗看了這飲馬川一派山景，喝采道：「好山好水，真乃秀麗！你等二位如何來得到此？」

鄧飛道：「原是幾個不成材小廝們在這裡屯紮，後被我兩個來奪了這個去處。」眾皆大笑。

五籌好漢吃得大醉。裴宣起身舞劍助酒，戴宗稱讚不已。至晚，各自回寨內安歇。次日，戴宗定要和楊林下山，三位好漢苦留不住，相送到山下作別，自回寨裡收拾行裝，整理動身，不在話下。

且說戴宗和楊林離了飲馬川山寨，在路曉行夜住，早來到薊州城外，投個客店安歇了。楊林便道：「哥哥，我想公孫勝先生是個出家人，必是山間林下村落中住，不在城裡。」

戴宗道：「說得是。」

當時二人先去城外，到處詢問公孫勝先生下落消息，並無一個人曉得他。住了一日，次早起來，又去遠近村坊街市訪問人時，亦無一個認得，兩個又回店中歇了。第三日，戴宗道：「敢怕城中有人認得他。」當日和楊林卻入薊州城裡來尋他。

兩個尋問老成人◆時，都道：「不認得。敢不是城中人？只怕是外縣名山大剎居住。」

楊林正行到一個大街，只見遠遠地一派鼓樂，迎將一個人來。戴宗、楊林立在街上看時，前面兩個小牢子，一個馱著許多禮物花紅◈，一個捧著若干緞子彩繒之物；後面青羅傘下，罩著一個押獄劊子。

那人生得好表人物，露出藍靛般一身花繡，兩眉入鬢，鳳眼朝天，淡黃面皮，細細有幾根髭髯。那人祖貫是河南人氏，姓楊，名雄，因跟一個叔伯哥哥來薊州做知府，一向流落在此。續後一個新任知府，卻認得他，因此就參他做兩院押獄，兼充市曹行刑劊子。因為他一身好武藝，面貌微黃，以此人都稱他做「病關索◈」楊雄。有一首《臨江仙》詞，單道著楊雄好處：

兩臂雕青鐫嫩玉，頭巾環眼嵌玲瓏。鬢邊愛插翠芙蓉。

背心書劊字，衫串染猩紅。

問事廳前逞手段，行刑刀利如風。微黃面色細眉濃。

人稱病關索，好漢是楊雄。

◈老成人——指德高望重的長者。　花紅——泛指犒賞物及獎金。
關索——小説《三國演義》中的虛構人物，關羽第三子。在民間傳説中，他是見義勇為的俠義好漢，劫富濟貧。

當時楊雄在中間走著，背後一個小牢子擎著鬼頭靶法刀。原來才去市心裡決刑了回來，眾相識與他掛紅賀喜，送回家去，正從戴宗、楊林面前迎將過來，一簇人在路口攔住了把盞。只見側首小路裡又撞出七八個軍漢來，為頭的一個，叫做「踢殺羊」張保。這漢是薊州守禦城池的軍漢，帶著這幾個，都是城裡城外時常討閒錢使的破落戶漢子，官司累次奈何他不改，為見楊雄原是外鄉人來薊州，卻有人懼怕他，因此不怯氣。

當日正見他賞賜得許多緞疋，帶了這幾個沒頭神，吃得半醉，卻好趕來要惹他。又見眾人攔住他在路口把盞，那張保撥開眾人，鑽過面前叫道：「節級拜揖。」

楊雄道：「大哥來吃酒。」

張保道：「我不要吃酒，我特來問你借百十貫錢使用。」

楊雄道：「雖是我認得大哥，不曾錢財相交，如何問我借錢？」

張保道：「你今日詐得百姓許多財物，如何不借我些？」

楊雄應道：「這都是別人與我做好看的，怎麼是詐得百姓的？你來放刁，我與你軍衛有司，各無統屬。」張保不應，便叫眾人向前一哄，先把花紅緞子都搶了去。

楊雄叫道：「這廝們無禮！」卻待向前打那搶物事的人，被張保劈胸帶住，背後又是兩個來拖住了手，那幾個都動起手來，小牢子們各自迴避了。楊雄被張保並兩個軍漢逼住了，施展不得，只得忍氣，解拆不開。

正鬧中間，只見一條大漢挑著一擔柴來，看見眾人逼住楊雄，動彈不得。那大漢看了，路見不平，便放下柴擔，分開眾人，前來勸道：「你們因甚打這節級？」

那張保睜起眼來喝道：「你這打脊餓不死凍不殺的乞丐，敢來多管！」

那大漢大怒，焦躁起來，將張保劈頭只一提，一跤攧翻在地。那幾個幫閒的見了，卻待要來動手，早被那大漢一拳一個，都打得東倒西歪。楊雄

◆放刁——以狡詐或暴露惡性以凌人。

方才脫得身，把出本事來施展，一對拳頭攛梭相似，那幾個破落戶，都打翻在地。張保見不是頭，爬將起來，一直走了。楊雄忿怒，大踏步趕將去。張保跟著搶包袱的走，楊雄在後面追著，趕轉小巷去了。那大漢兀自不歇手，在路口尋人廝打。

戴宗、楊林看了，暗暗地喝采道：「端的是好漢，此乃路見不平，拔刀相助，真壯士也！」正是：

匣裡龍泉◆爭欲出，只因世有不平人。
旁觀能辨非和是，相助安知疏與親。

當時戴宗、楊林便向前邀住，勸道：「好漢看我二人薄面，且罷休了。」兩個把他扶勸到一個巷內。楊林替他挑了柴擔。戴宗挽住那漢手，邀入酒店裡來。楊林放下柴擔，同到閣兒裡面。

那大漢叉手道：「感蒙二位大哥解救了小人之禍。」

戴宗道：「我弟兄兩個也是外鄉人，因見壯士仗義之心，只恐足下拳手太重，誤傷人命，特地做這個出場。請壯士酌三杯，到此相會，結義則個！」那大漢道：「多得二位仁兄解拆小人這場，卻又蒙賜酒相待，實是不當。」

楊林便道：「四海之內，皆兄弟也，有何傷乎？且請坐。」戴宗相讓，那漢哪裡肯僭上。戴宗、楊林一帶坐了，那漢坐於對席。叫過酒保，楊林身邊取出一兩銀子來，把與酒保道：「不必來問，但有下飯，只顧買來與我們吃了，一發總算。」酒保接了銀子去，一面鋪下菜蔬、果品、按酒之類。

三人飲過數杯，戴宗問道：「壯士高姓大名？貴鄉何處？」那漢答道：「小人姓石，名秀，祖貫是金陵建康府人氏。自小學得些槍棒在身，一生執意，路見不平，但要去相助，人都呼小弟作『拚命三郎』。

◆龍泉——寶劍。

因隨叔父來外鄉販賣羊馬，不想叔父半途亡故，消折了本錢。還鄉不得，流落在此薊州賣柴度日。既蒙拜識，當以實告。」

戴宗道：「小可兩個因來此間幹事，得遇壯士，如此豪傑流落在此賣柴，怎能夠發跡？不若挺身江湖上去，做個下半世快樂也好。」

石秀道：「小人只會使些槍棒，別無甚本事，如何能夠發達快樂！」

戴宗道：「這般時節認不得真，一者朝廷不明，二乃奸臣閉塞。小可一個薄識，因一口氣去投奔了梁山泊宋公明入夥，如今論秤分金銀，換套穿衣服，只等朝廷招安了，早晚都做個官人。」

石秀嘆口氣道：「小人便要去，也無門路可進。」

戴宗道：「壯士若肯去時，小可當以相薦。」

石秀道：「小人不敢拜問二位官人貴姓？」

戴宗道：「小可姓戴名宗，兄弟姓楊名林。」

石秀道：「江湖上聽得說江州神行太保，莫非正是足下？」

戴宗道：「小可便是。」叫楊林身邊包袱內取一錠十兩銀子，送與石秀做本錢。石秀不敢受，再三謙讓，方才收了。

三人正欲訴說些心腹之話，投托入夥，只聽得外面有人尋問入來。三個看時，卻是楊雄帶領著二十餘人，都是做公的，趕入酒店裡來。戴宗、楊林見人多，吃了一驚，鬧哄裡，兩個慌忙走了。

石秀起身迎住道：「節級哪裡去來？」

楊雄便道：「大哥，何處不尋你，卻在這裡飲酒。我一時被那廝封住了手，施展不得，多蒙足下氣力，救了我這場便宜。一時間只顧趕了那廝去，奪他包袱，卻撇了足下。

「這夥兄弟聽得我廝打，都來相助，依還奪得搶去的花紅緞疋回來，只尋足下不見。卻才有人說道：『兩個客人勸他去酒店裡吃酒。』因此才知得，特地尋將來。」

石秀道：「卻才是兩個外鄉客人，邀在這裡酌三杯，說些閒話，不知節級呼喚。」

楊雄大喜，便問道：「足下高姓大名？貴鄉何處？因何在此？」石秀答道：「小人姓石，名秀，祖貫是金陵建康府人氏。平生性直，路見不平，便要去捨命相護，以此都喚小人做『拚命三郎』。因隨叔父來此地販賣羊馬，不期叔父半途亡故，消折了本錢，流落在此薊州賣柴度日。」

楊雄看石秀時，好個壯士，生得上下相等。有首《西江月》詞，單道著石秀好處。但見：

身似山中猛虎，性如火上澆油。
心雄膽大有機謀，到處逢人搭救。
全仗一條桿棒，只憑兩個拳頭。
掀天聲價滿皇州，拚命三郎石秀。

當下楊雄又問石秀道：「卻才和足下一處飲酒的客人何處去了？」石秀道：「他兩個見節級帶人進來，只道相鬧，以此去了。」

楊雄道：「恁地時，先喚酒保取兩甕酒來，大碗叫眾人一家三碗，吃了去，明日卻得來相會。」眾人都吃了酒，自去散了。

楊雄便道：「石家三郎，你休見外。想你此間必無親眷，我今日就結義你做個弟兄如何？」

石秀見說大喜，便說道：「不敢動問節級貴庚？」

楊雄道：「我今年二十九歲。」

石秀道：「小弟今年二十八歲，就請節級坐，受小弟拜為哥哥。」石秀拜了四拜。

楊雄大喜，便叫酒保安排飲饌酒果來：「我和兄弟今日吃個盡醉方休。」正飲酒之間，只見楊雄的丈人潘公帶領了五七個人，直尋到酒店裡來。

楊雄見了，起身道：「泰山來做甚麼？」

潘公道：「我聽得你和人廝打，特地尋將來。」

楊雄道：「多謝這個兄弟救護了我，打得張保那廝見影也害怕。我如今就認義了石家兄弟做我兄弟。」

潘公叫：「好，好！且叫這幾個弟兄吃碗酒了去。」楊雄便叫酒保討酒來，每人三碗吃了去。便叫潘公中間坐了，楊雄對席上首，石秀下首。三人坐下，酒保自來斟酒。

潘公見了石秀這等英雄長大，心中甚喜，便說道：「我女婿得你做個兄弟相幫，也不枉了！公門中出入，誰敢欺負他！」

又問道：「叔叔◈原曾做甚買賣道路？」

石秀道：「先父原是操刀屠戶。」

潘公道：「叔叔曾省得殺牲口的勾當麼？」

石秀笑道：「自小吃屠家飯，如何不省得宰殺牲口？」

潘公道：「老漢原是屠戶出身，只因年老做不得了，只有這個女婿，他又自一身入官府差遣，因此撇下這行衣飯。」三人酒至半酣，計算酒錢，石秀將這擔柴也都准折了。

三人取路回來，楊雄入得門，便叫：「大嫂，快來與這叔叔相見。」

只見布簾裡面應道：「大哥，你有甚叔叔？」楊雄道：「妳且休問，先出來相見。」布簾起處，走出那個婦人來，生得如何，但見：

黑鬒鬒◆鬢兒，細彎彎眉兒，光溜溜眼兒，香噴噴口兒，直隆隆鼻兒，紅乳乳腮兒，粉瑩瑩臉兒，輕嬝嬝身兒，玉纖纖手兒，一捻捻腰兒，軟膿膿肚兒，翹尖尖腳兒，花簇簇鞋兒，肉奶奶胸兒◆，白生生腿兒，更有一件窄湫湫◆，緊搊搊◆，紅鮮鮮，紫稠稠，正不知是甚麼東西。

有詩為證：

二八佳人體似酥，腰懸月鐩殺愚夫。
雖然不見人頭落，暗裡教君骨髓枯。

◆叔叔—泛稱與父親同輩，而年紀較小的男子。
黑鬒鬒—形容頭髮烏黑濃密。鬒音診。　**肉奶奶胸兒**—形容酥胸。
窄湫湫—狹窄合身。湫音腳。　**緊搊搊**—緊束。搊音抽。

原來那婦人是七月七日生的，因此小字喚做巧雲，先嫁了一個吏員，是薊州人，喚做王押司，兩年前身故了，方才晚嫁得楊雄，未及一年夫妻。石秀見那婦人出來，慌忙向前施禮道：「嫂嫂請坐。」石秀便拜，那婦人道：「奴家年輕，如何敢受禮？」楊雄道：「這個是我今日新認義的兄弟，妳是嫂嫂，可受半禮。」當下石秀推金山，倒玉柱，拜了四拜。那婦人還了兩禮，請入來裡面坐地，收拾一間空房，教叔叔安歇。

話休絮煩。次日，楊雄自出去應當官府，吩咐家中道：「安排石秀衣服巾幘。」客店內有些行李、包裹，都教去取來楊雄家裡安放了。

卻說戴宗，楊林自酒店裡看見那夥做公的人來尋訪石秀，鬧哄裡兩個自走了，回到城外客店中歇了。次日，又去尋問公孫勝兩日，絕無人認得，又不知他下落住處，兩個商量了且回去。

當日收拾了行李，便起身離了薊州，自投飲馬川來，和裴宣、鄧飛、孟康一行人馬，扮做官軍，星夜望梁山泊來。戴宗要見他功勞，又糾合得許多人馬上山，山上自做慶賀筵席，不在話下。

再說這楊雄的丈人潘公，自和石秀商量，要開屠宰作坊。潘公道：「我家後門頭是一條斷路小巷，又有一間空房在後面，那裡井水又便，可做作坊。就教叔叔做房在裡面，又好照管。」石秀見了也喜，端的便益◈。潘公再尋了個舊時熟識副手，只央叔叔掌管帳目。石秀應承了，叫了副手，便把大青大綠妝點起肉案子、水盆、砧頭，打磨了許多刀仗，整頓了肉案，打併了作坊、豬圈，趕上十數個肥豬，選個吉日，開張肉鋪。眾鄰舍親戚都來掛紅賀喜，吃了一兩日酒。楊雄一家得石秀開了店，都歡喜。自此無話。

◈半禮──尊貴的人對卑幼的人施禮，答以較輕的禮，稱為「半禮」。
便益──方便。

一向潘公、石秀自做買賣。不覺光陰迅速，又早過了兩個月有餘。時值秋殘冬到，石秀裡裡外外，身上都換了新衣穿著。石秀一日早起五更，出外縣買豬，三日了方回家來，只見鋪店不開。卻到家裡看時，肉案，砧頭也都收過了，刀杖傢伙亦藏過了。

石秀是個精細的人，看在肚裡便省得了，自心中忖道：「常言：『人無千日好，花無百日紅。』哥哥自出外去當官，不管家事，必然嫂嫂見我做了這些衣裳，一定背後有說話；又見我兩日不回，必有人搬口弄舌，想是疑心，不做買賣。我休等他言語出來，我自先辭了回鄉去休。自古道：哪得長遠心的人？」

石秀已把豬趕在圈裡，卻去房中換了腳手◈，收拾了包裹行李，細細寫了一本清帳◈，從後面入來。潘公已安排下些素酒食，請石秀坐定吃酒。

潘公道：「叔叔遠出勞心，自趕豬來辛苦。」

石秀道：「禮當。丈丈◈，且收過了這本明白帳目。若上面有半點私心，天地誅滅！」

潘公道：「叔叔何故出此言？並不曾有個甚事。」

石秀道：「小人離鄉五七年了，今欲要回家去走一遭，特地交還帳目。今晚辭了哥哥，明早便行。」

潘公聽了，大笑起來道：「叔叔差矣！你且住，聽老漢說。」那老子言無數句，話不一席。有分教：報恩壯士提三尺，破戒沙門喪九泉。

畢竟潘公說出甚言語來？且聽下回分解。

◈換腳手──換鞋、衣服等。　清帳──整理清楚的詳細帳目。　丈丈──宋時對老者的尊稱。

第四五回

楊雄醉罵潘巧雲　石秀智殺裴如海

話說石秀回來，見收過店面，便要辭別出門。

潘公說道：「叔叔且住，老漢已知叔叔的意了。叔叔兩夜不曾回家，今日回來，見收拾過了傢伙什物，叔叔已定心裡只道是不開店了，因此要去。休說恁地好買賣，便不開店時，也養叔叔在家。

「不瞞叔叔說，我這小女先嫁得本府一個王押司，不幸歿了，今得二周年，做些功果與他，因此歇了這兩日買賣。明日請下報恩寺僧人來做功德，就要央叔叔管待則個。老漢年紀高大，熬不得夜，因此一發和叔叔說知。」

石秀道：「既然丈丈恁地說時，小人再納定性過幾時。」

潘公道：「叔叔今後並不要疑心，只顧隨分且過。」當時吃了幾杯酒，並些素食，收過了杯盤。

明早，果見只見道人挑將經擔◈到來，鋪設壇場，擺放佛像、供器、鼓鈸、鐘磬、香花、燈燭，廚下一面安排齋食。

楊雄到申牌時分，回家走一遭，吩咐石秀道：「賢弟，我今夜卻限當牢，不得前來，凡事央你支持則個。」

石秀道：「哥哥放心自去，晚間兄弟替你料理。」楊雄去了，石秀自在門前照管。沒多時，只見一個年紀小的和尚揭起簾子入來。石秀看那和尚時，端的整齊，但見：

◈**做功果**——指僧尼誦經持咒追薦亡靈。 **經擔**——盛放佛事用物的擔子。

一個青旋旋◈光頭新剃，把麝香松子勻搽；
一領黃烘烘直裰初縫，使沉速◈栴檀◈香染。
山根鞋履，是福州染到深青；九縷絲縧，係西地買來真紫。
光溜溜一雙賊眼，只睃趁◈施主嬌娘；
美甘甘滿口甜言，專說誘喪家少婦。
淫情發處，草庵中去覓尼姑；色膽動時，方丈內來尋行者。

那和尚入到裡面，深深地與石秀打個問訊。

石秀答禮道：「師父少坐。」隨背後一個道人，挑兩個盒子入來。

石秀便叫：「丈人，有個師父在這裡。」

潘公聽得，從裡面出來，那和尚便道：「乾爺如何一向不到敝寺？」

老子道：「便是開了這些店面，卻沒工夫出來。」

那和尚便道：「押司周年，無甚罕物相送，些少掛麵，幾包京棗◈。」

老子道：「啊也！甚麼道理，教師父壞鈔！」教：「叔叔收過了。」石秀自搬入去，叫點茶出來，門前請和尚吃。

只見那婦人從樓上下來，不敢十分穿重孝，只是淡妝輕抹，便問：「叔叔，誰送物事來？」

石秀道：「一個和尚，叫丈人做乾爺的送來。」

那婦人便笑道：「是師兄海闍黎裴如海，一個老實的和尚。他便是裴家絨線鋪裡小官人，出家在報恩寺中。因他師父是家裡門徒，結拜我父做乾爺，長奴兩歲，因此上叫他做師兄。他法名叫做海公。叔叔，晚間你只聽他請佛念經，有這般好聲音。」

石秀道：「原來恁地。」自肚裡已有些瞧科◆。

那婦人便下樓來見和尚，石秀卻背叉著手，隨後跟出來，布簾裡張看。

◆**青旋旋**—烏黑而圓的樣子。　**沉速**　由沉香和速香合成的香料。
栴檀—檀香。栴音詹。　**睃趁**—張目注視。　**京棗**—大棗。　**瞧科**—看出來、察覺。

只見那婦人出到外面，那和尚便起身向前來，合掌深深的打個問訊。

那婦人便道：「甚麼道理，教師兄壞鈔！」

和尚道：「賢妹，些少薄禮微物，不足掛齒。」

那婦人道：「師兄何故這般說？出家人的物事，怎的消受得？」

和尚道：「敝寺新造水陸堂◆，也要來請賢妹隨喜◆，只恐節級見怪。」

那婦人道：「家下拙夫卻不恁地計較，老母死時，也曾許下血盆◆願心，早晚也要到上刹相煩還了。」

和尚道：「這是自家的事，如何恁地說？但是吩咐如海的事，小僧便去辦來。」

那婦人道：「師兄，多與我娘念幾卷經便好。」只見裡面丫鬟捧茶出來，那婦人拿起一盞茶來，把帕子去茶盅口邊抹一抹，雙手遞與和尚。那和尚一頭接茶，兩隻眼涎瞪瞪◆的只顧看那婦人身上，這婦人也嘻嘻的笑著看這和尚。人道色膽如天，卻不防石秀在布簾裡張見。

石秀自肚裡暗忖道：「莫信直中直，須防仁不仁。我幾番見那婆娘常常的只顧對我說些風話，我只以親嫂嫂一般相待，原來這婆娘倒不是個良人。莫教撞在石秀手裡，敢替楊雄做個出場◆也不見得！」

石秀此時已有三分在意了，便揭起布簾，走將出來。那賊禿◆放下茶盞，便道：「大郎請坐。」

這婦人便插口道：「這個叔叔，便是拙夫新認義的兄弟。」

那和尚虛心冷氣◆動問道：「大郎貴鄉何處？高姓大名？」

石秀道：「我姓石，名秀，金陵人氏。因為只好閒管◆，替人出力，以此叫做『拚命三郎』。我是個粗鹵漢子，禮數不到，和尚休怪！」

裴如海道：「不敢，不敢。小僧去接眾僧來赴道場。」相別出門去了。

◆**水陸堂**—佛教設齋超度水中、陸上的死者，名水陸齋。水陸堂是舉行水陸齋、水陸道場時用的屋子。　**隨喜**—到廟裡瞻謁。　**血盆**—《血盆經》的省稱。
涎瞪瞪—目光凝滯貪慾的樣子。　**做個出場**—做結束、了斷。
賊禿—罵和尚之詞。　**虛心冷氣**—虛情假意。　**閒管**—管與己無關的事。

那婦人道：「師兄早來些個。」那和尚應道：「便來了。」

婦人送了和尚出門，自入裡面來了。石秀卻在門前低了頭，只顧尋思。

看官聽說：原來但凡世上的人情，惟和尚色情最緊。為何說這等話？且如俗人、出家人，都是一般父精母血所生，緣何見得和尚家色情最緊？這上三卷書中所說潘、驢，鄧、小、閒，惟有和尚家第一閒。

一日三餐，吃了檀越施主的好齋好供，住了那高堂大殿僧房，又無俗事所煩，房裡好床好鋪睡著，沒得尋思，只是想著此一件事。假如譬喻說，一個財主家，雖然十相俱足，一日有多少閒事惱心，夜間又被錢物掛念，到三更二更才睡，縱有嬌妻美妾，同床共枕，哪得情趣。

又有那一等小百姓們，一日價辛辛苦苦掙扎，早晨巴不到晚，起的是五更，睡的是半夜。到晚來未上床，先去摸一摸米甕，看到底沒顆米，明日又無錢，縱然妻子有些顏色，也無些甚麼意興。因此上輸與這和尚們一心閒靜，專一理會這等勾當。

那時古人評論到此去處，說這和尚們真個利害，因此蘇東坡學士道：

「不禿不毒，不毒不禿；轉禿轉毒，轉毒轉禿。」和尚們還有四句言語，道是：

一個字便是僧，兩個字是和尚，三個字鬼樂官，四字色中餓鬼。

且說這石秀自在門前尋思了半晌，又且去支持管待。不多時，只見行者先來點燭燒香。少刻，海闍黎引領眾僧卻來赴道場，潘公、石秀接著，相待茶湯已罷，打動鼓鈸，歌詠讚揚。

只見海闍黎同一個一般年紀小的和尚做闍黎◈，播動鈴杵，發牒請佛，獻齋讚供諸大護法，監壇主盟，「追薦亡夫王押司，早生天界。」只見那婦人喬素梳妝，來到法壇上，執著手爐，拈香禮佛。那海闍黎越逞精神，搖著鈴杵，念動真言。這一堂和尚見了楊雄老婆這等模樣，都七顛八倒起來。但見：

◈十相俱足──謂十分美好。　闍黎──佛教上指能教授弟子法式，糾正弟子行為，並為其模範的人。

班首輕狂，念佛號不知顛倒；闍黎沒亂，誦真言豈顧高低。
燒香行者，推倒花瓶；秉燭頭陀，錯拿香盒。
宣名◈表白◈，大宋國稱做大唐；懺罪通陳◈，王押司念為押禁。
動鐃的望空便撇，打鈸的落地不知。
敲銛子的，軟做一團；擊響磬的，酥做一塊。
滿堂喧哄，繞席縱橫。
藏主心忙，擊鼓錯敲徒弟手；
維那眼亂，磬槌打破老僧頭。
十年苦行一時休，萬個金剛降不住。

那眾僧都在法壇上看見了這婦人，自不覺都手之舞之，足之蹈之，一時間愚迷了佛性禪心，拴不定心猿意馬，以此上德行高僧世間難得。石秀卻在側邊看了，也自冷笑道：「似此有甚功德！正謂之作福不如避罪。」

少間，證盟◆已了，請眾和尚就裡面吃齋。海闍黎卻在眾僧背後，轉過頭來，看著那婦人嘻嘻的笑。那婆娘也掩著口笑。兩個都眉來眼去，以目送情。石秀都看在眼裡，自有五分來不快意。眾僧都坐了吃齋，先飲了幾杯素酒，搬出齋來，都下了襯錢◆。

潘公道：「眾師父飽齋則個。」少刻，眾僧齋罷，都起身行食◆去了。轉過一遭，再入道場。石秀心中好生不快意，只推肚疼，自去睡在板壁◆後了。

那婦人一點情動，哪裡顧得防備人看見，便自去支持眾僧，又打了一回鼓鈸動事，把些茶食果品煎點◆。海闍黎著眾僧用心看經，請天王拜懺，設浴召亡◆，參禮三寶。追薦◆到三更時分，眾僧困倦，這海闍黎越逞精神，

◆**宣名**—高聲報出姓名。　**表白**—佛道二教中專主宣唱的人。　**懺罪通陳**—懺悔祝禱。
證盟—把死者的姓名寫在紙上焚燒的一種儀式。　**襯錢**—做佛事時散給和尚的錢。
行食—飯後散步。　**板壁**—分隔房間的木板牆。　**煎點**—蜜餞一類的點心。
設浴召亡—安排洗浴，替死者招魂。　**追薦**—為死者祈求冥福。

高聲看誦。那婦人在布簾下看了，慾火熾盛，不覺情動，便教丫鬟請海和尚說話。那賊禿慌忙來到婦人面前。

這婆娘扯住和尚袖子說道：「師兄明日來取功德錢時，就對爹爹說血盆願心一事，不要忘了。」

和尚道：「小僧記得。只說要還願，也還了好。」

和尚又道：「妳家這個叔叔好生利害。」

婦人應道：「這個睬他則甚！又不是親骨肉。」

海闍黎道：「恁地小僧卻才放心。我只道是節級的至親兄弟。」兩個又戲笑了一回。

那和尚自出去判斛◆送亡。不想石秀卻在板壁後假睡，正張得著，都看在肚裡了。當夜五更道場滿散◆，送佛化紙已了，眾僧作謝回去，那婦人自上樓去睡了。

石秀卻自尋思了氣道：「哥哥恁的豪傑，卻恨撞了這個淫婦！」忍了一肚皮鳥氣，自去作坊裡睡了。

次日，楊雄回家，俱各不提。飯後楊雄又出去了。只見海闍黎又換了一套整整齊齊的僧衣，逕到潘公家來。那婦人聽得是和尚來了，慌忙下樓，出來接著，邀入裡面坐地，便叫點茶來。

那婦人謝道：「夜來多教師兄勞神，功德錢未曾拜納。」

海闍黎道：「不足掛齒。小僧夜來所說血盆懺願心這一事，特稟知賢妹。要還時，小僧寺裡現在念經，只要寫疏一道就是。」

那婦人道：「好，好。」便叫丫鬟請父親出來商量。

潘公便出來謝道：「老漢打熬不得◈，夜來甚是有失陪侍。不想石叔叔又肚疼倒了，無人管待，卻是休怪，休怪。」

那和尚道：「乾爺正當自在。」

那婦人便道：「我要替娘還了血盆懺舊願，師兄說道，明日寺中做好事，

◈判斛—給鬼吃的一種麵食，叫做斛食。判斛是說把斛食散給鬼。
滿散—做佛事或道場期滿時，謝神的一種儀式。
打熬不得—受不了。

就附搭還了。先教師兄去寺裡念經，我和你明日飯罷去寺裡，只要證盟懺疏，也是了當一頭事。」

潘公道：「也好，明日只怕買賣緊，櫃上無人。」

那婦人道：「放著石叔叔在家照管，卻怕怎的？」

潘公道：「我兒出口為願，明日只得要去。」那婦人就取些銀子做功果錢，與和尚去。「有勞師兄，莫責輕微，明日準來上剎討素麵吃。」

海闍黎道：「謹候拈香。」收了銀子，便起身謝道：「多承布施，小僧將去分俵眾僧，來日專等賢妹來證盟。」那婦人直送和尚到門外去了。石秀自在作坊裡安歇，起來宰豬趕趁。詩曰：

古來佛殿有奇逢，偷約歡期情倍濃。
也學裴航勤玉杵◈，巧雲移處鵲橋通。

卻說楊雄當晚回來安歇，婦人待他吃了晚飯，洗了腳手，卻教潘公對楊雄說道：「我的阿婆臨死時，孩兒許下血盆經懺願心在這報恩寺中，我明日和孩兒去那裡證盟酬了便回，說與你知道。」

楊雄道：「大嫂，妳便自說與我何妨。」

那婦人道：「我對你說，又怕你嗔怪，因此不敢與你說。」當晚無話，各自歇了。

次日五更，楊雄起來，自去畫卯，承應官府。石秀起來，自理會做買賣。只見那婦人起來，濃妝豔飾，打扮得十分濟楚◈，包了香盒，買了紙燭，討了一乘轎子。石秀自一早晨顧買賣，也不來管她。飯罷，把丫鬟迎兒也打扮了。

巳牌時候，潘公換了一身衣裳，來對石秀道：「小弟相煩叔叔照管門前，老漢和拙女同去還些願心便回。」

石秀笑道：「小人自當照管。丈丈但照管嫂嫂，多燒些好香早早來。」

◈裴航、玉杵——唐傳奇故事。裴航以玉杵為聘禮，娶雲英仙去。後以玉杵只求婚的聘禮。

濟楚——整潔漂亮。

石秀自肚裡已知了。且說潘公和迎兒跟著轎子，一逕望報恩寺裡來。卻說海闍黎這賊禿，單為這婦人結拜潘公做乾爺，只吃楊雄阻滯礙眼，因此不能夠上手。自從和這婦人結拜起，只是眉來眼去送情，未見真實的事。因這一夜道場裡，才見她十分有意。期日約定了。那賊禿磨槍備劍，整頓精神，先在山門下伺候，看見轎子到來，喜不自勝，向前迎接。

潘公道：「甚是有勞和尚。」

那婦人下轎來謝道：「多多有勞師兄。」

海闍黎道：「不敢，不敢！小僧已和眾僧都在水陸堂上，從五更起來誦經，到如今未曾住歇，只等賢妹來證盟，卻是多有功德。」把這婦人和老子引到水陸堂上，已自先安排下花果、香燭之類，有十數個僧人在彼看經，那婦人都道了萬福，參禮了三寶。海闍黎引到地藏菩薩面前證盟懺悔。

通罷疏頭◈，便化了紙，請眾僧自去吃齋，著徒弟陪侍。海和尚卻請乾爺和賢妹去小僧房裡拜茶。一邀把這婦人引到僧房裡深處，預先都準備下了，叫聲師哥拿茶來，只見兩個侍者捧出茶來，白雪錠器盞內，朱紅托子，絕細好茶。

吃罷放下盞子，「請賢妹裡面坐一坐。」又引到一個小小閣兒裡，琴光黑漆春臺，排幾幅名人書畫，小桌兒上焚一爐妙香。潘公和女兒一臺坐了，和尚對席，迎兒立在側邊。

那婦人道：「師兄端的是好個出家人去處，清幽靜樂。」

海闍黎道：「妹子休笑話，怎生比得貴宅上。」

潘公道：「生受了師兄一日，我們回去。」

那和尚哪裡肯，便道：「難得乾爺在此，又不是外人，今日齋食已是賢妹做施主，如何不吃箸麵了去？師哥，快搬來！」

說言未了，卻早托兩盤進來，都是日常裡藏下的稀奇果子，異樣菜蔬，

◆疏頭──向神佛祈福的祝文。

並諸般素饌之物，擺滿春臺。

那婦人便道：「師兄何必治酒，反來打攪。」

和尚笑道：「不成禮數，微表薄情而已。」師哥將酒來斟在杯中。

和尚道：「乾爺多時不來，試嘗這酒。」

老兒飲罷道：「好酒，端的味重。」

和尚道：「前日一個施主家傳得此法，做了三、五石米，明日送幾瓶來與令婿吃。」

老兒道：「甚麼道理！」

和尚又勸道：「無物相酬賢妹娘子，胡亂告飲一杯。」兩個小師哥兒輪番篩酒，迎兒也吃勸了幾杯。

那婦人道：「酒住，吃不去了。」

和尚道：「難得賢妹到此，再告飲幾杯。」潘公叫轎夫入來，各人與他一杯酒吃。

和尚道：「乾爺不必記掛，小僧都吩咐了。已著道人邀在外面，自有坐處吃酒。乾爺放心，且請開懷自飲幾杯。」

原來這賊禿為這個婦人，特地對付下這等有力氣的好酒，潘公吃央不過，多吃了兩杯，擋不住醉了。

和尚道：「且扶乾爺去床上睡一睡。」和尚叫兩個師哥只一扶，把這老兒攙在一個靜房裡去睡了。

這裡和尚自勸道：「娘子開懷再飲幾杯。」

那婦人一者有心，二乃酒入情懷，自古道：「酒亂性，色迷人。」

那婦人三杯酒落肚，便覺有些朦朦朧朧上來，口裡嘈道：「師兄，你只顧央我吃酒做甚麼？」

和尚扯著口嘻嘻的笑道：「只是敬重娘子。」

那婦人道：「我吃不得了。」

和尚道：「請娘子去小僧房裡看佛牙◆。」

那婦人便道：「我正要看佛牙則個。」

這和尚把那婦人一引，引到一處樓上，卻是海闍黎的臥房，鋪設得十分整齊。那婦人看了，先自五分歡喜，便道：「你端的好個臥房，乾乾淨淨。」和尚笑道：「只是少一個娘子。」

那婦人也笑道：「你便討一個不得？」

和尚道：「哪裡得這般施主？」婦人道：「你且教我看佛牙則個。」

和尚道：「妳叫迎兒下去了，我便取出來。」

那婦人道：「迎兒，妳且下去看老爺醒也未。」

迎兒自下得樓來去看潘公，和尚把樓門關上。那婦人道：「師兄，你關我在這裡怎的？」

這賊禿淫心蕩漾，向前捧住那婦人，說道：「我把娘子十分愛慕，我為妳下了兩年心路。今日難得娘子到此這個機會，作成小僧則個！」

那婦人又道：「我的老公不是好惹的，你卻要騙我。倘若他得知，卻不饒你！」

和尚跪下道：「只是娘子可憐見小僧則個！」

那婦人張著手說道：「和尚家倒會纏人，我老大耳刮子打你！」

和尚嘻嘻的笑著，說道：「任從娘子打，只怕娘子閃了手。」

那婦人淫心也動，便摟起和尚道：「我終不成當真打你。」和尚便抱住

這婦人，同床前卸衣解帶，共枕歡娛。正是：

不顧如來法教，難遵佛祖遺言。

一個色膽歪斜，管甚丈夫利害；

一個淫心蕩漾，從他長老埋怨。

這個氣喘聲嘶，卻似牛齁柳影；

那個言嬌語澀，渾如鶯囀花間。

一個耳邊訴雲意雨情，一個枕上說山盟海誓。

闍黎房裡，翻為快活道場；報恩寺中，真是極樂世界。

可惜菩提甘露水，一朝傾在巧雲中。

◆佛牙──相傳釋迦牟尼去世後火化，只有牙齒完整無損，被佛教徒奉為至寶，予以供奉，稱為佛牙。

心路──心思。

當時兩個雲雨才罷，那賊禿摟住這婦人說道：「妳既有心於我，我身死而無怨。只是今日雖然虧妳作成了我，只得一霎時的恩愛快活，不能夠終夜歡娛，久後必然害殺小僧。」

那婦人便道：「你且不要慌，我已尋思一條計較◈。我的老公，一個月倒有二十來日當牢上宿◈，我自買了迎兒，教她每日在後門裡伺候。若是夜晚老公不在家時，便掇一個香桌兒出來，燒夜香為號，你便入來不妨。若怕五更睡著了，不知省覺◈，卻哪裡尋得一個報曉的頭陀，買他來後門頭，大敲木魚，高聲叫佛，便好出去。若買得這等一個時，一者得他外面策望，二乃不叫你失了曉◈。」

和尚聽了這話，大喜道：「妙哉！妳只顧如此行，我這裡自有個頭陀胡道人，我自吩咐他來策望便了。」

那婦人道：「我不敢留戀長久，恐這廝們疑忌。我快回去是得，你只不要誤約。」

婦人連忙再整雲鬢，重勻粉面，開了樓門，便下樓來，教迎兒叫起潘公，慌忙便出僧房來。轎夫吃了酒麵，已在寺門前伺候。海闍黎直送那婦人出山門外，那婦人作別了上轎，自和潘公、迎兒歸家，不在話下。

卻說這海闍黎自來尋報曉頭陀。本房原有個胡道人，在寺後退居◆裡小庵中過活，諸人都叫他做胡頭陀，每日只是起五更，來敲木魚報曉，勸人念佛，天明時，收掠齋飯。海和尚喚他來房中，安排三杯好酒相待了他，又取些銀子送與胡道。

胡道起身說道：「弟子無功，怎敢受祿。日常又承師父的恩惠。」海闍黎道：「我自看你是個志誠的人。我早晚出些錢，貼買道度牒，剃你為徒。這些銀子，權且將去，買些衣服穿著。」

◆計較—此指計畫。　上宿—值夜。　省覺—睡醒。
失曉—不知天亮。多指人晚起。　退居—休息閒坐的地方。

原來這海闍黎從前時，只是教師哥不時送些午齋與胡道，待節下又帶挈他去念經，得些齋襯錢。胡道感恩不淺，尋思道：「今日又與我銀兩，必有用我處，何必等他開口？」

胡道便道：「師父有事，若用小道處，即當向前。」

海闍黎道：「胡道，你既如此好心，有件事不瞞你，現有潘公的女兒，要和我來往，約定後門口擺設香桌兒在外時，便是教我來。我卻難去那裡踅，若得你先去看探有無，我才好去。又要煩你五更起來叫人念佛時，可就來那裡後門頭，看沒人，便把木魚大敲報曉，高聲叫佛，我便好出來。」

胡道便道：「這個有何難哉！」當時應允了。

其日先來潘公後門首討齋飯，只見迎兒出來說道：「你這道人，如何不來前門討齋飯，卻在後門裡來？」

那胡道便念起佛來，裡面這婦人聽得了，已自瞧科，便出來後門問道：「你這道人，莫不是五更報曉的頭陀？」

胡道應道：「小道便是五更報曉的頭陀，教人省睡，晚間宜燒些香，教人積福。」那婦人聽了大喜，便叫迎兒去樓上取一串銅錢來布施他。這頭陀張得迎兒轉身，便對那婦人說道：「小道便是海闍黎心腹之人，特地使我前來探路。」

那婦人道：「我已知道了。今夜晚間，你可來看，如有香桌兒在外，你可便報與他則個。」胡道把頭來點著。

迎兒就將銅錢來，與胡道去了。那婦人來到樓上，卻把心腹之事對迎兒說了。自古道：「人家女使，謂之奴才。」但得些小便宜，如何不隨順了，天大之事，也都做了。因此人家婦人女使，可用而不可信，卻又少她不得。有詩為證：

送暖偷寒起禍胎◆，壞家端的是奴才。
請看當日紅娘事，卻把鶯鶯哄出來。

◆禍胎——指禍害發生的源始。

卻說楊雄此日正該當牢，未到晚，先來取了鋪蓋去，自監裡上宿。這迎兒得了些小意兒，巴不到晚，自去安排了香桌兒，黃昏時掇在後門外，那婦人卻閃在旁邊伺候。

初更左側，一個人戴頂頭巾，閃將入來，迎兒問道：「是誰？」那人也不答應，便除下頭巾，露出光頂來。這婦人在側邊見是海和尚，輕輕地罵一聲：「賊禿，倒好見識。」兩個廝摟廝抱著上樓去了。迎兒自來掇過了香桌兒，關上了後門，也自去睡了。他兩個當夜如膠似漆，如糖似蜜，如酥似髓，如魚似水，快活淫戲了一夜。兩個正好睡哩，只聽得咯咯地木魚響，高聲念佛，和尚和婦人夢中驚覺。

海闍黎披衣起來道：「我去也，今晚再相會。」

那婦人道：「今後但有香桌兒在後門外，你便不可負約。如無香桌兒在後門，你便切不可來。」

和尚下床，依前戴上頭巾，迎兒開了後門，放他去了。自此為始，但是楊雄出去當牢上宿，那和尚便來家中。只有這個老兒，未晚先自要睡，迎兒這個丫頭，已自做一路了，只要瞞著石秀一個。

那婦人淫心起來，哪裡管顧。這和尚又知了婦人的滋味，兩個一似被攝了魂魄的一般。這和尚只待頭陀報了，便離寺來。那婦人專得迎兒做腳◆，放他出入，因此快活偷養和尚戲耍。自此往來，將近一月有餘。這和尚也來了十數遍。

且說這石秀每日收拾了店時，自在坊裡歇宿，常有這件事掛心，每日委決不下，卻又不曾見這和尚往來。每日五更睡覺，不時跳將起來，料度◆這件事。只聽得報曉頭陀直來巷裡敲木魚，高聲叫佛。石秀是個乖覺的人，早瞧了八分，冷地裡思量道：「這條巷是條死巷，如何有這頭陀連日來這裡敲木魚叫佛？事有可疑。」當是十一月中旬之日，五更時分，石秀正睡不著，只聽得木魚敲響，頭陀

◆**做腳**—做內應，傳遞消息。 **料度**—預想、揣度。

直敲入巷裡來，到後門口高聲叫道：「普度眾生，救苦救難，諸佛菩薩！」石秀聽得叫得蹺蹊，便跳將起來，去門縫裡張時，只見一個人戴頂頭巾從黑影裡閃將出來，和頭陀去了，隨後便是迎兒來關門。

石秀見了，自說道：「哥哥如此豪傑，卻恨討了這個淫婦！倒被這婆娘瞞過了，做成這等勾當！」

巴得天明，把豬出去門前挑了，賣個早市。飯罷，討了一遭賒錢，日中前後，逕到州衙前來尋楊雄。卻好行至州橋邊，正迎見楊雄。

楊雄便問道：「兄弟，哪裡去來？」

石秀道：「因討賒錢，就來尋哥哥。」

楊雄道：「我常為官事忙，並不曾和兄弟快活吃三杯，且來這裡坐一坐。」楊雄把這石秀引到州橋下一個酒樓上，揀一處僻靜閣兒裡兩個坐下，叫酒保取瓶好酒來，安排盤饌、海鮮、按酒。

二人飲過三杯，楊雄見石秀只低了頭尋思。楊雄是個性急的人，便問道：「兄弟心中有些不樂，莫不家裡有甚言語傷觸你處？」

石秀道：「家中也無有甚話。兄弟感承哥哥把做親骨肉一般看待，有句話敢說麼？」

楊雄道：「兄弟何故今日見外？有的話但說不妨。」

石秀道：「哥哥每日出來，只顧承當官府，卻不知背後之事。這個嫂嫂不是良人，兄弟已看在眼裡多遍了，且未敢說。今日見得仔細，忍不住來尋哥哥，直言休怪。」

楊雄道：「我自無背後眼。你且說是誰？」

石秀道：「前者家裡做道場，請那個賊禿海闍黎來，嫂嫂便和他眉來眼去，兄弟都看見。第三日又去寺裡還血盆懺願心，兩個都帶酒歸來。我近日只聽得一個頭陀直來巷內敲木魚叫佛，那廝敲得作怪。今日五更被我起來張時，看見果然是這賊禿，戴頂頭巾，從家裡出去。似這等淫婦，要她何用！」

楊雄聽了大怒道：「這賤人怎敢如此！」

石秀道：「哥哥且息怒。今晚都不要提，只和每日一般。明日只推做上宿，三更後卻再來敲門，那廝必然從後門先走，兄弟一把拿來。從哥哥發落。」

楊雄道：「兄弟見得是。」

石秀又吩咐道：「哥哥今晚且不可胡發說話。」

楊雄道：「我明日約你便是。」兩個再飲了幾杯，算還了酒錢，一同下樓來，出得酒肆，各散了。

只見四五個虞候叫楊雄道：「哪裡不尋節級？知府相公在後花園裡坐地，教尋節級來和我們使槍棒，快走，快走。」

楊雄便吩咐石秀道：「本官喚我，只得去應答。兄弟，你先回家去。」

石秀當下自歸家裡來，收拾了店面，自去作坊裡歇息。

且說楊雄被知府喚去到後花園中，使了幾回棒，知府看了大喜，叫取酒來，一連賞了十大賞鍾。楊雄吃了，都各散了，眾人又請楊雄去吃酒。至晚，吃得大醉，扶將歸來。詩曰：

曾聞酒色氣相連，浪子酣尋花柳眠。
只有英雄心裡事，醉中觸憤不能蠲◈。

那婦人見丈夫醉了，謝了眾人，卻自和迎兒攙上樓梯去，明晃晃地點著燈燭。楊雄坐在床上，迎兒去脫𩊱鞋◈，婦人與他除頭巾，解巾幘。楊雄看了那婦人，一時驀上心來，自古道：「醉是醒時言。」指著那婦人罵道：「妳這賤人賊妮子，好歹是我結果了妳！」

那婦人吃了一驚，不敢回話，且伏侍楊雄睡了。楊雄一頭上床睡，一頭口裡恨恨的罵道：「你這賤人，腌臢潑婦！那廝敢大蟲口裡倒涎！我手裡不到得輕輕地放了妳！」那婦人哪裡敢喘氣，直待楊雄睡著。

看看到五更。楊雄酒醒了，討水吃。那婦人便起來舀碗水，遞與楊雄吃

◈蠲—免除。蠲音捐。 𩊱鞋—棉鞋。

了。桌上殘燈尚明。楊雄吃了水，便問道：「大嫂，妳夜來不曾脫衣裳睡？」那婦人道：「你吃得爛醉了，只怕你要吐，哪裡敢脫衣裳，只在腳後倒了一夜。」

楊雄道：「我不曾說甚言語？」

那婦人道：「你往常酒性好，但吃醉了便睡，我夜來只有些兒放不下。」

楊雄又問道：「石秀兄弟，這幾日不曾和他快活吃得三杯，妳家裡也自安排些請他。」那婦人也不應，自坐在踏床◈上，眼淚汪汪，口裡嘆氣。

楊雄又說道：「大嫂，我夜來醉了，又不曾惱妳，做甚麼了煩惱？」那婦人掩著淚眼只不應。

楊雄連問了幾聲，那婦人掩著臉假哭。楊雄就踏床上扯起那婦人在床上，務要問她為何煩惱。

那婦人一頭哭，一面口裡說道：「我爹娘當初把我嫁王押司，只指望一竹竿打到底◈，不想半路相拋。今日嫁得你十分豪傑，卻又是好漢，誰想你不與我做主！」

楊雄道：「又作怪，誰敢欺負妳，我不做主？」

那婦人道：「我本待不說，卻又怕你著他道兒；欲待說來，又怕你忍氣。」

楊雄聽了，便道：「你且說怎麼地來。」

那婦人道：「我說與你，你不要氣苦。自從你認義了這個石秀家來，初時也好，向後看看放出刺來。見你不歸時，時常看了我說道：『哥哥今日又不來，嫂嫂自睡也好冷落。』我只不睬他，不是一日了。

「這個且休說。昨日早晨，我在廚房洗脖項，這廝從後走出來，看見沒人，從背後伸隻手來摸我胸前道：『嫂嫂，妳有孕也無？』被我打脫了手。本待要聲張起來，又怕鄰舍得知笑話，裝你的幌子◈。巴得你歸來，卻又爛泥也似醉了，又不敢說。我恨不得吃了他，你兀自來問石秀兄弟怎的！」

正是：

◈踏床——床、椅前放腳的小凳子。　一竹竿打到底——一直到底。常喻夫妻匹配，白頭偕老。

裝你的幌子——比喻宣揚醜事，使人丟臉。

淫婦從來多巧言，丈夫耳軟易為昏。
自今石秀前門出，好放闍黎進後門。

楊雄聽了，心中火起，便罵道：「畫龍畫虎難畫骨，知人知面不知心。這廝倒來我面前又說海闍黎許多事，說得個沒巴鼻◆。眼見得那廝慌了，便先來說破，使個見識。」

口裡恨恨地道：「他又不是我親兄弟，趕了出去便罷！」

楊雄到天明，下樓來對潘公說道：「宰了的牲口，醃了罷，從今日便休要做買賣！」一霎時，把櫃子和肉案都拆了。

石秀天明正將了肉出來門前開店，只見肉案並櫃子都拆翻了。石秀是個乖覺的人，如何不省得，笑道：「是了。因楊雄醉後出言，走透了消息，倒吃這婆娘使個見識攛掇，定是反說我無禮。她教丈夫收了肉店，我若便和她分辯，教楊雄出醜。我且退一步了，卻別作計較。」石秀便去作坊裡收拾了包裹。

楊雄怕他羞恥，也自去了。石秀提了包裹，跨了解腕尖刀，來辭潘公道：「小人在宅上打攪了許多時，今日哥哥既是收了鋪面，小人告回，帳目已自明明白白，並無分文來去。如有毫釐昧心，天誅地滅。」潘公被女婿吩咐了，也不敢留他。有詩為證：

枕邊言易聽，背後眼難開。直道驅將去，姦邪漏進來。

石秀相辭了，卻只在近巷內尋個客店安歇，賃了一間房住下。石秀卻自尋思道：「楊雄與我結義，我若不明白得此事，枉送了他的性命。他雖一時聽信了這婦人說，心中怪我，我也分別不得，務要與他明白了此一事。我如今且去探聽他幾時當牢上宿，起個四更，便見分曉。」在店裡住了兩日，卻去楊雄門前探聽。當晚只見小牢子取了鋪蓋出去，

◈沒巴鼻——沒來由、無憑據。

石秀道：「今晚必然當牢，我且做些工夫看便了。」

當晚回店裡，睡到四更起來，跨了這口防身解腕尖刀，悄悄地開了店門，逕踅到楊雄後門頭巷內，伏在黑影裡張時，卻好交五更時候，只見那個頭陀挾著木魚，來巷口探頭探腦。

石秀一閃，閃在頭陀背後，一隻手扯住頭陀，一隻手把刀去脖子上擱著，低聲喝道：「你不要掙扎！若高做聲，便殺了你！你只好好實說，海和尚叫你來怎地？」

那頭陀道：「好漢，你饒我便說。」

石秀道：「你快說，我不殺你。」

頭陀道：「海闍黎和潘公女兒有染，每夜來往，教我只看後門頭有香桌兒為號，喚他入鈸◆；五更裡卻教我來敲木魚叫佛，喚他出鈸◆。」

石秀道：「他如今在哪裡？」

頭陀道：「他還在她家裡睡著。我如今敲得木魚響，他便出來。」

石秀道：「你且借你衣服木魚與我。」頭陀身上剝了衣服，奪了木魚。頭陀把衣服正脫下來，被石秀將刀就頸上一勒，殺倒在地。頭陀已死了，石秀卻穿上直裰、護膝，一邊插了尖刀，把木魚直敲入巷裡來。海闍黎在床上，卻好聽得木魚咯咯地響，連忙起來，披衣下樓。迎兒先來開門，和尚隨後從後門裡閃將出來。

石秀兀自把木魚敲響，那和尚悄悄喝道：「只顧敲做甚麼！」石秀也不應他，讓他走到巷口，一跤放翻，按住喝道：「不要高則聲！高聲便殺了你！只等我剝了衣服便罷。」

海闍黎知道是石秀，哪裡敢掙扎則聲。被石秀都剝了衣裳，赤條條不著一絲，悄悄去屈膝邊拔出刀來，三四刀搠死了。卻把刀來放在頭陀身邊，將了兩個衣服，捲做一綑包了，再回客店裡，輕輕地開了門進去，悄悄地關上了自去睡，不在話下。

◆入鈸、出鈸——就是入門、出門。

卻說本處城中一個賣糕粥的王公，其日早挑著擔糕粥，點著個燈籠，一個小猴子跟著出來趕早市。正來到死屍邊過，卻被絆一跤，把那老子一擔糕粥傾潑在地下。

只見小猴子叫道：「苦也！一個和尚醉倒在這裡。」老子摸得起來，摸了兩手血跡，叫聲苦，不知高低。幾家鄰舍聽得，都開了門出來，把火照時，只見遍地都是血粥，兩個屍首躺在地上。眾鄰舍一把拖住老子，要去官司陳告。正是：

禍從天降，災向地生。

畢竟王公怎地脫身？且聽下回分解。

第四六回

病關索大鬧翠屏山
拚命三火燒祝家店

話說當下眾鄰舍結住王公，直到薊州府裡首告。

知府卻才升廳，一行人跪下告道：「這老子挑著一擔糕粥，潑翻在地下，看時，卻有兩個死屍在地下，一個是和尚，一個是頭陀，俱各身上無一絲，頭陀身邊有刀一把。」

老子告道：「老漢每日常賣糕粥糜營生，只是五更出來趕趁。今朝起得早了些個，和這鐵頭猴子只顧走，不看下面，一跤絆翻，碗碟都打碎了。只見兩個死屍，血淥淥的在地上，一時失驚，叫起來，倒被鄰舍扯住到官。望相公明鏡辨察。」

知府隨即取了供詞，行下公文，委當方里甲，帶了仵作公人，押了鄰舍、王公一干人等，下來檢驗屍首，明白回報。

眾人登場看檢已了，回州稟覆知府：「被殺死僧人係是報恩寺闍黎裴如海，旁邊頭陀係是寺後胡道。和尚不穿一絲，身上三四道搠傷致命方死。胡道身邊現有凶刀一把，只見項上有勒死痕傷一道，想是胡道掣刀搠死和尚，懼罪自行勒死。」

知府叫拘本寺僧鞫問◈緣故，俱各不知情由，知府也沒個決斷。

當案孔目稟道：「眼見得這和尚裸形赤體，必是和那頭陀幹甚不公不法的事，互相殺死，不干王公之事。鄰舍都教召保聽候，屍首著仰本寺住持即備棺木盛殮，放在別處，立個互相殺死的文書便了。」

知府道：「也說得是。」隨即發落了一干人等，不在話下。薊州城裡有些好事的子弟，做成支曲兒，道是：

◈鞫問——審訊查問。鞫音局。

叵耐秃囚無狀，做事直恁狂蕩，暗約嬌娥，要為夫婦，永同鴛帳。
怎禁貫惡滿盈，玷辱諸多和尚，血泊內橫屍里巷。
今日赤條條甚麼模樣，立雪齊腰，投巖餵虎，全不想祖師經上。
目蓮救母生天，這賊秃為婆娘身喪。

後來書會們備知了這件事，拿起筆來，又做了這支《臨江仙》詞，教唱道：

淫行沙門招殺報，暗中不爽分毫。
頭陀屍首亦蹊蹺，一絲真不掛，立地吃屠刀。
大和尚此時精血喪，小和尚昨夜風騷。
空門裡刎頸見相交，拚死爭同穴，殘生送兩條。

這件事，滿城都講動了。那婦人也驚得呆了，自不敢說，只是肚裡暗暗地叫苦。楊雄在薊州府裡，有人告道殺死和尚、頭陀，心裡早瞧了七八分，尋思：「此一事準是石秀做出來的。我前日一時間錯怪了他，我今日閒些，且去尋他，問他個真實。」

正走過州橋前來，只聽得背後有人叫道：「哥哥哪裡去？」楊雄回過頭來，見是石秀，便道：「兄弟，我正沒尋你處。」石秀道：「哥哥且來我下處，和你說話。」把楊雄引到客店裡小房內，說道：「哥哥，兄弟不說謊麼？」楊雄道：「兄弟，你休怪我。是我一時愚蠢，不是了。酒後失言，反被那婆娘瞞過了，怪兄弟相鬧不得。我今特來尋賢弟，負荊請罪。」石秀道：「哥哥，兄弟雖是個不才小人，卻是頂天立地的好漢，如何肯做這等之事？怕哥哥日後中了奸計，因此來尋哥哥，有表記◈教哥哥看。」將過和尚、頭陀的衣裳，「盡剝在此！」楊雄看了，心頭火起，便道：「兄弟休怪。我今夜碎割了這賤人，出這口惡氣！」

◈書會——宋、元時小說、戲曲作者與藝人共同組織的團體。 表記——證據。

石秀笑道：「你又來了！你既是公門中勾當的人，如何不知法度？你又不曾拿得她真姦，如何殺得人？倘或是小弟胡說時，卻不錯殺了人？」

楊雄道：「似此怎生罷休得？」

石秀道：「哥哥只依著兄弟的言語，教你做個好男子。」

楊雄道：「賢弟，你怎地教我做個好男子？」

石秀道：「此間東門外有一座翠屏山，好生僻靜。哥哥到明日，只說道：我多時不曾燒香，我今來和大嫂同去。把那婦人賺將出來，就帶了迎兒同到山上。小弟先在那裡等候著，當頭對面，把這是非都對得明白了，哥哥那時寫與一紙休書，棄了這婦人，卻不是上著？」

楊雄道：「兄弟，何必說得，你身上清潔，我已知了，都是那婦人謊說。」

石秀道：「不然，我也要哥哥知道她往來真實的事。」

楊雄道：「既然兄弟如此高見，必然不差，我明日準定和那賤人來，你卻休要誤了。」

石秀道：「小弟不來時，所言俱是虛謬。」

楊雄當下別了石秀，離了客店，且去府裡辦事；至晚回來，並不提起，亦不說甚，只和每日一般。

次日天明起來，對那婦人說道：「我昨夜夢見神人怪我，說有舊願不曾還得。向日許下東門外嶽廟裡那炷香願，未曾還得。今日我閒些，要去還了，須和妳同去。」

那婦人道：「你便自去還了罷，要我去何用？」

楊雄道：「這願心卻是當初說親時許下的，必須要和妳同去。」

那婦人道：「既是恁地，我們早吃些素飯，燒湯沐浴了去。」

楊雄道：「我去買香紙，雇轎子。妳便洗浴了，梳頭插帶了等我，就叫迎兒也去走一遭。」

楊雄又來客店裡，相約石秀：「飯罷便來，兄弟休誤。」

石秀道：「哥哥，你若抬得來時，只教在半山裡下了轎。你三個步行上來，我自在上面一個僻處等你，不要帶閒人上來。」楊雄約了石秀，買了紙燭歸來，吃了早飯。那婦人不知此事，只顧打扮得齊齊整整，迎兒也插戴了，轎夫扛轎子，早在門前伺候。

楊雄道：「泰山看家，我和大嫂燒香了便回。」

潘公道：「多燒香，早去早回。」

那婦人上了轎子，迎兒跟著，楊雄也隨在後面。出得東門來，楊雄低低吩咐轎夫道：「與我抬上翠屏山去，我自多還你些轎錢。」不到兩個時辰，早來到翠屏山上。原來這座翠屏山，卻在薊州東門外二十里，都是人家的亂墳，上面一望，盡是青草白楊，並無庵舍寺院。當下楊雄把那婦人抬到半山，叫轎夫歇下轎子，拔去蔥管◈，搭起轎簾，叫那婦人出轎來。

婦人問道：「卻怎地來這山裡？」

楊雄道：「妳只顧且上去。轎夫只在這裡等候，不要來，少刻一發打發你酒錢。」

轎夫道：「這個不妨，小人只在此間伺候便了。」

楊雄引著那婦人並迎兒三個人上了四五層山坡，只見石秀坐在上面。

那婦人道：「香紙如何不將來？」

楊雄道：「我自先使人將上去了。」把婦人一引，引到一處古墓裡，石秀便把包裹、腰刀、桿棒，都放在樹根前來，道：「嫂嫂拜揖。」

那婦人連忙應道：「叔叔怎地也在這裡？」一頭說，一面肚裡吃了一驚。

石秀道：「在此專等多時。」

楊雄道：「妳前日對我說道，叔叔多遍把言語調戲你，又將手摸著妳胸前，問妳有孕也未。今日這裡無人，妳兩個對得明白。」

那婦人道：「哎呀，過了的事，只顧說甚麼？」

石秀睜著眼來道：「嫂嫂，妳怎麼說？這須不是閒話，正要哥哥面前對個明白。」

那婦人道：「叔叔，你沒事自把髩兒提◆做甚麼？」

◆蔥管──鎖轎簾的小棍子。**沒事自把髩兒提**──指又將過去的事拿來追根究柢。

石秀道：「嫂嫂，妳休要硬諍◆，教妳看個證見。」便去包裹裡，取出海闍黎並頭陀的衣服來，撒放地下道：「妳認得麼？」

那婦人看了，飛紅了臉，無言可對。

石秀颼地掣出腰刀，便與楊雄說道：「此事只問迎兒，便知端的。」

楊雄便揪過那丫頭跪在面前，喝道：「妳這小賤人，快好好實說，怎地在和尚房裡入姦，怎生約會把香桌兒為號，如何教頭陀來敲木魚。實對我說，饒妳這條性命，但瞞了一句，先把妳剁做肉泥！」

迎兒叫道：「官人，不干我事，不要殺我，我說與你。」

卻把僧房中吃酒，上樓看佛牙，趕她下樓來看潘公酒醒說起：「兩個背地裡約下，第三日教頭陀來化齋飯，叫我取銅錢布施與他。娘子和他約定，但是官人當牢上宿，要我掇香桌兒放在後門外，便是暗號。頭陀來看了，卻去報知和尚。當晚海闍黎扮做俗人，帶頂頭巾入來，五更裡只聽那頭陀來敲木魚響，高聲念佛為號，叫我開後門放他出去。

「但是和尚來時，瞞我不得，只得對我說了。娘子許我一副釧鐲，一套衣裳，我只得隨順了。似此往來，通有數十遭，後來便吃殺了。又與我幾件首飾，教我對官人說石叔叔把言語調戲一節。這個我眼裡不曾見，因此不敢說。只此是實，並無虛謬。」

迎兒說罷，石秀便道：「哥哥得知麼？這般言語，須不是兄弟教她如此說。請哥哥卻問嫂嫂備細緣由。」

楊雄揪過那婦人來，喝道：「賊賤人！丫頭已都招了，便妳一些兒休賴，再把實情對我說了，饒了妳賤人一條性命！」

那婦人說道：「我的不是了！你看我舊日夫妻之面，饒恕了我這一遍！」

石秀道：「哥哥含糊不得，須要問嫂嫂一個明白備細緣由。」

楊雄喝道：「賤人，妳快說！」

◈硬諍──強辯，抵賴。

那婦人只得把偷和尚的事，從做道場夜裡說起，直至往來，一一都說了。

石秀道：「妳卻怎地對哥哥倒說我來調戲妳？」

那婦人道：「前日他醉了罵我，我見他罵得蹺蹊，我只猜是叔叔看見破綻，說與他。到五更裡，又提起來問叔叔如何，我卻把這段話來支吾，實是叔叔並不曾恁地。」

石秀道：「今日三面說得明白了，任從哥哥心下如何措置。」

楊雄道：「兄弟，你與我拔了這賤人的頭面，剝了衣裳，我親自伏侍她！」石秀便把那婦人頭面首飾衣服都剝了，楊雄割兩條裙帶來，親自用手把婦人綁在樹上。

石秀也把迎兒的首飾都去了，遞過刀來說道：「哥哥，這個小賤人留她做甚麼，一發斬草除根。」

楊雄應道：「果然。兄弟把刀來，我自動手！」

迎兒見頭勢不好，卻待要叫，楊雄手起一刀，揮作兩段。

那婦人在樹上叫道：「叔叔勸一勸。」

石秀道：「嫂嫂，哥哥自來伏侍妳！」楊雄向前，把刀先挖出舌頭，一刀便割了，且教那婦人叫不得。

楊雄卻指著罵道：「妳這賊賤人，我一時間誤聽不明，險些被妳瞞過了。一者壞了我兄弟情分，二乃久後必然被妳害了性命。不如我今日先下手為強。我想妳這婆娘心肝五臟怎地生著，我且看一看！」一刀從心窩裡直割到小肚子下，取出心肝五臟，掛在松樹上。楊雄又將這婦人七事件◈分開了，卻將頭面◈衣服都拴在包裹裡了。

楊雄道：「兄弟，你且來，和你商量一個長便◈。如今一個姦夫，一個淫婦，都已殺了，只是我和你投哪裡去安身？」

石秀道：「兄弟已尋思下了，自有個所在，請哥哥便行。」

◈**七事件**——指人體的頭、胸、腹和四肢。　**長便**——長久而妥善的辦法。

楊雄道：「卻是哪裡去？」

石秀道：「哥哥殺了人，兄弟又殺人，不去投梁山泊入夥，卻投哪裡去？」

楊雄道：「且住！我和你又不曾認得他那裡一個人，如何便肯收錄我們？」

石秀道：「哥哥差矣。如今天下江湖上皆聞山東『及時雨』宋公明招賢納士，結識天下好漢，誰不知道？放著我和你一身好武藝，愁甚不收留！」

楊雄道：「凡事先難後易，免得後患，我卻不合是公人，只恐他疑心，不肯安著我們。」

石秀笑道：「他不是押司出身？我教哥哥一發放心。前者哥哥認義兄弟那一日，先在酒店裡和我吃酒的那兩個人，一個是梁山泊『神行太保』戴宗，一個是『錦豹子』楊林。他與兄弟十兩一錠銀子，尚兀自在包裹裡，因此可去投托他。」

楊雄道：「既有這條門路，我去收拾了些盤纏便走。」

石秀道：「哥哥，你也這般搭纏。倘或入城事發拿住，如何脫身？放著包裹裡現有若干釵釧首飾，兄弟又有些銀兩，再有三五個人，也夠用了，何須又去取討？惹起是非來，如何解救？這事少時便發，不可遲滯，我們只好望山後走。」

石秀便背上包裹，拿了棰棒；楊雄插了腰刀在身邊，提了朴刀，卻待要離古墓，只見松樹後走出一個人來叫道：「清平世界，蕩蕩乾坤，把人割了，卻去投奔梁山泊入夥。我聽得多時了！」

楊雄、石秀看時，那人納頭便拜。楊雄卻認得這人，姓時，名遷，祖貫是高唐州人氏，流落在此；只一地裡做些飛簷走壁、跳籬騙馬◈的勾當。曾在薊州府裡吃官司，卻是楊雄救了他，人都叫他做「鼓上蚤」。有詩為證：

骨軟身軀健，眉濃眼目鮮。形容如怪族，行走似飛仙。

◈跳籬騙馬──偷竊拐騙。

夜靜穿牆過，更深繞屋懸。偷營高手客，鼓上蚤時遷。

當時楊雄便問時遷：「你如何在這裡？」時遷道：「節級哥哥聽稟：小人近日沒甚道路，在這山裡掘些古墳，覓兩分東西。因見哥哥在此行事，不敢出來衝撞。卻聽說去投梁山泊入夥。小人如今在此，只做得些偷雞盜狗的勾當，幾時是了。跟隨得二位哥哥上山去，卻不好？未知尊意肯帶挈小人麼？」石秀道：「既是好漢中人物，他那裡如今招納壯士，哪爭你一個？若如此說時，我們一同去。」時遷道：「小人卻認得小路去。」當下引了楊雄、石秀，三個人自取小路下後山，投梁山泊去了。

卻說這兩個轎夫在半山裡等到紅日平西，不見三個下來，吩咐了，又不敢上去。挨不過了，不免信步尋上山來，只見一群老鴉成團打塊在古墓上。兩個轎夫上去看時，原來卻是老鴉奪那肚腸吃，以此聒噪。轎夫看了，吃那一驚，慌忙回家報與潘公，一同去薊州府裡首告。

知府隨即差委一員縣尉，帶了仵作行人，來翠屛山檢驗屍首已了，回覆知府，稟道：「檢得一口婦人潘巧雲，割在松樹邊，使女迎兒，殺死在古墓下。壙邊遺下一堆婦人與和尚、頭陀衣服。」

知府聽了，想起前日海和尚、頭陀的事，備細詢問潘公。那老子把這僧房酒醉一節，和這石秀出去的緣由，細說了一遍。

知府道：「眼見得這婦人與和尚通姦，那女使、頭陀做腳。想石秀那廝路見不平，殺死頭陀、和尚。楊雄這廝，今日殺了婦人、女使無疑。定是如此，只拿得楊雄、石秀，便知端的。」

當即行移文書，出給賞錢，捕獲楊雄、石秀。其餘轎夫人等，各放回聽候。潘公自去買棺木，將屍首殯葬，不在話下。

再說楊雄、石秀、時遷離了薊州地面，在路夜宿曉行，不則一日，行到鄆州地面；過得香林洼，早望見一座高山，不覺天色漸漸晚了。看見前面一所靠溪客店，三個人行到門首看時，但見：

前臨官道，後傍大溪，數百株垂柳當門，一兩樹梅花傍屋。荊榛籬落，周迴繞定茅茨；蘆葦簾櫳，前後遮藏土炕。右壁廂一行書寫：庭幽暮接五湖賓；左勢下七字題道：戶敞朝迎三島客。雖居野店荒村外，亦有高車駟馬來。

當日黃昏時候，店小二卻待關門，只見這三個人撞將入來，小二問道：「客人來路遠，以此晚了。」時遷道：「我們今日走了一百里以上路程，因此到得晚了。」小二哥放他三個入來安歇，問道：「客人不曾打火麼？」時遷道：「我們自理會。」小二道：「今日沒客歇，灶上有兩隻鍋乾淨，客人自用不妨。」

時遷問道：「店裡有酒肉賣麼？」

小二道：「今日早起有些肉，都被近村人家買了去，只剩得一甕酒在這裡，並無下飯。」

時遷道：「也罷，先借五升米來做飯，卻理會。」

小二哥取出米來與時遷，就淘了，做起一鍋飯來。石秀自在房中安頓行李。楊雄取出一支釵兒，把與店小二◈，先回他這甕酒來吃，明日一發算帳。小二哥收了釵兒，便去裡面掇出那甕酒來開了，將一碟兒熟菜放在桌子上。時遷先提一桶湯來，叫楊雄、石秀洗了腳手，一面篩酒來，就來請小二哥一處坐地吃酒，放下四只大碗，斟下酒來吃。

石秀看見店中簷下插著十數把好朴刀，問小二哥道：「你家店裡怎的有這軍器？」

小二哥應道：「都是主人家留在這裡。」

◈店小二——舊稱旅店或酒館中的侍者。

石秀道：「你家主人是甚麼樣人？」

小二道：「客人，你是江湖上走的人，如何不知我這裡的名字？前面那座高山，便喚做獨龍山。山前有一座凜巍巍岡子，便喚做獨龍岡，上面便是主人家住宅。這裡方圓三十里，卻喚做祝家莊。莊主太公祝朝奉◈有三個兒子，稱為祝氏三傑。莊前莊後，有五七百人家，都是佃戶，各家分下兩把朴刀與他。這裡喚做祝家店。常有數十個家人來店裡上宿，以此分下朴刀在這裡。」

石秀道：「他分軍器在店裡何用？」

小二道：「此間離梁山泊不遠，只恐他那裡賊人來借糧，因此準備下。」

石秀道：「與你些銀兩，回與我一把朴刀用如何？」

小二哥道：「這個卻使不得，器械上都編著字號。我小人吃不得主人家的棍棒，我這主人法度不輕。」

石秀笑道：「我自取笑你，你卻便慌。且只顧吃酒。」

小二道：「小人吃不得了，先去歇了，客人自便寬飲幾杯。」小二哥去了。

楊雄，石秀又自吃了一回酒，只見時遷道：「哥哥要肉吃麼？」楊雄道：「店小二說沒了肉賣，你又哪裡得來？」時遷嘻嘻的笑著，去灶上提出一隻老大公雞來。楊雄問道：「哪裡得這雞來？」時遷道：「兄弟卻才去後面淨手，見這隻雞在籠裡，尋思沒甚與哥哥吃酒，被我悄悄把去溪邊殺了。提桶湯去後面，就那裡撏◆得乾淨，煮得熟了，把來與二位哥哥吃。」楊雄道：「你這廝還是這等賊手賊腳。」石秀笑道：「還不改本行。」三個笑了一回，把這雞來手撕開吃了，一面盛飯來吃。只見那店小二略睡一睡，放心不下，爬將起來，前後去照管；只見廚桌上有些雞毛和雞骨頭，卻去灶上看時，半鍋肥汁。

◆朝奉——唐代時的官名，到宋時一般用做對紳豪尊稱。 撏——此指拔雞毛。撏音尋。

小二慌忙去後面籠裡看時，不見了雞，連忙出來問道：「客人，你們好不達道理，如何偷了我店裡報曉的雞吃？」

時遷道：「見鬼了耶耶！我自路上買得這隻雞來吃，何曾見你的雞？」

小二道：「我店裡的雞，卻哪裡去了？」

時遷道：「敢被野貓拖了？黃猩子吃了？鷂鷹撲了去？我卻怎地得知！」

小二道：「我的雞才在籠裡，不是你偷了是誰？」

石秀道：「不要爭，值幾錢，賠了你便罷。」

店小二道：「我的是報曉雞，店內少牠不得，你便賠我十兩銀子也不濟，只要還我雞。」

石秀大怒道：「你詐哄誰？老爺不賠你，便怎地？」

店小二笑道：「客人，你們休要在這裡討野火吃！只我店裡不比別處客店，拿你到莊上，便做梁山泊賊寇解了去！」

石秀聽了，大罵道：「便是梁山泊好漢，你怎麼拿了我去請賞！」

楊雄也怒道：「好意還你些錢，不賠你怎地拿我去！」

小二叫一聲：「有賊！」只見店裡赤條條地走出三五個大漢來，逕奔楊雄、石秀來，被石秀手起，一拳一個，都打翻了。小二哥正待要叫，被時遷一掌，打腫了臉，做聲不得。這幾個大漢都從後門走了。

楊雄道：「兄弟，這廝們一定去報人來，我們快吃了飯走了罷！」三個當下吃飽了，把包裹分開背了，穿上麻鞋，跨了腰刀，各人去槍架上揀了一條好朴刀。

石秀道：「左右只是左右，不可放過了他！」便去灶前尋了把草，灶裡點個火，望裡面四下燒著。看那草房被風一煽，刮刮雜雜火起來。那火頃刻間天也似般大。三個拽開腳步，望大路便走。正是：

只為偷兒攘◈一雞，從教傑士競追麑。
梁山水泊興波浪，祝氏山莊化作泥。

◈黃猩子—黃鼠狼。　討野火—占便宜。帶有詈罵的語氣。

三個人行了兩個更次，只見前面後面火把不計其數，約有一二百人，發著喊，趕將來。

石秀道：「且不要慌，我們且揀小路走。」

楊雄道：「且住。一個來殺一個，兩個來殺一雙，待天色明朗卻走。」說猶未了，四下裡合攏來。楊雄當先，石秀在後，時遷在中，三個挺著朴刀，來戰莊客。那夥人初時不知，掄著槍棒趕來。楊雄手起朴刀，早戳翻了五七個。前面的便走，後面的急待要退，石秀趕入去，又戳翻了六七人。四下裡莊客見說殺傷了十數人，都是要性命的，思量不是頭，都退了去。

三個得一步趕一步。正走之間，喊聲又起，枯草裡舒出兩把撓鈎，正把時遷一撓鈎搭住，拖入草窩去了。石秀急轉身來救時遷，背後又舒出兩把撓鈎來，卻得楊雄眼快，便把朴刀一撥，兩把撓鈎撥開去了，將朴刀望草裡便戳，發聲喊，都走了。

兩個見捉了時遷，怕深入重地，亦無心戀戰，顧不得時遷了，只四下裡尋路走罷。見遠遠的火把亂明，小路上又無叢林樹木，照得有路便走，一直望東邊去了。眾莊客四下裡趕不著，自救了帶傷的人去，將時遷背剪綁了，押送祝家莊來。

且說楊雄、石秀走到天明，望見一座村落酒店，石秀道：「哥哥，前頭酒肆裡買碗酒飯吃了去，就問路程。」兩個便入村店裡來，倚了朴刀，對面坐下，叫酒保取些酒來，就做些飯吃。

酒保一面鋪下菜蔬、按酒，盪將酒來。方欲待吃，只見外面一個大漢奔走入來，生得闊臉方腮，眼鮮耳大，貌醜形粗，穿一領茶褐紬衫，戴一頂萬字頭巾，繫一條白絹搭膊，下面穿一雙油膀靴，叫道：「大官人教你們挑擔來莊上納！」

店主人連忙應道：「裝了擔，少刻便送到莊上。」

◆攘──竊取。攘音ㄖㄤˇ聲。

那人吩咐了，便轉身，又說道：「快挑來！」卻待出門，正從楊雄、石秀面前過。

楊雄卻認得他，便叫一聲：「小郎，你如何卻在這裡？不看我一看？」那人回轉頭來，看了一看，卻也認得，便叫道：「恩人如何來到這裡？」望著楊雄便拜。不是楊雄撞見了這個人，有分教：三莊盟誓成虛謬，眾虎咆哮起禍殃。

畢竟楊雄、石秀遇見的那人是誰？且聽下回分解。

第四七回

撲天雕兩修生死書
宋公明一打祝家莊

話說當時楊雄扶起那人來，叫與石秀相見。

石秀便問道：「這位兄長是誰？」

楊雄道：「這個兄弟，姓杜，名興，祖貫是中山府人氏，因為他面顏生得粗莽，以此人都叫他做『鬼臉兒』。上年間做買賣，來到薊州，因一口氣上，打死了同夥的客人，吃官司監在薊州府裡。楊雄見他說起拳棒都省得，一力維持救了他。不想今日在此相會。」

杜興便問道：「恩人，為何公事來到這裡？」

楊雄附耳低言道：「我在薊州殺了

人命，欲要投梁山泊去入夥。昨晚在祝家店投宿，因同一個來的夥伴時遷，偷了他店裡報曉雞吃，一時與店小二鬧將起來，性起把他店屋放火都燒了。我三個連夜逃走，不提防背後趕來。我弟兄兩個搠翻了他幾個，不想亂草中間，舒出兩把撓鈎，把時遷搭了去。我兩個亂撞到此，正要問路，不想遇見賢弟。」

杜興道：「恩人不要慌，我叫放時遷還你。」

楊雄道：「賢弟少坐，同飲一杯。」

三人坐下，當下飲酒，杜興便道：「小弟自從離了薊州，多得恩人的恩惠，來到這裡。感承此間一個大官人見愛，收錄小弟在家中，做個主管。每日撥萬論千◈，盡托付與杜興身上，甚是信任，以此不想回鄉去。」

楊雄道：「此間大官人是誰？」

◈撥萬論千——形容財產眾多，花錢以萬千計。

杜興道：「此間獨龍岡前面，有三座山岡，列著三個村坊。中間是祝家莊，西邊是扈家莊，東邊是李家莊，這三處莊上，三村裡算來，總有一二萬軍馬人家。惟有祝家莊最豪傑，為頭家長，喚做祝朝奉，有三個兒子，名為祝氏三傑，長子祝龍，次子祝虎，三子祝彪。又有一個教師，喚做『鐵棒』欒廷玉，此人有萬夫不當之勇。莊上自有一二千了得的莊客。

「西邊那個扈家莊，莊主扈太公，有個兒子，喚做『飛天虎』扈成，也十分了得。惟有一個女兒最英雄，名喚『一丈青』扈三娘，使兩口日月雙刀，馬上如法◆了得。這裡東村莊上，卻是杜興的主人，姓李，名應，能使一條渾鐵點鋼槍，背藏飛刀五口，百步取人，神出鬼沒。

「這三村結下生死誓願，同心共意，但有吉凶，遞相救應。惟恐梁山泊好漢過來借糧，因此三村準備下抵敵他。如今小弟引二位到莊上，見了李大官人，求書去搭救時遷。」

楊雄又問道：「你那李大官人，莫不是江湖上喚『撲天雕』的李應？」

杜興道：「正是他。」

石秀道：「江湖上只聽得說獨龍岡有個『撲天雕』李應是好漢，卻原來在這裡。多聞他真個了得，是好男子，我們去走一遭。」楊雄便喚酒保，計算酒錢。杜興哪裡肯要他還，便自招了酒錢。

三個離了村店，便引楊雄、石秀來到李家莊上。楊雄看時，真個好大莊院，外面周迴一遭闊港，粉牆傍岸，有數百株合抱不交的大柳樹，門外一座吊橋，接著莊門。入得門來到廳前，兩邊有二十餘座槍架，明晃晃的都插滿軍器。

杜興道：「兩位哥哥在此少等，待小弟入去報知，請大官人出來相見。」杜興入去，不多時，只見李應從裡面出來。楊雄、石秀看時，果然好表人物，有《臨江仙》詞為證：

◈如法—確實、真正。

鶻眼鷹睛頭似虎，燕頷猿臂狼腰，疏財仗義結英豪。
愛騎雪白馬，喜著絳紅袍。
背上飛刀藏五把，點鋼槍斜嵌銀條，性剛誰敢犯分毫。
李應真壯士，名號撲天雕。

當時李應出到廳前，杜興引楊雄、石秀上廳拜見。李應連忙答禮，便教上廳請坐，楊雄、石秀再三謙讓，方才坐了。李應便教取酒來且相待。楊雄、石秀兩個再拜道：「望乞大官人致書與祝家莊，來救時遷性命，生死不敢有忘。」

李應教請門館先生來商議，修了一封書緘，填寫名諱，使個圖書印記，便差一個副主管齎了，備一匹快馬，星火去祝家莊取這個人來。那副主管領了東人◆書札，上馬去了，楊雄、石秀拜謝罷。李應道：「二位壯士放心，小人書去，便當放來。」楊雄、石秀又謝了。李應道：「且請去後堂，少敘三杯等待。」兩個隨進裡面，就具早膳相待。飯罷，吃了茶，李應問些槍法，見楊雄、石秀說得有理，心中甚喜。

巳牌時分，那個副主管回來，李應喚到後堂問道：「去取的這人在哪裡？」副主管答道：「小人親見朝奉，下了書，倒有放還之心。後來走出祝氏三傑，反焦躁起來，書也不回，人也不放，定要解上州去。」

李應失驚道：「他和我三家村裡結生死之交，書到便當依允，如何恁地起來？必是你說得不好，以致如此。杜主管，你須自去走一遭，親見祝朝奉，說個仔細緣由。」

杜興道：「小人願去，只求東人◆親筆書緘，到那裡方才肯放。」

李應道：「說得是。」急取一幅花箋紙來，李應親自寫了書札，封皮面上使一個諱字圖書，把與杜興接了。後槽牽過一匹快馬，備上鞍轡，拿了鞭子，便出莊門，上馬加鞭，奔祝家莊去了。

◆東人——主人。

李應道：「二位放心，我這封親筆書去，少刻定當放還。」楊雄、石秀深謝了，留在後堂飲酒等待。

看看天色待晚，不見杜興回來，李應心中疑惑。再教人去接，只見莊客報道：「杜主管回來了。」

李應問道：「幾個人回來？」

莊客道：「只是主管獨自一個跑馬回來。」

李應搖著頭道：「卻又作怪。往常這廝不是這等兜搭◆，今日緣何恁地？」楊雄、石秀都跟出前廳來看時，只見杜興下了馬，入得莊門，見他模樣，氣得紫漲了面皮，齜牙露嘴，半晌說不得話。有詩為證：

面貌天生本異常，怒時古怪更難當。
三分不像人模樣，一似酆都焦面王◆。

李應出到廳前，連忙問道：「你且言備細緣故，怎麼地來。」

杜興氣定了，方道：「小人齎了東人書札，到他那裡第三重門下，卻好遇見祝龍、祝虎、祝彪弟兄三個坐在那裡。小人聲了三個喏，祝彪喝道：『你又來做甚麼？』

「小人躬身稟道：『東人有書在此拜上。』祝彪那廝變了臉，罵道：『你那主人恁地不曉人事！早晌使個潑男女，來這裡下書，要討那個梁山泊賊人時遷。如今我正要解上州裡去，又來怎地？』

「小人說道：『這個時遷不是梁山泊夥內人數，他自是薊州來的客人。今投見敝莊東人，不想誤燒了官人店屋，明日東人自當依舊蓋還，萬望俯看薄面，高抬貴手，寬恕寬恕。』祝家三個都叫道：『不還！不還！』小人又道：『官人請看東人親筆書札在此。』祝彪那廝接過書去，也不拆開來看，就手扯得粉碎，喝叫把小人直叉出莊門。

◆兜搭——難纏、囉嗦。

酆都焦面王——酆都，縣名。在四川省東南，長江西北岸，俗傳為冥府所在。焦面王，指傳說中的閻王、鬼王。以其面色似焦炭故稱。

「祝彪、祝虎發話道：『休要惹老爺性發，把你那李應捉來，也做梁山泊強寇解了去！』小人本不敢盡言，實被那三個畜生無禮，把東人百般穢罵，便喝叫莊客來拿小人，被小人飛馬走了。於路上氣死小人，叵耐那廝枉與他許多年結生死之交，今日全無些仁義！」詩曰：

徒聞似漆與如膠，利害場中忍便拋。
平日若無真義氣，臨時休說死生交。

李應聽罷，心頭那把無明業火高舉三千丈，按納不下，大呼莊客：「快備我那馬來！」

楊雄、石秀諫道：「大官人息怒，休為小人們壞了貴處義氣。」

李應哪裡肯聽，便去房中披上一副黃金鎖子甲，前後獸面掩心，穿一領大紅袍，背胯邊插著飛刀五把，拿了點鋼槍，戴上鳳翅盔，出到莊前，點起三百悍勇莊客。杜興也披一副甲，持把槍上馬，帶領二十餘騎馬軍。楊雄、石秀也抓扎起，挺著朴刀，跟著李應的馬，逕奔祝家莊來。

日漸銜山時分，早到獨龍岡前，便將人馬排開。原來祝家莊又蓋得好，占著這座獨龍山岡，四下一遭闊港。那莊正造在岡上，有三層城牆，都是頑石壘砌的，約高二丈。前後兩座莊門，兩條吊橋。牆裡四邊，都蓋窩鋪◆，四下裡遍插著槍刀軍器，門樓上排著戰鼓銅鑼。

李應勒馬，在莊前大叫：「祝家三子，怎敢毀謗老爺！」

只見莊門開處，擁出五六十騎馬來，當先一騎似火炭赤的馬上，坐著祝朝奉第三子祝彪。怎生裝束：

頭戴縷金荷葉盔，身穿鎖子梅花甲。

腰懸錦袋弓和箭，手執純鋼刀與槍。

馬額下垂照地紅纓，人面上生撞天殺氣。

李應見了祝彪，指著大罵道：「你這廝口邊奶腥未退◆，頭上胎髮猶存，

◆窩鋪—臨時搭起防護、警備用的草棚，現在叫做窩棚。 奶腥未退—形容乳臭未乾的樣子。

你爺與我結生死之交，誓願同心共意，保護村坊。你家但有事情，要取人時，早來早放，要取物件，無有不奉。我今一個平人，二次修書來討，你如何扯了我的書札，恥辱我名，是何道理？」

祝彪道：「俺家雖和你結生死之交，誓願同心協意，共捉梁山泊反賊，掃清山寨，你如何卻結連反賊，意在謀叛？」

李應喝道：「你說他是梁山泊甚人？你這廝卻冤平人做賊，當得何罪？」

祝彪道：「賊人時遷已自招了，你休要在這裡胡說亂道，遮掩不過。你去便去，不去時，連你捉了，也做賊人解送！」

李應大怒，拍坐下馬，挺手中槍，便奔祝彪。祝彪縱馬去戰李應。兩個就獨龍岡前，一來一往，一上一下，鬥了十七、八合，祝彪戰李應不過，撥回馬便走。

李應縱馬趕將去，祝彪把槍橫擔在馬上，左手拈弓，右手取箭，搭上箭，拽滿弓，覷得較親，背翻身一箭。李應急躲時，臂上早著。李應翻筋斗，墜下馬來，祝彪便勒轉馬來搶人。

楊雄、石秀見了，大喝一聲，撚兩條朴刀，直奔祝彪馬前殺將來。祝彪抵擋不住，急勒回馬便走，早被楊雄一朴刀，戳在馬後股上。那馬負疼，壁直立起來，險些兒把祝彪掀在馬下，卻得隨從馬上的人，都搭上箭射將來。楊雄、石秀見了，自思又無衣甲遮身，只得退回不趕。杜興也自把李應救起上馬，先去了。楊雄、石秀跟了眾莊客也走了。

祝家莊人馬趕了二三里路，見天色晚來，也自回去了。

杜興扶著李應，回到莊前，下了馬，同入後堂坐。眾宅眷◈都出來看視，拔了箭矢，伏侍卸了衣甲，便把金瘡藥敷了瘡口，連夜在後堂商議。楊雄、石秀與杜興說道：「既是大官人被那廝無禮，又中了箭，時遷亦不能夠出來，都是我等連累大官人了。我弟兄兩個，只得上梁山泊去，懇告

◈宅眷——家眷、家屬，尤指富貴人家的女眷。

晁、宋二公並眾頭領，來與大官人報仇，就救時遷。」因辭謝了李應。

李應道：「非是我不用心，實出無奈。兩位壯士，只得休怪。」叫杜興取些金銀相贈，楊雄、石秀哪裡肯受。

李應道：「江湖之上，二位不必推卻。」兩個方才收受，拜辭了李應。杜興送出村口，指與大路。杜興作別了，自回李家莊，不在話下。

且說楊雄、石秀取路投梁山泊來，早望見遠遠一處新造的酒店，那酒旗兒直挑出來。兩個人到店裡，買些酒吃，就問路程。這酒店卻是梁山泊新添設做眼的酒店，正是石勇掌管。兩個一面吃酒，一頭動問酒保上梁山泊路程。

石勇見他兩個非常，便來答應道：「你兩位客人從哪裡來？要問上山去怎地？」

楊雄道：「我們從薊州來。」

石勇猛可想起道：「莫非足下是石秀麼？」

楊雄道：「我乃是楊雄，這個兄弟是石秀。大哥如何得知石秀名？」石勇慌忙道：「小子不認得。前者戴宗哥哥到薊州回來，多曾稱說兄長。聞名久矣。今得上山，且喜，且喜！」三個敘禮罷，楊雄、石秀把上件事都對石勇說了。

石勇隨即叫酒保置辦分例酒來相待。推開後面水亭上窗子，拽起弓，放了一枝響箭。只見對港蘆葦叢中，早有小嘍囉搖過船來。石勇便邀二位上船，直送到鴨嘴灘上岸。石勇已自先使人上山去報知。早見戴宗、楊林下山來迎接。俱各敘禮罷，一同上至大寨裡。眾頭領知道有好漢上山，都來聚會，大寨坐下。

戴宗、楊林引楊雄、石秀上廳參見晁蓋、宋江並眾頭領。相見已罷，晁蓋細問兩個蹤跡，楊雄、石秀把本身武藝，投托入夥先說了，眾人大喜，讓位而坐。

楊雄漸漸說道：「有個來投托大寨同入夥的時遷，不合偷了祝家店裡報曉雞，一時爭鬧起來，石秀放火燒了他店屋，時遷被捉。李應二次修書去討，怎當祝家三子堅執不放，誓願要捉山寨裡好漢，且又千般辱罵，叵耐那廝十分無禮。」

不說萬事皆休，才然說罷，晁蓋大怒，喝叫：「孩兒們將這兩個與我斬訖報來！」正是：

楊雄石秀少商量，引帶時遷行不臧◆。

豪傑心腸雖似火，綠林法度卻如霜。

宋江慌忙勸道：「哥哥息怒。兩個壯士不遠千里而來，同心協助，如何卻要斬他？」

晁蓋道：「俺梁山泊好漢，自從火併王倫之後，便以忠義為主，全施仁德於民。一個個兄弟下山去，不曾折了銳氣。新舊上山的兄弟們，個個都有豪傑的光彩。這廝兩個，把梁山泊好漢的名目去偷雞吃，因此連累我等受辱。今日先斬了這兩個，將這廝首級去那裡號令，便起軍馬去，就洗蕩了那個村坊，不要輸了銳氣。孩兒們快斬了報來！」

宋江勸住道：「不然。哥哥不聽這兩位賢弟卻才所說，那個鼓上蚤時遷，他原是此等人，以致惹起祝家那廝來，豈是這二位賢弟要玷辱山寨？我也每每聽得有人說，祝家莊那廝要和俺山寨敵對。即目◈山寨人馬數多，錢糧缺少，非是我等要去尋他，那廝倒來吹毛求疵，因而正好乘勢去拿那廝。

「若打得此莊，倒有三五年糧食。非是我們生事害他，其實那廝無禮。哥哥權且息怒，小可不才，親領一支軍馬，啟請幾位賢弟們下山去打祝家莊。若不洗蕩得那個村坊，誓不還山。一是與山寨報仇，不折了銳氣；二乃免此小輩被他恥辱；三則得許多糧食，以供山寨之用；四者，就請李應上山入夥。」

吳學究道：「公明哥哥之言最好，豈可山寨自斬手足之人？」

戴宗便道：「寧可斬了小弟，不可絕了賢路。」眾頭領力勸，晁蓋方才免

◈**不臧**—不善。　**即目**—目前、現在。

了二人。楊雄、石秀也自謝罪。

宋江撫諭道：「賢弟休生異心，此是山寨號令，不得不如此。便是宋江，倘有過失，也須斬首，不敢容情。如今新近又立了『鐵面孔目』裴宣做軍政司，賞功罰罪，已有定例。賢弟只得恕罪恕罪。」

楊雄、石秀拜罷，謝罪已了，晁蓋叫去坐在楊林之下。山寨裡都喚小嘍囉來參賀新頭領已畢，一面殺牛宰馬，且做慶喜筵席。撥定兩所房屋，教楊雄、石秀安歇，每人撥十個小嘍囉伏侍。當晚席散。次日再備筵席，會眾商量議事。

宋江教喚鐵面孔目裴宣，計較下山人數，啟請諸位頭領，同宋江去打祝家莊，定要洗蕩了那個村坊。

商量已定，除晁蓋頭領鎮守山寨不動外，留下吳學究、劉唐並阮家三弟兄、呂方、郭盛，護持大寨。原撥定守灘、守關、守店有職事人員，俱各不動。又撥新到頭領孟康管造船隻，頂替馬麟監督戰船。

寫下告示，將下山打祝家莊頭領分作兩起：頭一撥，宋江、花榮、李俊、穆弘、李逵、楊雄、石秀、黃信、歐鵬、楊林，帶領三千小嘍囉，三百馬軍，披掛已了，下山前進；第二撥便是林沖、秦明、戴宗、張橫、張順、馬麟、鄧飛、王矮虎、白勝，也帶三千小嘍囉，三百馬軍，隨後接應。再著金沙灘、鴨嘴灘二處小寨，只教宋萬、鄭天壽守把，就行接應糧草。晁蓋送路已了，自回山寨。

且說宋江並眾頭領逕奔祝家莊來，於路無話。早來到獨龍山前，尚有一里多路，前軍下了寨柵。宋江在中軍帳裡坐下，便和花榮商議道：「我聽得說祝家莊裡路徑甚雜，未可進兵，且先使兩個人去探聽路途曲折，知得順逆路程，卻才進去與他敵對。」

李逵便道：「哥哥，兄弟閒了多時，不曾殺得一人，我便先去走一遭。」

◆撫諭——慰問，撫恤。

宋江道：「兄弟，你去不得。若是破陣衝敵，用著你先去。這是做細作◈的勾當，用你不著。」

李逵笑道：「量這個鳥莊，何須哥哥費力，只兄弟自帶三二百個孩兒殺將去，把這個鳥莊上人都砍了，何須要人先去打聽。」

宋江喝道：「你這廝休胡說！且一壁廂去◈，叫你便來。」

李逵走開去了，自說道：「打死幾個蒼蠅，也何須大驚小怪。」

宋江便喚石秀來說道：「兄弟曾到彼處，可和楊林走一遭。」

石秀便道：「如今哥哥許多人馬到這裡，他莊上如何不提備？我們扮作甚麼人入去好？」

楊林便道：「我自打扮了解魘◈的法師去，身邊藏了短刀，手裡擎著法環，於路搖將入去。你只聽我法環響，不要離了我前後。」

石秀道：「我在薊州原曾賣柴，我只是挑一擔柴進去賣便了。身邊藏了暗器，有些緩急，匾擔也用得著。」

楊林道：「好，好。我和你計較了，今夜打點，五更起來便行。」

正是只為一雞小忿，致令眾虎相爭。所以古人有篇《西江月》道得好：

軟弱安身之本，剛強惹禍之胎。無爭無競是賢才，虧我些兒何礙！

鈍斧鎚磚易碎，快刀劈水難開。但看髮白齒牙衰，惟有舌根不壞。

且說石秀挑著柴擔先入去，行不到二十來里，只見路徑曲折多雜，四下裡彎環相似，樹木叢密，難認路頭，石秀便歇下柴擔不走。聽得背後法環響得漸近，石秀看時，卻見楊林頭帶一個破笠子，身穿一領舊法衣，手裡擎著法環，於路搖將進來。

石秀見沒人，叫住楊林說道：「此處路徑彎雜難認，不知哪裡是我前日跟隨李應來時的路。天色已晚，他們眾人都是熟路，正看不仔細。」

楊林道：「不要管他路徑曲直，只顧揀大路走便了。」

石秀又挑了柴，只顧望大路先走，見前面一村人家，數處酒店肉店，石

◈細作——間諜、暗探。　一壁廂去——一邊兒站去的意思。　解魘——禳解魘魅。

秀挑著柴，便望酒店門前歇了，只見各店內都把刀槍插在門前，每人身上穿一領黃背心，寫個大「祝」字，往來的人，亦各如此。

石秀見了，便看著一個年老的人，唱個喏，拜揖道：「丈人，請問此間是何風俗？為甚都把刀槍插在當門？」

那老人道：「你是哪裡來的客人？原來不知，只可快走。」

石秀道：「小人是山東販棗子的客人，消折了本錢，回鄉不得，因此擔柴來這裡賣，不知此間鄉俗地理。」

老人道：「只可快走別處躲避，這裡早晚要大廝殺也。」

石秀道：「此間這等好村坊去處，怎地了大廝殺？」

老人道：「客人，你敢真個不知！我說與你。俺這裡喚做祝家村，岡上便是祝朝奉衙裡。如今惡了梁山泊好漢，現今引領軍馬在村口，要來廝殺。卻怕我這村裡路雜，未敢入來，現今駐紮在外面。如今祝家莊上行號令下來，每戶人家，要我們精壯後生準備著，但有令傳來，便去策應。」

石秀道：「丈人村中，總有多少人家？」

老人道：「只我這祝家村，也有一二萬人家，東西還有兩村人接應。東村喚做撲天雕李應李大官人，西村喚扈太公莊，有個女兒，喚做扈三娘，綽號一丈青，十分了得。」

石秀道：「似此，如何卻怕梁山泊做甚麼？」

那老人道：「若是我們初來時，不知路的，也要吃捉了。」

石秀道：「丈人，怎地初來時要吃捉了？」

老人道：「我這村裡的路，有首詩說道：『好個祝家莊，盡是盤陀路。容易入得來，只是出不去。』」

石秀聽罷，便哭起來，撲翻身便拜，向那老人道：「小人是個江湖上折了本錢，歸鄉不得的人，倘或賣了柴出去，撞見廝殺走不脫，卻不是苦？爺爺，怎地可憐見小人，情願把這擔柴相送爺爺，只指小人出去的路罷！」

◈丈人──長老或老成的人。

那老人道：「我如何白要你的柴？我就買你的。你且入來，請你吃些酒飯。」

石秀便謝了，挑著柴，跟那老人入到屋裡。那老人篩下兩碗白酒，盛一碗糕糜，叫石秀吃了。石秀再拜謝道：「爺爺指教出去的路徑。」

那老人道：「你便從村裡走去，只看有白楊樹，便可轉彎，不問路道闊狹。但有白楊樹的轉彎，便是活路，沒那樹時，都是死路，如有別的樹木轉彎，也不是活路。若還走差了，左來右去，只走不出去。更兼死路裡地下埋藏著竹籤、鐵蒺藜◆，若是走差了，踏著飛籤，準定吃捉了，待走哪裡去！」石秀拜謝了，便問：「爺爺高姓？」

那老人道：「這村裡姓祝的最多，惟有我複姓鍾離，土居◆在此。」

石秀道：「酒飯小人都吃夠了，改日當厚報。」

正說之間，只聽得外面鬧吵。石秀聽得道：「拿了一個細作！」石秀吃了一驚，跟那老人出來看時，只見七、八十個軍人背綁著一個人過來。石秀看時，卻是楊林，剝得赤條條的，索子綁著。

石秀看了，只暗暗地叫苦，悄悄假問老人道：「這個拿了的是甚麼人？為甚事綁了他？」

那老人道：「你不見說他是宋江那裡來的細作？」

石秀又問道：「怎地吃他拿了？」

那老人道：「說這廝也好大膽，獨自一個來做細作，打扮做個解魔法師，閃入村裡來。又不認得這路，只揀大路走了，左來右去，只走了死路，又不曉得白楊樹轉彎抹角的消息。人見他走得差了，來路蹺蹊，報與莊上官人們來捉他，這廝方才又掣出刀來，手起傷了四五個人。當不住這裡人多，一發上，因此吃拿了。有人認得他從來是賊，叫做錦豹子楊林。」

◆**鐵蒺藜**——一種古代軍用的障礙物。以尖銳的三角形鐵片聯綴成串，形若草本植物蒺藜，通常布置於道路上或淺水中，用以阻止敵人的侵入。

土居——世代居住。

說言未了，只聽得前面喝道，說是莊上三官人巡綽◆過來。石秀在壁縫裡張時，看見前面擺著二十對纓槍，後面四五個人騎戰馬，都彎弓插箭；又有三五對青白哨馬◆，中間擁著一個年少的壯士，坐在一匹雪白馬上，全副披掛了弓箭，手執一條銀槍。

石秀自認得他，特地問老人道：「過去相公是誰？」

那老人道：「這個正是祝朝奉第三子，喚做祝彪，定著西村扈家莊一丈青為妻。弟兄三個，只有他第一了得。」

石秀拜謝道：「老爺爺指點尋路出去。」

那老人道：「今日晚了，前面倘或廝殺，枉送了你性命。」

石秀道：「爺爺，可救一命則個。」

那老人道：「你且在我家歇一夜，明日打聽得沒事，便可出去。」

石秀拜謝了，坐在他家，只聽得門前四五替報馬◆報將來，排門◆吩咐道：「你那百姓，今夜只看紅燈為號，齊心併力，捉拿梁山泊賊人，解官請賞。」叫過去了，石秀問道：「這個人是誰？」

那老人道：「這個官人是本處捕盜巡檢，今夜約會要捉宋江。」石秀見說，心中自忖了一回，討個火把，叫了安置，自去屋後草窩裡睡了。

卻說宋江軍馬在村口屯駐，不見楊林、石秀出來回報，隨後又使歐鵬去到村口，出來回報道：「聽得那裡講動，說道捉了一個細作，小弟見路徑又雜難認，不敢深入重地。」

宋江聽罷，忿怒道：「如何等得回報了進兵！又吃拿了一個細作，必然陷了兩個兄弟。我們今夜只顧進兵，殺將入去，也要救他兩個兄弟。未知你眾頭領意下如何？」

只見李逵便道：「我先殺入去，看是如何？」

宋江聽得，隨即便傳將令，教軍士都披掛了。李逵、楊雄前一隊做先鋒，使李俊等引軍做合後，穆弘居左，黃信在右，宋江、花榮、歐鵬等中

◈巡綽—到處視察、警備。　哨馬—刺探敵情的騎兵。
報馬—本指傳遞消息的人，後多作為對密告者、通風報信者的謔稱。　排門—挨門逐戶。

軍頭領，搖旗吶喊，擂鼓鳴鑼，大刀闊斧，殺奔祝家莊來。比及殺到獨龍岡上，是黃昏時分。宋江催趲前軍打莊。先鋒李逵脫得赤條條的，揮兩把夾鋼板斧，火剌剌地殺向前來。到得莊前看時，已把吊橋高高地拽起了，莊門裡不見一點火。

李逵便要下水過去，楊雄扯住道：「使不得！關閉莊門，必有計策。待哥哥來，別有商議。」

李逵哪裡忍得住，拍著雙斧，隔岸大罵道：「那鳥祝太公老賊，你出來，黑旋風爺爺在這裡！」莊上只是不應。宋江中軍人馬到來，楊雄接著，報說莊上並不見人馬，亦無動靜。

宋江勒馬看時，莊上不見刀槍人馬，心中疑惑，猛省道：「我的不是了！天書上明明誡說：『臨敵休急暴。』是我一時見不到，只要救兩個兄弟，以此連夜進兵，不期深入重地。直到了他莊前，不見敵軍，他必有計策，快教三軍且退。」

李逵叫道：「哥哥，軍馬到這裡了，休要退兵！我與你先殺過去，你們都跟我來。」

說猶未了，莊上早知，只聽得祝家莊裡一個號炮，直飛起半天裡去。那獨龍岡上千百把火把，一齊點著，那門樓上弩箭如雨點般射將來。宋江急取舊路回軍，只見後軍頭領李俊人馬先發起喊來，說道：「來的舊路都阻塞了，必有埋伏。」

宋江教軍馬四下裡尋路走。李逵揮起雙斧，往來尋人廝殺，不見一個敵軍。只見獨龍岡上山頂又放一個炮來，響聲未絕，四下裡喊聲震地，驚得宋公明目瞪口呆，罔知所措。你便有文韜武略，怎逃出地網天羅？正是：

安排縛虎擒龍計，要捉驚天動地人。

畢竟宋公明並眾頭領怎地脫身？且聽下回分解。

第四八回

一丈青單捉王矮虎
宋公明二打祝家莊

話說當下宋江在馬上看時，四下裡都有埋伏軍馬，且教小嘍囉只往大路殺將去，只聽得五軍屯塞住了，眾人都叫起苦來。

宋江問道：「怎麼叫苦？」

眾軍都道：「前面都是盤陀路◆，走了一遭，又轉到這裡。」

宋江道：「教軍馬望火把亮處，有房屋人家，取路出去。」

又走不多時，只見前軍又發起喊來，叫道：「甫能望火把亮處取路，又有苦竹籤、鐵蒺藜，遍地撒滿鹿角◆，都塞了路口。」

宋江道：「莫非天喪我也？」正在慌

急之際，只聽得左軍中間穆弘隊裡鬧動，報來說道：「石秀來了。」

宋江看時，見石秀拈著口刀，奔到馬前道：「哥哥休慌，兄弟已知路了。暗傳下將令，教五軍只看有白楊樹，便轉彎走去，不要管他路闊路狹。」

宋江催趲人馬，只看有白楊樹便轉。約走過五六里路，只見前面人馬越添得多了。宋江疑忌，便喚石秀問道：「兄弟，怎麼前面賊兵眾廣？」

石秀道：「他有燭燈為號。」

花榮在馬上看見，把手指與宋江道：「哥哥，你看見那樹影裡這碗燭燈麼？只看我等投東，他便把那燭燈望東扯；若是我們投西，他便把那燭燈望西扯。只那些兒，想來便是號令。」

宋江道：「怎地奈何得他那碗燈？」

花榮道：「有何難哉！」

◈**盤陀路**——迂迴彎曲的路。

鹿角——舊時作戰時的防禦設施。把帶有枝椏的樹枝削尖，尖梢朝上，埋在營寨門前或交通路口，以阻擋敵人前進。因形似鹿角而得名。

便拈弓搭箭，縱馬向前，望著影中只一箭，不端不正，恰好把那碗紅燈射將下來。四下裡埋伏軍，兵不見了那碗紅燈，便都自亂攛起來。

宋江叫石秀引路，且殺出村口去。只聽得前山喊聲連起，一帶火把縱橫撩亂，宋江教前軍紮住，且使石秀領路去探。

不多時，回來報道：「是山寨中第二撥軍馬到了接應，殺散伏兵。」

宋江聽罷，進兵夾攻，奪路奔出村口，祝家莊人馬四散去了；會合著林沖、秦明等眾人軍馬，同在村口駐紮。卻好天明，去高阜處下了寨柵，整點人馬，數內不見了「鎮三山」黃信。

宋江大驚，詢問緣故，有昨夜跟去的軍人見得，來說道：「黃頭領聽著哥哥將令，前去探路，不提防蘆葦叢中舒出兩把撓鉤，拖翻馬腳，被五七個人活捉去了，救護不得。」

宋江聽罷大怒，要殺隨行軍漢：「如何不早報來？」林沖、花榮勸住宋江。眾人納悶道：「莊又不曾打得，倒折了兩個兄弟，似此怎生奈何？」

楊雄道：「此間有三個村坊結併，所有東村李大官人，前日已被祝彪那廝射了一箭，現今在莊上養病，哥哥何不去與他計議？」

宋江道：「我正忘了他。他便知本處地理虛實。」吩咐教取一對緞疋、羊酒，選一騎好馬並鞍轡，親自上門去求見。林沖、秦明權守柵寨。宋江帶同花榮、楊雄、石秀上了馬，隨行三百馬軍，取路投李家莊來。

到得莊前，早見門樓緊閉，吊橋高拽起了，牆裡擺列著許多莊兵人馬。門樓上早擂起鼓來。

宋江在馬上叫道：「俺是梁山泊義士宋江，特來謁見大官人，別無他意，休要提備。」莊門上杜興看見有楊雄、石秀在彼，慌忙開了莊門，放隻小船過來，與宋江聲喏。宋江慌忙下馬來答禮。

楊雄、石秀近前稟道：「這位兄弟便是引小弟兩個投李大官人的，喚做『鬼臉兒』杜興。」

宋江道：「原來是杜主管。相煩足下對李大官人說，俺梁山泊宋江久聞大官人大名，無緣不曾拜會。今因祝家莊要和俺們做對頭，經過此間，特獻彩緞名馬，羊酒薄禮，只求一見，別無他意。」

杜興領了言語，再渡過莊來，直到廳前。李應帶傷披被坐在床上。杜興把宋江要求見的言語說了。

李應道：「他是梁山泊造反的人，我如何與他廝見？無私有意。你可回他話道，只說我臥病在床，動止不得，難以相見，改日卻得拜會。所賜禮物，不敢祇受。」

杜興再渡過來見宋江，稟道：「俺東人再三拜上頭領，本欲親身迎迓，奈緣中傷，患軀在床，不能相見，容日專當拜會。適蒙所賜厚禮，並不敢受。」

宋江道：「我知你東人的意了。我因打祝家莊失利，欲求相見則個，他恐祝家莊見怪，不肯出來相見。」

杜興道：「非是如此，委實患病。小人雖是中山人氏，到此多年了，頗知此間虛實事情。中間是祝家莊，東是俺李家莊，西是扈家莊。這三村莊上，誓願結生死之交，有事互相救應，今番惡了俺東人，自不去救應。只恐西村扈家莊上要來相助。他莊上別的不打緊，只有一個女將，喚做一丈青扈三娘，使兩口日月刀，好生了得。

「卻是祝家莊第三子祝彪定為妻室，早晚要娶。若是將軍要打祝家莊時，不須提備東邊，只要緊防西路。祝家莊上前後有兩座莊門，一座在獨龍岡前，一座在獨龍岡後。若打前門，卻不濟事，須是兩面夾攻，方可得破。前門打緊，路雜難認，一遭都是盤陀路徑，闊狹不等。但有白楊樹，便可轉彎，方是活路；如無此樹，便是死路。」

石秀道：「他如今都把白楊樹木斫伐去了，將何為記？」

杜興道：「雖然斫伐了樹，如何起得根盡，也須有樹根在彼。只宜白日

◆祗受——恭敬地領受。

進兵攻打，黑夜不可進兵。」

宋江聽罷，謝了杜興，一行人馬卻回寨裡來。林沖等接著，都到大寨裡坐下。宋江把李應不肯相見並杜興說的話對眾頭領說了。

李逵便插口道：「好意送禮與他，那廝不肯出來迎接哥哥，我自引三百人去打開鳥莊，腦揪這廝出來拜見哥哥！」

宋江道：「兄弟，你不省得，他是富貴良民，懼怕官府，如何造次肯與我們相見？」

李逵笑道：「那廝想是個小孩子，怕見人。」眾人一齊都笑起來。

宋江道：「雖然如此說了，兩個兄弟陷了，不知性命存亡。你眾兄弟可竭力向前，跟我再去攻打祝家莊。」

眾人都起身說道：「哥哥將令，誰敢不聽！不知教誰前去？」

黑旋風李逵說道：「你們怕小孩子，我便前去。」

宋江道：「你做先鋒不利，今番用你不著。」李逵低了頭忍氣。

宋江便點馬麟、鄧飛、歐鵬、王矮虎四個：「跟我親自做先鋒去。」第二點戴宗、秦明、楊雄、石秀、李俊、張橫、張順、白勝，準備下水路用人。第三點林沖、花榮、穆弘、李逵，分作兩路策應。眾軍標撥已定，都飽食了，披掛上馬。

且說宋江親自要去做先鋒，攻打頭陣，前面打著一面大紅帥字旗，引著四個頭領，一百五十騎馬軍，一千步軍，直殺奔祝家莊來。於路著人探路，直到獨龍岡前。宋江勒馬看那祝家莊時，果然雄壯，有篇詩讚，便見祝家莊氣象：

獨龍山前獨龍岡，獨龍岡上祝家莊。
繞岡一帶長流水，周遭環匝皆垂楊。
牆內森森羅劍戟，門前密密排刀槍。
對敵盡皆雄壯士，當鋒都是少年郎。
祝龍出陣真難敵，祝虎交鋒莫可當。

更有祝彪多武藝，吒叱喑嗚比霸王。
朝奉祝公謀略廣，金銀羅綺有千箱。
白旗一對門前立，上面明書字兩行：
填平水泊擒晁蓋，踏破梁山捉宋江。

當下宋江在馬上，看了祝家莊那兩面旗，心中大怒，設誓道：「我若打不得祝家莊，永不回梁山泊！」眾頭領看了，一齊都怒起來。

宋江聽得後面人馬都到了，留下第二撥頭領攻打前門，宋江自引了前部人馬，轉過獨龍岡後面來看祝家莊時，後面都是銅牆鐵壁，把得嚴整。

正看之時，只見直西一彪軍馬，吶著喊，從後殺來。宋江留下馬麟、鄧飛，把住祝家莊後門，自帶了歐鵬、王矮虎，分一半人馬前來迎接。山坡下來軍約有二、三十騎馬軍，當中簇擁著一員女將。怎生結束◆？但見：

蟬鬢金釵雙壓，鳳鞋寶鐙斜踏。
連環鎧甲襯紅紗，繡帶柳腰端跨。

霜刀把雄兵亂砍，玉纖將猛將生拿。
天然美貌海棠花，一丈青當先出馬。

那來軍正是扈家莊女將「一丈青」扈三娘，一騎青騣馬上，掄兩口日月雙刀，引著三五百莊客，前來祝家莊策應。

宋江道：「剛說扈家莊有這個女將，好生了得，想來正是此人，誰敢與她迎敵？」說猶未了，只見這王矮虎是個好色之徒，聽得說是個女將，指望一合便捉得過來。當時喊了一聲，驟馬向前，挺手中槍，便出迎敵。

兩軍吶喊，那扈三娘拍馬舞刀，來戰王矮虎，一個雙刀的熟閒，一個單槍的出眾。兩個鬥敵十數合之上，宋江在馬上看時，見王矮虎槍法架隔不住。原來王矮虎初見一丈青，恨不得便捉過來，誰想鬥過十合之上，看看得手顫腳痲，槍法便都亂了。不是兩個性命相撲時，王矮虎卻要做光◆起來。

◆結束——這裡指穿戴裝扮。　做光——調情。

那一丈青是個乖覺的人，心中道：「這廝無理！」便將兩把雙刀，直上直下砍將入來。這王矮虎如何敵得過，撥回馬，卻待要走，被一丈青縱馬趕上，把右手刀掛了，輕舒猿臂，將王矮虎提離雕鞍，活捉去了。眾莊客齊上，把王矮虎橫拖倒拽捉去了。有詩為證：

色膽能拚不顧身，肯將性命值微塵。
銷金帳裡無強將，喪魄亡精與婦人。

歐鵬見捉了王英，便挺槍來救。一丈青縱馬跨刀，接著歐鵬，兩個便鬥。原來歐鵬祖是軍班子弟出身，使得好一條鐵槍，宋江看了，暗暗的喝采。怎的歐鵬槍法精熟，也敵不得那女將半點便宜。

鄧飛在遠遠處看見捉了王矮虎，歐鵬又戰那女將不下，跑著馬，舞起一條鐵鏈，大發喊趕將來。祝家莊上已看多時，誠恐一丈青有失，慌忙放下吊橋，開了莊門，祝龍親自引了三百餘人，驟馬提槍，來捉宋江。馬麟看見，一騎馬使起雙刀，來迎住祝龍廝殺。鄧飛恐宋江有失，不離左右，看他兩邊廝殺，喊聲迭起。

宋江見馬麟鬥祝龍不過，歐鵬鬥一丈青不下，正慌哩，只見一彪軍馬從刺斜裡殺將來。宋江看時，大喜。卻是霹靂火秦明，聽得莊後廝殺，前來救應。

宋江大叫：「秦統制，你可替馬麟！」

秦明是個急性的人，更兼祝家莊捉了他徒弟黃信，正沒好氣，拍馬飛起狼牙棍，便來直取祝龍。祝龍也挺槍來敵秦明。馬麟引了人，卻奪王矮虎。那一丈青看見了馬麟來奪人，便撇了歐鵬，卻來接住馬麟廝殺。兩個都會使雙刀，馬上相迎著，正如這風飄玉屑，雪撒瓊花，宋江看得眼也花了。

這邊秦明和祝龍鬥到十合之上，祝龍如何敵得秦明過，莊門裡面那教師欒廷玉帶了鐵鎚，上馬挺槍，殺將出來。歐鵬便來迎住欒廷玉廝殺。欒廷玉也不來交馬，帶住槍時，刺斜裡便走。歐鵬趕將去，被欒廷玉一飛鎚正打著，翻筋斗跌下馬去。

鄧飛大叫：「孩兒們救人！」舞著鐵鏈，逕奔欒廷玉。宋江急喚小嘍囉，救得歐鵬上馬。那祝龍當敵秦明不住，拍馬便走。欒廷玉也撇了鄧飛，卻來戰秦明，兩個鬥了一、二十合，不分勝敗。

欒廷玉賣個破綻，落荒即走，秦明舞棍，逕趕將來。欒廷玉便望荒草之中，跑馬入去，秦明不知是計，也追入去。原來祝家莊那等去處，都有人埋伏，見秦明馬到，拽起絆馬索來，連人和馬都絆翻了，發聲喊，捉住了秦明。鄧飛見秦明墜馬，慌忙來救，急見絆馬索起，卻待回身，兩下裡叫聲著，撓鉤似亂麻一般搭來，就馬上活捉了去。

宋江看見，只叫得苦，只救得歐鵬上馬。馬麟撇了一丈青，急奔來保護宋江，望南而走。背後欒廷玉、祝龍、一丈青，分投趕將來。看看沒路，正待受縛。

只見正南上一個好漢飛馬而來，背後隨從約有五百人馬。宋江看時，乃是沒遮攔穆弘。東南上也有三百餘人，兩個好漢飛奔前來，一個是病關索楊雄，一個是拚命三郎石秀。東北上又一個好漢，高聲大叫：「留下人著！」宋江看時，乃是小李廣花榮。

三路人馬一齊都到，宋江心下大喜，一發併力來戰欒廷玉、祝龍。莊上望見，恐怕兩個吃虧，且教祝虎守把住莊門，小郎君祝彪騎一匹劣馬，使一條長槍，自引五百餘人馬，從莊後殺將出來，一齊混戰。莊前李俊、張橫、張順，下水過來，被莊上亂箭射來，不能下手。戴宗、白勝，只在對岸吶喊。宋江見天色晚了，急叫馬麟先保護歐鵬出村口去。宋江又叫小嘍囉篩鑼◈，聚攏眾好漢，且戰且走。

宋江自拍馬到處尋了看，只恐弟兄們迷了路。正行之間，只見一丈青飛馬趕來，宋江措手不及，便拍馬望東而走。背後一丈青緊追著，八個馬蹄翻盞撒鈸◈相似，趕投深村處來。

◈**篩鑼**——敲鑼。　**翻盞撒鈸**——形容馬蹄騰疾的樣子。

一丈青正趕上宋江，待要下手，只聽得山坡上有人大叫道：「那鳥婆娘趕我哥哥哪裡去？」

宋江看時，卻是黑旋風李逵，掄兩把板斧，引著七、八十個小嘍囉，大踏步趕將來。一丈青便勒轉馬，望這樹林邊去。宋江也勒住馬看時，只見樹林邊轉出十數騎馬軍來，當先簇擁著一個壯士。怎生結束？但見：

　嵌寶頭盔穩戴，磨銀鎧甲重披。
　素羅袍上繡花枝，獅蠻帶瓊瑤密砌。
　丈八蛇矛緊挺，霜花駿馬頻嘶。
　滿山都喚小張飛，豹子頭林沖便是。

那來軍正是「豹子頭」林沖，在馬上大喝道：「兀那婆娘走哪裡去？」一丈青飛刀縱馬，直奔林沖，林沖挺丈八蛇矛迎敵。兩個鬥不到十合，林沖賣個破綻，放一丈青兩口刀砍入來，林沖把蛇矛逼個住，兩口刀遇斜了，趕攏去，輕舒猿臂，款扭狼腰，把一丈青只一拽，活挾過馬來。

宋江看見，喝聲采，不知高低。林沖叫軍士綁了，驟馬向前道：「不曾傷犯哥哥麼？」

宋江道：「不曾傷著。」便叫李逵快走村中接應眾好漢，且教來村口商議，天色已晚，不可戀戰。

黑旋風領本部人馬去了。林沖保護宋江，押著一丈青在馬上，取路出村口來。當晚眾頭領不得便宜，急急都趕出村口來。祝家莊人馬也收回莊上去了。滿村中殺死的人，不計其數。祝龍教把捉到的人都將來陷車囚了，一發拿住宋江，卻解上東京去請功。扈家莊已把王矮虎解送到祝家莊去了。

且說宋江收回大隊人馬，到村口下了寨柵，先教將一丈青過來，喚二十個老成的小嘍囉，著四個頭目，騎四匹快馬，把一丈青拴了雙手，也騎一匹馬：「連夜與我送上梁山泊去，交與我父親宋太公收管，便來回話。待我回山寨，自有發落。」

眾頭領都只道宋江自要這個女子，盡皆小心送去。先把一輛車兒教歐鵬上山去將息。一行人都領了將令，連夜去了。宋江其夜在帳中納悶，一夜不睡，坐而待旦。

次日，只見探事人報來，說軍師吳學究引將三阮頭領，並呂方、郭盛，帶五百人馬到來。宋江聽了，出寨迎接了軍師吳用，到中軍帳裡坐下。吳學究帶將酒食來，與宋江把盞賀喜，一面犒賞三軍眾將。

吳用道：「山寨裡晁頭領多聽得哥哥先次進兵不利，特地使將吳用並五個頭領來助戰。不知近日勝敗如何？」

宋江道：「一言難盡。叵耐祝家那廝，他莊門上立兩面白旗，寫道：『填平水泊擒晁蓋，踏破梁山捉宋江。』這廝無禮。先一遭進兵攻打，因為失其地利，折了楊林、黃信；夜來進兵，又被一丈青捉了王矮虎，欒廷玉打傷了歐鵬，絆馬索拖翻，捉了秦明、鄧飛。

「如此失利，若不得林教頭恰活捉得一丈青時，折盡銳氣。今來似此，如之奈何？若是宋江打不得祝家莊破，救不出這幾個兄弟來，情願自死於此地，也無面目回去見得晁蓋哥哥。」

吳學究笑道：「這個祝家莊也是合當天敗，恰好有這個機會。吳用想來，事在旦夕可破。」

宋江聽罷，十分驚喜，連忙問道：「這祝家莊如何旦夕可破？機會自何而來？」

吳學究笑著，不慌不忙，疊兩個指頭，說出這個機會來，正是：

空中伸出拿雲手◈，救出天羅地網人。

畢竟軍師吳用說出甚麼機會來？且聽下回分解。

◈拿雲手——比喻遠大的志氣，高強的本領。

第四九回
解珍解寶雙越獄　孫立孫新大劫牢

話說當時吳學究對宋公明說道：「今日有個機會，卻是石勇面上來投入夥的人，又與欒廷玉那廝最好，亦是楊林、鄧飛的至愛相識。他知道哥哥打祝家莊不利，特獻這條計策來入夥，以為進身之報，隨後便至。五日之內，可行此計，卻是好麼？」

宋江聽了，大喜道：「妙哉！」方才笑逐顏開。

說話的，卻是甚麼計策，下來便見。

看官牢記這段話頭◆。原來和宋公明初打祝家莊時，一同事發。

卻難這邊說一句，那邊說一回，因

此權記下這兩打祝家莊的話頭，卻先說那一回來投入夥的人，乘機會的話，下來接著關目◈。

原來山東海邊有個州郡，喚做登州。登州城外有一座山，山上多有豺狼虎豹，出來傷人。因此登州知府拘集獵戶，當廳委了杖限文書，捉捕登州山上大蟲。又仰山前山後里正之家，也要捕虎文狀，限外不行解官，痛責枷號◈不恕。

且說登州山下有一家獵戶，兄弟兩個，哥哥喚做解珍，兄弟喚做解寶。弟兄兩個，都使渾鐵點鋼叉，有一身驚人的武藝。當州裡的獵戶們，都讓他第一。那解珍一個綽號喚做「兩頭蛇」，這解寶綽號叫做「雙尾蠍」。二人父母俱亡，不曾婚娶。那哥哥七尺以上身材，紫棠色面皮，腰細膀闊。這個兄弟解寶，更是利害，也有七尺以上身材，面圓身黑，兩隻腿上刺著兩個飛天夜叉，有時性起，恨不得騰天倒地，拔樹搖山。有一篇《西

◈**話頭**——開場白。　**關目**——穿插在戲劇中的重要情節。　**枷號**——帶枷示眾。

江月》，單道他弟兄的好處：

世本登州獵戶，生來驍勇英豪。
穿山越嶺健如猱◈，麋鹿見時驚倒。
手執蓮花鐵钂，腰懸蒲葉尖刀。
豹皮裙子虎筋絛，解氏二難年少。

那弟兄兩個當官受了甘限文書◈，回到家中，整頓窩弓◈藥箭，弩子钂叉，穿了豹皮褲、虎皮套體，拿了鐵叉。

兩個逕奔登州山上，下了窩弓，去樹上等了一日，不濟事了，收拾窩弓下去。次日，又帶了乾糧，再上山伺候，看看天晚，弟兄兩個再把窩弓下了，爬上樹去，直等到五更，又沒動靜。兩個移了窩弓，卻來西山邊下了，坐到天明，又等不著。

兩個心焦，說道：「限三日內要納大蟲，遲時須用受責，卻是怎地好！」

兩個到第三日夜，伏至四更時分，不覺身體困倦。

兩個背廝靠著且睡，未曾合眼，忽聽得窩弓發響。兩個跳將起來，拿了鋼叉，四下裡看時，只見一個大蟲中了藥箭，在那地上滾。兩個拈著鋼叉向前來。那大蟲見了人來，帶著箭便走。兩個追將向前去，不到半山裡時，藥力透來，那大蟲擋不住，吼了一聲，骨碌碌滾將下山去了。

解寶道：「好了，我認得這山，是毛太公莊後園裡，我和你下去他家取討大蟲。」

當時弟兄兩個提了鋼叉，逕下山來，投毛太公莊上敲門。此時方才天明，兩個敲開莊門入去，莊客報與太公知道。多時，毛太公出來，解珍、解寶放下鋼叉，聲了喏，說道：「伯伯，多時不見，今日特來拜擾。」

◈**猱**—猿屬。體矮小，尾金色，臂長柔軟，善攀緣而輕捷，上下如飛。猱音撓。
甘限文書—在限期內完成差役，否則「甘心」受責罰的文書字據。
窩弓—獵人埋伏在草叢中專射野獸的弓箭。

毛太公道：「賢姪如何來得這等早？有甚話說？」

解珍道：「無事不敢驚動伯伯睡寢。如今小姪因為官司委了甘限文書，要捕獲大蟲，一連等了三日，今早五更，射得一個，不想從後山滾下在伯伯園裡。望煩借一路，取大蟲則個。」

毛太公道：「不妨，既是落在我園裡，二位且少坐。敢是肚飢了，吃些早飯去取。」叫莊客且去安排早膳來相待。

當時勸二位吃了酒飯，解珍、解寶起身謝道：「感承伯伯厚意，望煩引去，取大蟲還小姪。」

毛太公道：「既是在我莊後，卻怕怎地？且坐吃茶，卻去取未遲。」解珍、解寶不敢相違，只得又坐下。莊客拿茶來，叫二位吃了。

毛太公道：「如今我和賢姪去取大蟲。」

解珍、解寶道：「深謝伯伯。」

毛太公引了二人，入到莊後，叫莊客把鑰匙來開門，百般開不開。

毛太公道：「這園多時不曾有人來開，敢是鎖鏽鏽了，因此開不得，去取鐵鎚來打開了罷。」莊客便將鐵鎚取來，敲開了鎖，眾人都入園裡去看時，遍山邊去看，尋不見。

毛太公道：「賢姪，你兩個莫不錯看了，認不仔細，敢不曾落在我園裡？」

解珍道：「恁地得我兩個錯看了？是這裡生長的人，如何不認得！」

毛太公道：「你自尋便了，有時自抬去。」

解寶道：「哥哥，你且來看，這裡一帶草滾得平平地都倒了，又有血路在上頭，如何說不在這裡？必是伯伯家莊客抬過了。」

毛太公道：「你休這等說！我家莊上的人如何得知有大蟲在園裡，便又抬得過？你也須看見方才當面敲開鎖來，和你兩個一同入園裡來尋。你如何這般說話！」

解珍道：「伯伯，你須還我這個大蟲去解官。」

毛太公道：「你這兩個好無道理！我好意請你吃酒飯，你顛倒賴我大蟲！」

解寶道：「有甚麼賴處！你家也現當里正，官府中也委了甘限文書，卻沒本事去捉，倒來就我現成，你倒將去請功，教我兄弟兩個吃限棒！」

毛太公道：「你吃限棒，干我甚事！」

解珍、解寶睜起眼來，便道：「你敢教我搜一搜麼？」

毛太公道：「我家不比你家，各有內外。你看這兩個教化頭◈倒來無禮。」

解寶搶近廳前尋不見，心中火起，便在廳前打將起來；解珍也就廳前攀折欄杆，打將入去。

毛太公叫道：「解珍、解寶白晝搶劫！」

那兩個打碎了廳前椅桌，見莊上都有準備，兩個便拔步出門，指著莊上罵道：「你賴我大蟲，和你官司理會！」

解氏深機捕獲，毛家巧計牢籠。
當日因爭一虎，後來引起雙龍。

那兩個正罵之間，只見兩三匹馬投莊上來，引著一夥伴當。解珍認得是毛太公兒子毛仲義，接著說道：「你家莊上莊客，捉過了我大蟲。你爹不討還我，顛倒要打我弟兄兩個。」

毛仲義道：「這廝村人不省事，我父親必是被他們瞞過了。你兩個不要發怒，隨我到家裡，討還你便了。」解珍、解寶謝了。毛仲義叫開莊門，教他兩個進去。

待得解珍、解寶入得門來，便叫關上莊門，喝一聲：「下手！」兩廊下走出二、三十個莊客，並恰才馬後帶來的都是做公的。那兄弟兩個措手不及，眾人一發上，把解珍、解寶綁了。

毛仲義道：「我家昨夜自射得一個大蟲，如何來白賴我的？乘勢搶擄我家財，打碎家中什物，當得何罪？解上本州，也與本州除了一害！」

原來毛仲義五更時，先把大蟲解上州裡去了，卻帶了若干做公的來捉解

◆教化頭──乞丐。

珍、解寶。不想他這兩個不識局面◆，正中了他的計策，分說不得。毛太公教把他兩個使的鋼叉並一包贓物，扛抬了許多打碎的傢火什物，將解珍、解寶剝得赤條條地，背剪綁了，解上州裡來。本州有個六案孔目◆，姓王名正，卻是毛太公的女婿，已自先去知府面前稟說了。

才把解珍、解寶押到廳前，不由分說，捆翻便打，定要他兩個招做「混賴大蟲，各執鋼叉，因而搶擄財物。」解珍、解寶吃拷不過，只得依他招了。知府教取兩面二十五斤的重枷來枷了，釘下大牢裡去。

毛太公、毛仲義自回莊上商議道：「這兩個男女，卻放他不得，不如一發結果了他，免致後患。」

當時子父二人自來州裡，吩咐孔目王正：「與我一發斬草除根，萌芽不發。我這裡自行與知府的打關節◆。」

卻說解珍、解寶押到死囚牢裡，引至亭心上來見這個節級。為頭的那人，姓包名吉，已自得了毛太公銀兩，並聽信王孔目之言，教對付他兩個性命，便來亭心裡坐下。

小牢子對他兩個說道：「快過來跪在亭子前！」

包節級喝道：「你兩個便是甚麼兩頭蛇、雙尾蠍，是你麼？」

解珍道：「雖然別人叫小人們這等混名，實不曾陷害良善。」

包節級喝道：「你這兩個畜生，今番我手裡教你兩頭蛇做一頭蛇，雙尾蠍做單尾蠍！且與我押入大牢裡去！」

那一個小牢子把他兩個帶在牢裡來，見沒人，那小節級便道：「你兩個認得我麼？我是你哥哥的妻舅。」

解珍道：「我只親弟兄兩個，別無哪個哥哥。」

那小牢子道：「你兩個須是孫提轄的兄弟？」

◈**不識局面**—不明情勢，不看風頭。

六案孔目—古時州縣衙門中吏、戶、禮、兵、刑、工六房的吏員。總其事者稱六案孔目。

打關節—賄賂官吏。

解珍道：「孫提轄是我姑舅哥哥，我卻不曾與你相會。足下莫非是樂和舅？」

那小節級道：「正是，我姓樂，名和，祖貫茅州人氏。先祖挈家到此，將姐姐嫁與孫提轄為妻。我自在此州裡勾當，做小牢子。人見我唱得好，都叫我做『鐵叫子』樂和。姐夫見我好武藝，教我學了幾路槍法在身。」

怎見得，有詩為證：

玲瓏心地衣冠整，俊俏肝腸語話清。
能唱人稱鐵叫子，樂和聰慧自天生。

原來這樂和是一個聰明伶俐的人，諸般樂品◆，盡皆曉得，學著便會；作事見頭知尾，說起槍棒武藝，如糖似蜜價愛。為見解珍、解寶是個好漢，有心要救他，只是單絲不成線，孤掌豈能鳴，只報得他一個信。

樂和說道：「好教你兩個得知，如今包節級得受了毛太公錢財，必然要害你兩個性命，你兩個卻是怎生好？」

解珍道：「你不說起孫提轄則休，你既說起他來，只央你寄一個信。」

樂和道：「你卻教我寄信與誰？」

解珍道：「我有個姐姐，是我爺面上◈的，卻與孫提轄兄弟為妻，現在東門外十里牌住。原是我姑娘◈的女兒，叫做『母大蟲』顧大嫂，開張酒店，家裡又殺牛開賭。我那姐姐有三、二十人近她不得，姐夫孫新這等本事也輸與她。只有那個姐姐和我弟兄兩個最好。孫新、孫立的姑娘，卻是我母親，以此他兩個又是我姑舅哥哥。央煩你暗暗地寄個信與她，把我的事說知，姐姐必然自來救我。」

樂和聽罷，吩咐說：「賢親，你兩個且寬心著。」先去藏些燒餅肉食來牢裡，開了門把與解珍、解寶吃了。推了事故，鎖了牢門，教別個小節級看守了門，一逕奔到東門外，望十里牌來。

◈樂品—樂曲。 爺面上的—屬於父系的、共祖父的。 姑娘—姑母。

早望見一個酒店，門前懸掛著牛羊等肉，後面屋下一簇人在那裡賭博。樂和見酒店裡一個婦人坐在櫃上，但見：

眉粗眼大，胖面肥腰。
插一頭異樣釵環，露兩個時興釧鐲。
有時怒起，提井欄便打老公頭；忽地心焦，拿石錐敲翻莊客腿。
生來不會拈針線，弄棒持槍當女工。

樂和入進店內，看著顧大嫂，唱個喏道：「此間姓孫麼？」顧大嫂慌忙答道：「便是。足下卻要沽酒，卻要買肉？如要賭錢，後面請坐。」樂和道：「小人便是孫提轄妻弟樂和的便是。」顧大嫂笑道：「原來卻是樂和舅，可知尊顏和姆姆一般模樣。且請裡面拜茶。」樂和跟進裡面客位裡坐下。顧大嫂便動問道：「聞知得舅舅在州裡勾當，家下窮忙少閒，不曾相會。

今日甚風吹得到此？」

樂和答道：「小人若無事，也不敢來相惱。今日廳上偶然發下兩個罪人進來，雖不曾相會，多聞他的大名。一個是『兩頭蛇』解珍，一個是『雙尾蠍』解寶。」

顧大嫂道：「這兩個是我的兄弟，不知因甚罪犯下在牢裡？」

樂和道：「他兩個因射得一個大蟲，被本鄉一個財主毛太公賴了，又把他兩個強扭做賊，搶擄家財，解入州裡來。他又上上下下都使了錢物，早晚間要教包節級牢裡做翻他兩個，結果了性命。小人路見不平，獨力難救。只想一者沾親，二乃義氣為重，特地與他通個消息。他說道：『只除是姐姐便救得他。』若不早早用心著力，難以救拔。」

顧大嫂聽罷，一片聲叫起苦來。便叫伙家：「快去尋得二哥家來說話。」

◈**姆姆**—宋時，妯娌之間，兄婦稱弟婦做嬸嬸，弟婦呼兄婦做姆姆；原是照著自己孩子的口吻稱呼對方。

有幾個伙家去不多時，尋得孫新歸來，與樂和相見。怎見得孫新的好處，有詩為證：

軍班才俊子，眉目有神威。身在蓬萊寓，家從瓊海移。
自藏鴻鵠志，恰配虎狼妻。鞭舉龍雙見，槍來蟒獨飛。
年似孫郎少，人稱小尉遲。

原來這孫新祖是瓊州人氏，軍官子孫，因調來登州駐紮，弟兄就此為家。孫新生得身長力壯，全學得他哥哥的本事，使得幾路好鞭槍，因此多人把他弟兄兩個比尉遲恭，叫他做「小尉遲」。

顧大嫂把上件事對孫新說了，孫新道：「既然如此，叫舅舅先回去。他兩個已下在牢裡，全望舅舅看覷則個。我夫妻商量個長便道理，卻逕來相投。」

樂和道：「但有用著小人處，盡可出力向前。」

顧大嫂置酒相待已了，將出一包碎銀，付與樂和道：「望煩舅舅將去牢裡，散與眾人並小牢子們，好生周全他兩個弟兄。」樂和謝了，收了銀兩，自回牢裡來替他使用，不在話下。

且說顧大嫂和孫新商議道：「你有甚麼道理，救我兩個兄弟？」孫新道：「毛太公那廝，有錢有勢，他防你兩個兄弟出來，須不肯干休，定要做翻了他兩個，似此必然死在他手。若不去劫牢，別樣也救他不得。」

顧大嫂道：「我和你今夜便去。」

孫新笑道：「妳好粗鹵！我和妳也要算個長便，劫了牢，也要個去向。若不得我那哥哥和這兩個人時，行不得這件事。」

顧大嫂道：「這兩個是誰？」

孫新道：「便是那叔姪兩個最好賭的鄒淵、鄒潤，如今現在登雲山臺峪裡，聚眾打劫。他和我最好，若得他兩個相幫助，此事便成。」

顧大嫂道：「登雲山離這裡不遠，你可連夜去請他叔姪兩個來商議。」

孫新道：「我如今便去。妳可收拾了酒食餚饌，我去定請得來。」顧大嫂吩咐伙家，宰了一口豬，鋪下數盤果品、按酒，排下桌子。

天色黃昏時候，只見孫新引了兩籌好漢歸來。那個為頭的姓鄒，名淵，原是萊州人氏，自小最好賭錢，閒漢出身，為人忠良慷慨。更兼一身好武藝，性氣高強，不肯容人，江湖上喚他綽號「出林龍」。第二個好漢，名喚鄒潤，是他姪兒，年紀與叔叔彷彿，二人爭差不多，身材長大，天生一等異相，腦後一個肉瘤，以此人都喚他做「獨角龍」。那鄒潤往常但和人爭鬧，性起來一頭撞去，忽然一日，一頭撞折了澗邊一株松樹，看的人都驚呆了。有《西江月》一首，單道他叔姪的好處：

廝打場中為首，呼盧隊裡稱雄。
天生忠直氣如虹，武藝驚人出眾。
結寨登雲臺上，英名播滿山東。
翻江攪海似雙龍，豈作池中玩弄？

當時顧大嫂見了，請入後面屋下坐地。卻把上件事告訴與他，次後商量劫牢一節。鄒淵道：「我那裡雖有八、九十人，只有二十來個心腹的。明日幹了這件事，便是這裡安身不得了。我卻有個去處，我也有心要去多時，只不知你夫婦二人肯去麼？」

顧大嫂道：「遮莫甚麼去處，都隨你去，只要救了我兩個兄弟。」

鄒淵道：「如今梁山泊十分興旺，宋公明大肯招賢納士。他手下現有我的三個相識在彼：一個是『錦豹子』楊林，一個是『火眼狻猊』鄧飛，一個是『石將軍』石勇，都在那裡入夥了多時。我們救了你兩個兄弟，都一發上梁山泊投奔入夥去，如何？」

顧大嫂道：「最好！有一個不去的，我便亂槍戳死他！」

鄒潤道：「還有一件，我們倘或得了人，誠恐登州有些軍馬追來，如之奈何？」

孫新道：「我的親哥哥現做本州軍馬提轄，如今登州只有他一個了得。幾番草寇臨城，都是他殺散了，到處聞名。我明日自去請他來，要他依允便了。」

鄒淵道：「只怕他不肯落草。」

孫新說道：「我自有良法。」

當夜吃了半夜酒，歇到天明，留下兩個好漢在家裡，卻使一個火家帶領了一兩個人，推一輛車子：「快去城中營裡，請我哥哥孫提轄並嫂嫂樂大娘子，說道：『家中大嫂害病沉重，便煩來家看覷。』」

顧大嫂又吩咐火家道：「只說我病重臨危，有幾句緊要的話，須是便來，只有幾番相見囑咐。」火家推車兒去了。

孫新專在門前伺候，等接哥哥。飯罷時分，遠遠望見車兒來了，載著樂大娘子，背後孫提轄騎著馬，十數個軍漢跟著，望十里牌來。

孫新入去報與顧大嫂得知，說：「哥嫂來了。」

顧大嫂吩咐道：「只依我如此行。」孫新出來，接見哥嫂，且請嫂嫂下了車兒，同到房裡，看視弟媳婦病症。

孫提轄下了馬，入門來，端的好條大漢，淡黃面皮，落腮鬍鬚，八尺以上身材，姓孫，名立，綽號「病尉遲」，射得硬弓，騎得劣馬，使一管長槍，腕上懸一條虎眼竹節鋼鞭，海邊人見了，望風便跌。有詩為證：

鬍鬚黑霧飄，性格流星急。
鞭槍最熟慣，弓箭常溫習。
闊臉似妝金，雙睛如點漆。
軍中顯姓名，病尉遲孫立。

當下病尉遲孫立下馬來，進得門便問道：「兄弟，嬸子害甚麼病？」孫新答道：「她害得症候，病得蹺蹊。請哥哥到裡面說話。」孫立便入來。孫新吩咐火家，著這夥跟馬的軍士去對門店裡吃酒。便教火家牽過馬，請孫立入到裡面來坐下。良久，孫新道：「請哥哥嫂嫂去房裡看病。」孫立同樂大娘子入進房裡，見沒有病人。

孫立問道：「嬸子病在哪裡房內？」只見外面走入顧大嫂來，鄒淵、鄒潤跟在背後。孫立道：「嬸子，妳正是害甚麼病？」

顧大嫂道：「伯伯拜了。我害些救兄弟的病。」

孫立道：「卻又作怪！救甚麼兄弟？」

顧大嫂道：「伯伯，你不要推聾裝啞。你在城中，豈不知道他兩個是我兄弟，偏不是你的兄弟？」

孫立道：「我並不知因由，是那兩個兄弟？」

顧大嫂道：「伯伯在上，今日事急，只得直言拜稟：這解珍、解寶被登雲山下毛太公與同王孔目設計陷害，早晚要謀他兩個性命。我如今和這兩個好漢商量已定，要去城中劫牢，救出他兩個兄弟，都投梁山泊入夥去，恐怕明日事發，先負累伯伯。

「因此我只推患病，請伯伯、姆姆到此說個長便。若是伯伯不肯去時，我們自去上梁山泊去了。如今朝廷有甚分曉，走了的倒沒事，見在的便吃官司。常言道：『近火先焦。』伯伯便替我們吃官司坐牢，那時又沒人送飯來救你。伯伯尊意如何？」

孫立道：「我卻是登州的軍官，怎地敢做這等事！」

顧大嫂道：「既是伯伯不肯，我們今日先和伯伯拚個你死我活！」顧大嫂身邊便掣出兩把刀來，鄒淵、鄒潤各拔出短刀在手。

孫立叫道：「嬸子且住，休要急速！待我從長計較，慢慢地商量。」樂大娘子驚得半晌做聲不得。顧大嫂又道：「既是伯伯不肯去時，即便先送姆姆前行，我們自去下手。」

孫立道：「雖要如此行時，也待我歸家去收拾包裹行李，看個虛實，方可行事。」

顧大嫂道：「伯伯，你的樂阿舅透風◈與我們了。一就去劫牢，一就去取行李不遲。」

◈透風──暗通消息，泄漏祕密。

孫立嘆了一口氣，說道：「你眾人既是如此行了，我怎地推卻得，終不成日後倒要替你們吃官司？罷，罷，罷！都做一處商議了行。」

先叫鄒淵去登雲山寨裡收拾起財物人馬，帶了那二十個心腹的人，來店裡取齊。鄒淵去了。又使孫新入城裡來，問樂和討信，就約會了，暗通消息解珍、解寶得知。

次日，登雲山寨裡鄒淵收拾金銀已了，自和那起人到來相助。孫新家裡也有七八個知心腹的火家，並孫立帶來的十數個軍漢，共有四十餘人。孫新宰了兩口豬，一腔羊，眾人盡吃了一飽。顧大嫂貼肉藏了尖刀，扮做個送飯的婦人先去。孫新跟著孫立，鄒淵領了鄒潤，各帶了火家，分作兩路入去。正是：

捉虎翻成縱虎災，虎官虎吏枉安排。
全憑鐵叫通關節，始得牢城鐵甕開。

且說登州府牢裡包節級得了毛太公錢物，只要陷害解珍、解寶的性命。

當日樂和拿著水火棍，正立在牢門裡獅子口邊，只聽得拽鈴子◆響，樂和道：「甚麼人？」

顧大嫂應道：「送飯的婦人。」樂和已自瞧科了，便來開門，放顧大嫂入來，再關了門。

將過廊下去，包節級正在亭心裡，看見便喝道：「這婦人是甚麼人？敢進牢裡來送飯！自古獄不通風。」

樂和道：「這是解珍、解寶的姐姐，自來送飯。」

包節級喝道：「休要教她入去，你們自與她送進去便了。」樂和討了飯，卻來開了牢門，把與他兩個。

解珍、解寶問道：「舅舅夜來所言的事如何？」

樂和道：「你姐姐入來了，只等前後相應。」樂和便把匣床◆與他兩個開

◆鈴子—鈴鐺。

匣床—舊時牢獄中的一種刑械。形如木床，行刑時命囚犯仰臥其上，再將其手腳緊緊夾住，使其全身不能轉動，痛苦非常。

了。

只聽得小牢子入來報道：「孫提轄敲門，要走入來。」

包節級道：「他自是營官，來我牢裡有何事幹？休要開門！」顧大嫂一

踅踅下亭心邊去。

外面又叫道：「孫提轄焦躁了打門！」包節級忿怒，便下亭心來。

顧大嫂大叫一聲：「我的兄弟在哪裡？」身邊便掣出兩把明晃晃尖刀來。

包節級見不是頭，望亭心外便走。

解珍、解寶提起枷，從牢眼裡鑽將出來，正迎著包節級。包節級措手不

及，被解寶一枷梢打中，把腦蓋劈得粉碎。當時顧大嫂手起，早戳翻了

三五個小牢子，一齊發喊，從牢裡打將出來。

孫立、孫新把兩個擋住了，見四個從牢裡出來，一發望州衙前便走。鄒

淵、鄒潤早從州衙裡提出王孔目頭來。街市上人大喊起，先奔出城去。孫

提轄騎著馬，彎著弓，搭著箭，壓在後面。街上人家都關上門，不敢出

來。州裡做公的人，認得是孫提轄，誰敢向前攔擋。

眾人簇擁著孫立，奔出城門去，一直望十里牌來，扶攙樂大娘子上了車兒。顧大嫂上了馬，幫著便行。

解珍、解寶對眾人道：「叵耐毛太公老賊冤家，如何不報了去！」孫立道：「說得是。」便令兄弟孫新與舅舅樂和先護持車兒前行著，我們隨後趕來。孫新、樂和簇擁著車兒先行去了。

孫立引著解珍、解寶、鄒淵、鄒潤並火家伴當一逕奔毛太公莊上來，正值毛仲義與太公在莊上慶壽飲酒，卻不提備。一夥好漢吶聲喊，殺將入去，就把毛太公、毛仲義並一門老小盡皆殺了，不留一個。去臥房裡搜檢得十數包金銀財寶，後院裡牽得七八匹好馬，把四匹捎帶馱載。

解珍、解寶揀幾件好的衣服穿了，將莊院一把火齊放起燒了。各人上馬，帶了一行人，趕不到三十里路，早趕上車仗人馬，一處上路行程。於路莊戶人家，又奪得三五匹好馬，一行星夜奔上梁山泊去。有《西江月》為證：

忠義立身之本，奸邪壞國之端。
狼心狗性濫居官，致使英雄扼腕。
奪虎機謀可惡，劫牢計策堪觀。
登州城廓痛悲酸，頃刻橫屍遍滿。

不一二日，來到石勇酒店裡，那鄒淵與他相見了，問起楊林、鄧飛二人。石勇答言，說起宋公明去打祝家莊，二人都跟去，兩次失利，聽得報來說，楊林、鄧飛俱被陷在那裡，不知如何。備聞祝家莊三子豪傑，又有教師鐵棒欒廷玉相助，因此二次打不破那莊。

孫立聽罷，大笑道：「我等眾人來投大寨入夥，正沒半分功勞，獻此一條計策打破祝家莊，為進身之報如何？」

石勇大喜道：「願聞良策。」

孫立道：「欒廷玉那廝，和我是一個師父教的武藝。我學的槍刀，他也知道，他學的武藝，我也盡知。我們今日只做登州對調來鄆州守把，經過來此相望，他必然出來迎接。我們進身入去，裡應外合，必成大事。此計如何？」

正與石勇說計未了，只見小校報道：「吳學究下山來，前往祝家莊救應去。」石勇聽得，便叫小校快去報知軍師，請來這裡相見。

說猶未了，已有軍馬來到店前，乃是呂方、郭盛並阮氏三雄，隨後軍師吳用帶領五百人馬到來。石勇接入店內，引著這一行人都相見了，備說投托入夥，獻計一節。

吳用聽了大喜，說道：「既然眾位好漢肯作成山寨，且休上山，便煩請往祝家莊行此一事，成全這段功勞如何？」孫立等眾人皆喜，一齊都依允了。

吳用道：「小生今去也。如此見陣，我人馬前行，眾位好漢隨後一發便來。」

吳學究商議已了，先來宋江寨中。見宋公明眉頭不展，面帶憂容，吳用置酒與宋江解悶，備說起：「石勇、楊林、鄧飛三個的一起相識，是登州兵馬提轄病尉遲孫立，和這祝家莊教師欒廷玉是一個師父教的。今來共有八人，投托大寨入夥，特獻這條計策，以為進身之報。今已計較定了，裡應外合，如此行事，隨後便來參見兄長。」

宋江聽說罷，大喜，把愁悶都撇在九霄雲外，忙叫寨內置酒，安排筵席等來相待。卻說孫立教自己的伴當人等，跟著車仗人馬，投一處歇下，只帶了解珍、解寶、鄒淵、鄒潤、孫新、顧大嫂、欒和共是八人，來參宋江，都講禮已畢，宋江置酒設席管待，不在話下。

吳學究暗傳號令與眾人，教第三日如此行，第五日如此行。吩咐已了，孫立等眾人領了計策，一行人自來和車仗人馬投祝家莊，進身行事。

再說吳學究道：「啟動戴院長到山寨裡走一遭，快與我取將這四個頭領來，我自有用他處。」

不是教戴宗連夜來取這四個人來，有分教：水泊重添新羽翼，山莊無復舊衣冠。

畢竟吳學究取哪四個人來？且聽下回分解。

第五〇回

吳學究雙掌連環計
宋公明三打祝家莊

話說當時軍師吳用啟煩戴宗道：「賢弟可與我回山寨去取鐵面孔目裴宣、聖手書生蕭讓、通臂猿侯健、玉臂匠金大堅。可教此四人帶了如此行頭，連夜下山來，我自有用他處。」戴宗去了。

只見寨外軍士來報，西村扈家莊上扈成，牽牛擔酒，特來求見。宋江叫請入來。

扈成來到中軍帳前，再拜懇告道：「小妹一時粗鹵，年幼不省人事，誤犯威顏，今者被擒，望乞將軍寬恕。奈緣小妹原許祝家莊上，前者不合奮一時之勇，陷於縲絏。如蒙將軍饒放，但用之物，當依命拜奉。」

宋江道：「且請坐說話。祝家莊那廝，好生無禮，平白欺負俺山寨，因此行兵報仇，須與你扈家無冤。只是令妹引人捉了我王矮虎，因此還禮，拿了令妹。你把王矮虎放回還我，我便把令妹還你。」

扈成答道：「不期已被祝家莊拿了這個好漢去。」

吳學究便道：「我這王矮虎，今在何處？」

扈成道：「如今拘鎖在祝家莊上，小人怎敢去取？」

宋江道：「你不去取得王矮虎來還我，如何能夠得你令妹回去？」

吳學究道：「兄長休如此說。只依小生一言：今後早晚祝家莊上，但有些響亮，你的莊上切不可令人來救護；倘或祝家莊上有人投奔你處，你可就縛在彼。若是捉下得人時，那時送還令妹到貴莊。只是如今不在本寨，前日已使人送在山寨，奉養在宋太公處。你且放心回去，我這裡自有個道

◆啟煩——敬詞。猶煩勞、勞駕。

理。」

扈成道：「今番斷然不敢去救應他，若是他莊上果有人來投我時，定縛來奉獻將軍麾下。」

宋江道：「你若是如此，便強似送我金帛。」扈成拜謝了去。

且說孫立卻把旗號上改喚做登州兵馬提轄孫立，領了一行人馬，都來到祝家莊後門前。莊上牆裡望見是登州旗號，報入莊裡去。

欒廷玉聽得是登州孫提轄到來相望，說與祝氏三傑道：「這孫提轄是我弟兄，自幼與他同師學藝，今日不知如何到此？」帶了二十餘人馬，開了莊門，放下吊橋，出來迎接。

孫立一行人都下了馬，眾人講禮已罷。

欒廷玉問道：「賢弟在登州守把，如何到此？」

孫立答道：「總兵府行下文書，對調我來此間鄆州守把城池，提防梁山泊強寇。便道經過，聞知仁兄在此祝家莊，特來相探。本待從前門來，因見村口莊前俱屯下許多軍馬，不敢過來，特地尋覓村里，從小路問道莊後，入來拜望仁兄。」

欒廷玉道：「便是這幾時連日與梁山泊強寇廝殺，已拿得他幾個頭領在莊裡了，只要捉了宋江賊首，一併解官。天幸今得賢弟來此間鎮守，正如錦上添花，旱苗得雨。」

孫立笑道：「小弟不才，且看相助捉拿這廝們，成全兄長之功。」

欒廷玉大喜。當下都引一行人進莊裡來，再拽起了吊橋，關上了莊門。孫立一行人安頓車仗人馬，更換衣裳，都在前廳來相見。祝朝奉與祝龍、祝虎、祝彪三傑都相見了，一家兒都在廳前相接。

欒廷玉引孫立等上到廳上相見，講禮已罷，便對祝朝奉說道：「我這個賢弟孫立，綽號病尉遲，任登州兵馬提轄。今奉總兵府對調他來，鎮守此間鄆州。」

祝朝奉道：「老夫亦是治下。」

孫立道：「卑小之職，何足道哉。早晚也要望朝奉提攜指教。」

祝氏三傑相請眾位尊坐。孫立動問道：「連日相殺，征陣勞神。」

祝龍答道：「也未見勝敗。眾位尊兄，鞍馬勞神不易。」

孫立便叫顧大嫂引了樂大娘子叔伯姆兩個去後堂拜見宅眷，喚過孫新、解珍、解寶參見了，說道：「這三個是我兄弟。」

指著樂和便道：「這位是此間鄆州差來取的公吏。」

指著鄒淵、鄒潤道：「這兩個是登州送來的軍官。」祝朝奉並三子雖是聰明，卻見他又有老小，並許多行李車仗人馬，又是欒廷玉教師的兄弟，哪裡有疑心，只顧殺牛宰馬，做筵席管待眾人，且飲酒食。

過了一兩日，到第三日，莊兵報道：「宋江又調軍馬殺奔莊上來了。」

祝彪道：「我自去上馬拿此賊。」

便出莊門，放下吊橋，引一百餘騎馬軍殺將出來。早迎見一彪軍馬，約有五百來人，當先擁出那個頭領，彎弓插箭，拍馬掄槍，乃是小李廣花榮。

祝彪見了，躍馬挺槍，向前來鬥，花榮也縱馬來戰祝彪。兩個在獨龍岡前，約鬥了十數合，不分勝敗。花榮賣個破綻，撥回馬便走，引他趕來。

祝彪正待要縱馬追去，背後有認得的說道：「將軍休要去趕，恐防暗器，此人深好弓箭。」

祝彪聽罷，便勒轉馬來不趕，領回人馬投莊上來，拽起吊橋。看花榮時，也引軍馬回去了。祝彪直到廳前下馬，進後堂來飲酒。

孫立動問道：「小將軍今日拿得甚賊？」

祝彪道：「這廝們夥裡有個甚麼小李廣花榮，槍法好生了得。鬥了五十餘合，那廝走了。我卻待要趕去追他，軍人們道那廝好弓箭，因此各自收兵回來。」

孫立道：「來日看小弟不才，拿他幾個。」當日筵席上叫樂和唱曲，眾人皆喜。

至晚席散，又歇了一夜。

到第四日午牌，忽有莊兵報道：「宋江軍馬又來在莊前了。」堂下祝龍、祝虎、祝彪三子都披掛了，出到莊前門外，遠遠地望見，早聽得鳴鑼擂鼓，吶喊搖旗，對面早擺下陣勢。這裡祝朝奉坐在莊門上，左邊欒廷玉，右邊孫提轄，祝家三傑並孫立帶來的許多人伴，都擺在兩邊。

早見宋江陣上豹子頭林沖高聲叫罵，祝龍焦躁，喝叫放下吊橋，綽槍上馬，引一二百人馬，大喊一聲，直奔林沖陣上。莊門下擂起鼓來，兩邊各把弓弩射住陣腳。林沖挺起丈八蛇矛，和祝龍交戰，連鬥到三十餘合，不分勝敗。兩邊鳴鑼，各回了馬。

祝虎大怒，提刀上馬，跑到陣前，高聲大叫宋江決戰。說言未了，宋江陣上早有一將出馬，乃是沒遮攔穆弘來戰祝虎。兩個鬥了三十餘合，又沒勝敗。祝彪見了大怒，便綽槍飛身上馬，引二百餘騎，奔到陣前。宋江隊裡病關索楊雄一騎馬，一條槍，飛搶出來戰祝彪。

孫立看見兩隊兒在陣前廝殺，心中忍耐不住，便喚孫新：「取我的鞭槍來，就將我的衣甲、頭盔、袍襖把來披掛了！」

牽過自己馬來，這騎馬號烏騅馬，備上鞍子，扣了三條肚帶，腕上懸了虎眼鋼鞭，綽槍上馬。祝家莊上一聲鑼響，孫立出馬在陣前。

宋江陣上林沖、穆弘、楊雄都勒住馬立於陣前。孫立早跑馬出來，說道：「看小可捉這廝們！」

孫立把馬兜住，喝問道：「你那賊兵陣上有好廝殺的，出來與我決戰！」宋江陣內鸞鈴響處，一騎馬跑將出來，眾人看時，乃是拚命三郎石秀來戰孫立。兩馬相交，雙槍並舉。兩個鬥到五十合，孫立賣個破綻，讓石秀一槍搠入來，虛閃一個過，把石秀輕輕的從馬上捉過來，直挾到莊前撇下，喝道：「把來縛了！」祝家三子把宋江軍馬一攪，都趕散了。

三子收軍回到門樓下，見了孫立，眾皆拱手欽服。孫立便問道：「共是捉得幾個賊人？」

祝朝奉道：「起初先捉得一個時遷，次後拿得一個細作楊林，又捉得一個黃信。扈家莊一丈青捉得一個王矮虎。陣上拿得兩個，秦明、鄧飛。今番將軍又捉得這個石秀，這廝正是燒了我店屋的。共是七個了。」

孫立道：「一個也不要壞他，快做七輛囚車裝了，與些酒飯，將養身體，休教餓損了他，不好看。他日拿了宋江，一併解上東京去，教天下傳名，說這個祝家莊三傑！」

祝朝奉謝道：「多幸得提轄相助，想是這梁山泊當滅也！」邀請孫立到後堂筵宴。石秀自把囚車裝了。

看官聽說，石秀的武藝不低似孫立，要賺祝家莊人，故意教孫立捉了，使他莊上人一發信他。孫立又暗暗地使鄒淵、鄒潤、樂和去後房裡，把門戶都看了出入的路數。楊林、鄧飛見了鄒淵、鄒潤，心中暗喜。樂和張看得沒人，便透個消息與眾人知了。顧大嫂與樂大娘子在裡面，又看了房戶出入的門徑。

至第五日，孫立等眾人都在莊上閒行，當日辰牌時候，早飯以後，只見莊兵報道：「今日宋江分兵做四路，來打本莊。」

孫立道：「分十路待怎地！你手下人且不要慌，早作準備便了。先安排些撓鈎套索，須要活捉，拿死的也不算！」莊上人都披掛了。

祝朝奉親自率引著一班兒上門樓來看時，見正東上一彪人馬，當先一個頭領，乃是豹子頭林沖，背後便是李俊、阮小二，約有五百以上人馬在此。

正西上又有五百來人馬，當先一個頭領，乃是小李廣花榮，隨背後是張橫、張順。正南門樓上望時，也有五百來人馬，當先三個頭領，乃是沒遮攔穆弘、病關索楊雄、黑旋風李逵。四面都是兵馬，戰鼓齊鳴，喊聲大舉。

欒廷玉聽了道：「今日這廝們廝殺，不可輕敵。我引了一隊人馬出後門，殺這正西北上的人馬。」

祝龍道：「我出前門殺這正東上的人馬。」

祝虎道：「我也出後門殺那西南上的人馬。」

祝彪道：「我自出前門捉宋江，是要緊的賊首。」祝朝奉大喜，都賞了酒。

各人上馬，盡帶了三百餘騎奔出莊門，其餘的都守莊院門樓前吶喊。此時鄒淵、鄒潤已藏了大斧，只守在監門左側。解珍、解寶藏了暗器，不離後門。孫新、樂和已守定前門左右。顧大嫂先撥軍兵保護樂大娘子，卻自拿了兩把雙刀在堂前踅，只聽風聲，便乃下手。

且說祝家莊上擂了三通戰鼓，放了一個炮，把前後門都開，放下吊橋，一齊殺將出來。四路軍兵出了門，四下裡分投去廝殺。臨後，孫立帶了十數個軍兵，立在吊橋上。門裡孫新便把原帶來的旗號插起在門樓上，樂和便提著槍，直唱將出來。

鄒淵、鄒潤聽得樂和唱，便唿哨了幾聲，掄動大斧，早把守監門的莊兵砍翻了數十個，便開了陷車，放出七隻大蟲來，個個尋了器械，一聲喊起。顧大嫂掣出兩把刀，直奔入房裡，把應有婦人一刀一個，盡都殺了。祝朝奉見頭勢不好了，卻待要投井時，早被石秀一刀剁翻，割了首級。那十數個好漢分投◆來殺莊兵。後門頭解珍、解寶便去馬草堆裡放起把火，黑焰沖天而起。

四路人馬見莊上火起，併力向前。祝虎見莊裡火起，先奔回來。孫立守在吊橋上，大喝一聲：「你那廝哪裡去！」攔住吊橋。祝虎省得，便撥轉馬頭，再奔宋江陣上來。這裡呂方、郭盛兩戟齊舉，早把祝虎連人和馬搠翻在地，眾軍亂上，剁做肉泥。前軍四散奔走。孫立、孫新迎接宋公明入莊。

且說東路祝龍鬥林沖不住，飛馬望莊後而來。到得吊橋邊，見後門頭解珍、解寶把莊客的屍首一個個攛將下來火焰裡。祝龍急回馬望北而走。猛然撞著黑旋風，踴身便到，掄動雙斧，早砍翻

◆分投——分頭、分別各方面。

馬腳。祝龍措手不及，倒撞下來，被李逵只一斧，把頭劈翻在地。祝彪見莊兵走來報知，不敢回，直望扈家莊投奔，被扈成叫莊客捉了，綁縛下。正解將來見宋江，恰好遇著李逵，只一斧，砍翻祝彪頭來，莊客都四散走了。李逵再掄起雙斧，便看著扈成砍來。扈成見局面不好，投馬落荒而走，棄家逃命，投延安府去了。後來中興內也做了個軍官武將。

且說李逵正殺得手順，直搶入扈家莊裡，把扈太公一門老幼，盡數殺了，不留一個。叫小嘍囉牽了所有的馬匹，把莊裡一應有的財貨，捎搭◆有四、五十馱，將莊院門一把火燒了，卻回來獻納。

再說宋江已在祝家莊上正廳坐下，眾頭領都來獻功，生擒得四五百人，奪得好馬五百餘匹，活捉牛羊不計其數。

宋江見了大喜道：「只可惜殺了欒廷玉那個好漢。」

正嗟嘆間，聞人報道：「黑旋風燒了扈家莊，砍得頭來獻納。」

宋江便道：「前日扈成已來投降，誰教他殺了此人？如何燒了他莊院？」

只見黑旋風一身血汙，腰裡插著兩把板斧，直到宋江面前，唱個大喏，說道：「祝龍是兄弟殺了，祝彪也是兄弟砍了，扈成那廝走了，扈太公一家都殺得乾乾淨淨，兄弟特來請功。」

宋江喝道：「祝龍曾有人見你殺了，別的怎地是你殺了？」

黑旋風道：「我砍得手順，望扈家莊趕去，正撞見一丈青的哥哥，解那祝彪出來，被我一斧砍了，只可惜走了扈成那廝。他家莊上，被我殺得一個也沒了。」

宋江喝道：「你這廝，誰叫你去來？你也須知扈成前日牽牛擔酒前來投降了，如何不聽得我的言語，擅自去殺他一家，故違我的將令？」

李逵道：「你便忘記了，我須不忘記！那廝前日教那個鳥婆娘趕著哥哥要殺，你今卻又做人情。你又不曾和他妹子成親，便又思量阿舅、丈人！」

◆捎搭──裝載。

宋江喝道：「你這鐵牛，休得胡說！我如何肯要這婦人？我自有個處置。你這黑廝，拿得活的有幾個？」

李逵答道：「誰鳥耐煩，見著活的便砍了。」

宋江道：「你這廝違了我的軍令，本合斬首，且把殺祝龍、祝彪的功勞折過了，下次違令，定行不饒。」

黑旋風笑道：「雖然沒了功勞，也吃我殺得快活！」

只見軍師吳學究引著一行人馬，都到莊上來與宋江把盞賀喜。宋江與吳用商議道，要把這祝家莊村坊洗蕩了。

石秀稟說起：「這鍾離老人仁德之人，指路之力，救濟大忠，也有此等善心良民在內，亦不可屈壞了這等好人。」宋江聽罷，叫石秀去尋那老人來。石秀去不多時，引著那個鍾離老人來到莊上，拜見宋江、吳學究。

宋江取一包金帛賞與老人，永為鄉民：「不是你這個老人面上有恩，把你這個村坊，盡數洗蕩了，不留一家。因為你一家為善，以此饒了你這一境村坊人民。」那鍾離老人只是下拜。

宋江又道：「我連日在此攪擾你們百姓，今日打破祝家莊，與你村中除害。所有各家賜糧米一石，以表人心。」就著鍾離老人為頭給散，一面把祝家莊多餘糧米，盡數裝載上車。金銀財貨，犒賞三軍眾將。其餘牛羊騾馬等物，將去山中支用。

打破祝家莊得糧五十萬石，宋江大喜。大小頭領，將軍馬收拾起身。又得若干新到頭領，孫立、孫新、解珍、解寶、鄒淵、鄒潤、樂和、顧大嫂，並救出七個好漢。孫立等將自己馬也捎帶了自己的財貨，同老小樂大娘子，跟隨了大隊軍馬上山。當有村坊鄉民，扶老挈幼，香花燈燭，於路拜謝。

宋江等眾將一齊上馬，將軍兵分作三隊擺開，前隊鞭敲金鐙，後軍齊唱凱歌，正是：

盜可盜，非常盜；強可強，真能強。

只因滅惡除凶，聊作打家劫舍。
地方恨土豪欺壓，鄉村喜義士濟施。
眾虎有情，為救偷雞鈞狗；獨龍無助，難留飛虎撲雕。
謹具上萬資糧，填平水泊；更賠許多人畜，踏破梁山。

話分兩頭，且說撲天雕李應恰才將息得箭瘡平復，閉門在莊上不出，暗地使人常常去探聽祝家莊消息，已知被宋江打破了，驚喜相半。只見莊客入來報說，有本州知府帶領三、五十部漢到莊，便問祝家莊事情。李應慌忙叫杜興開了莊門，放下吊橋，迎接入莊。李應把條白絹搭膊絡著手，出來迎迓，邀請進莊裡前廳。知府下了馬，來到廳上，居中坐了，側首坐著孔目，下面一個押番、幾個虞候，階下盡是許多節級、牢子。

李應拜罷，立在廳前，知府問道：「祝家莊被殺一事如何？」

李應答道：「小人因被祝彪射了一箭，有傷左臂，一向閉門，不敢出去，不知其實。」

知府道：「胡說！祝家莊現有狀子，告你結連梁山泊強寇，引誘他軍馬打破了莊，前日又受他鞍馬羊酒、綵緞金銀，你如何賴得過？」

李應告道：「小人是知法度的人，如何敢受他的東西？」

知府道：「難信你說，且提去府裡，你自與他對理明白。」喝教獄卒牢子捉了，帶他州裡去，與祝家分辯。兩下押番、虞候把李應縛了，眾人簇擁知府上了馬。

知府又問道：「哪個是杜主管杜興？」杜興道：「小人便是。」

知府道：「狀上也有你名，一同帶去。也與他鎖了。」一行人都出莊門。當時拿了李應、杜興，離了李家莊，腳不停地解來。

行不過三十餘里，只見林子邊撞出宋江、林沖、花榮、楊雄、石秀一班人馬，攔住去路。林沖大喝道：「梁山泊好漢，合夥在此！」那知府人等不

◈押番──舊稱押解人犯的吏卒。

敢抵敵，撇了李應、杜興，逃命去了。

宋江喝叫趕上。眾人趕了一程，回來說道：「我們若趕上時，也把這個鳥知府殺了，但自不知去向。」便與李應、杜興解了縛索，開了鎖，便牽兩匹馬過來，與他兩個騎了。

宋江便道：「且請大官人上梁山泊躲幾時，如何？」

李應道：「卻是使不得。知府是你們殺了，不干我事。」

宋江笑道：「官司裡怎肯與你如此分辯？我們去了，必然要負累了你。既然大官人不肯落草，且在山寨消停幾日，打聽得沒事了時，再下山來不遲。」當下不由李應、杜興不行，大隊軍馬中間，如何回得來。

一行三軍人馬，迤邐回到梁山泊了。

寨裡頭領晁蓋等眾人擂鼓吹笛，下山來迎接，把了接風酒，都上到大寨裡聚義廳上，扇圈也似坐下。請上李應與眾頭領都相見了。

兩個講禮已罷，李應稟宋江道：「小可兩個已送將軍到大寨了，既與眾頭領亦都相見了，在此趨侍不妨，只不知家中老小如何？可教小人下山則個。」

吳學究笑道：「大官人差矣！寶眷已都取到山寨了。貴莊一把火已都燒做白地，大官人卻回到哪裡去？」李應不信，早見車仗人馬隊隊上山來。李應看時，卻見是自家的莊客並老小人等。

李應連忙來問時，妻子說道：「你被知府捉了來，隨後又有兩個巡檢引著四個都頭，帶領三百來土兵，到來抄扎◈家私。把我們好好地教上車子，將家裡一應箱籠、牛羊、馬匹、驢騾等項，都拿了去，又把莊院放起火來都燒了。」李應聽罷，只叫得苦。

晁蓋、宋江都下廳伏罪道：「我等兄弟們端的久聞大官人好處，因此行出這條計來，萬望大官人情恕。」李應見了如此言語，只得隨順了。

宋江道：「且請宅眷後廳耳房中安歇。」

◈抄扎——查抄沒收。

李應又見廳前廳後這許多頭領亦有家眷老小在彼，便與妻子道：「只得依允他過。」宋江等當時請至廳前敘說閒話，眾皆大喜。

宋江便取笑道：「大官人，你看我叫過兩個巡檢並那知府過來相見。」那扮知府的是蕭讓，扮巡檢的兩個是戴宗、楊林，扮孔目的是裴宣，扮虞候的是金大堅、侯健。又叫喚那四個都頭，卻是李俊、張順、馬麟、白勝。李應都看了，目睜口呆，言語不得。

宋江喝叫小頭目快殺牛宰馬，與大官人陪話，慶賀新上山的十二位頭領，乃是李應、孫立、孫新、解珍、解寶、鄒淵、鄒潤、杜興、樂和、時遷、扈三娘、顧大嫂，女頭領同樂大娘子、李應宅眷，另做一席，在後堂飲酒。大小三軍，自有犒賞。正廳上大吹大擂，眾多好漢，飲酒至晚方散。新到頭領，俱各撥房安頓。

次日，又作席面會請眾頭領作主張。宋江喚王矮虎來說道：「我當初在清風寨時，許下你一頭親事，懸掛在心中，不曾完得此願。今日我父親有個女兒，招你為婿。」

宋江自去請出宋太公來，引著一丈青扈三娘到筵前。宋江親自與她陪話，說道：「我這兄弟王英雖有武藝，不及賢妹。是我當初曾許下他一頭親事，一向未曾成得。今日賢妹妳認義我父親了，眾頭領都是媒人，今朝是個良辰吉日，賢妹與王英結為夫婦。」

一丈青見宋江義氣深重，推卻不得，兩口兒只得拜謝了。晁蓋等眾人皆喜，都稱頌宋公明真乃有德有義之士。當日盡皆筵宴飲酒慶賀。

正飲宴間，只見山下有人來報道：「朱貴頭領酒店裡，有個鄆城縣人在那裡，要來見頭領。」

晁蓋、宋江聽得報了，大喜道：「既是這恩人上山來入夥，足遂平生之願。」正是：

恩仇不辨非豪傑，黑白分明是丈夫。

畢竟來的是鄆城縣甚麼人？且聽下回分解。

第五一回

插翅虎枷打白秀英
美髯公誤失小衙內

話說宋江主張一丈青與王英配為夫婦，眾人都稱讚宋公明仁德，當日又設席慶賀。

正飲宴間，只見朱貴酒店裡使人上山來報道：「林子前大路上一夥客人經過，小嘍囉出去攔截，數內一個稱是鄆城縣都頭雷橫，朱頭領邀請住了。現在店裡飲分例酒食，先使小校報知。」晁蓋、宋江聽了大喜，隨即同軍師吳用三個下山迎接。朱貴早把船送至金沙灘上岸。

宋江見了，慌忙下拜道：「久別尊顏，常切思想。今日緣何經過賤處？」雷橫連忙答禮道：「小弟蒙本縣差遣，往東昌府公幹回來，經過路口，小嘍囉攔討買路錢，小弟提起賤名，因此朱兄堅意留住。」

宋江道：「天與之幸！」請到大寨，教眾頭領都相見了，置酒管待。一連住了五日，每日與宋江閒話。

晁蓋動問朱仝消息，雷橫答道：「朱仝現今參做本縣當牢節級，新任知縣好生歡喜。」

宋江宛曲把話來說雷橫上山入夥，雷橫推辭老母年高，不能相從，待小弟送母終年之後，卻來相投。雷橫當下拜辭了下山，宋江等再三苦留不住。眾頭領各以金帛相贈，宋江、晁蓋自不必說。雷橫得了一大包金銀下山，眾頭領都送至路口作別，把船渡過大路，自回鄆城縣去了，不在話下。

且說晁蓋、宋江回至大寨聚義廳上，起請軍師吳學究定議山寨職事。吳用已與宋公明商議已定，次日會合眾頭領聽號令。

先撥外面守店頭領。宋江道：「孫新、顧大嫂原是開酒店之家，著令夫婦二人替回童威、童猛別用。」再令時遷去幫助石勇，樂和去幫助朱貴，鄭天壽去幫助李立，東南西北四座店內賣酒賣肉，招接四方入夥好漢。每店內設兩個頭領。一丈青、王矮虎後山下寨，監督馬匹。金沙灘小寨，童威、童猛弟兄兩個守把。鴨嘴灘小寨，鄒淵、鄒潤叔姪兩個守把。

山前大路，黃信、燕順部領馬軍下寨守護。解珍、解寶守把山前第一關。杜遷、宋萬守把宛子城第二關。劉唐、穆弘守把大寨口第三關。

阮家三雄守把山南水寨。孟康仍前監造戰船。李應、杜興、蔣敬總管山寨錢糧金帛。陶宗旺、薛永監築梁山泊內城垣雁臺。侯健專管監造衣袍、鎧甲、旌旗、戰襖。朱富、宋清提調筵宴。穆春、李雲監造屋宇寨柵。蕭讓、金大堅掌管一應賓客書信公文。裴宣專管軍政司賞功罰罪。

其餘呂方、郭盛、孫立、歐鵬、鄧飛、楊林、白勝分調大寨八面安歇。晁蓋、宋江、吳用居於山頂寨內。花榮、秦明居於山左寨內。林沖、戴宗居於山右寨內。李俊、李逵居於山前。張橫、張順居於山後。楊雄、石秀守護聚義廳兩側。一班頭領，分撥已定，每日輪流一位頭領做筵席慶賀，山寨體統，甚是齊整。有詩為證：

巍巍高寨水中央，列職分頭任所長。

只為朝廷無駕馭，遂令草澤有鷹揚。

再說雷橫離了梁山泊，背了包裹，提了朴刀，取路回到鄆城縣。到家參見老母，更換些衣服，齎了回文，逕投縣裡來，拜見了知縣，回了話，銷繳公文批帖，且自歸家暫歇。依舊每日縣中書畫卯酉，聽候差使。因一日行到縣衙東首，只聽得背後有人叫道：「都頭兒，幾時回來？」雷橫回過臉來看時，卻是本縣一個幫閑的李小二。雷橫答道：「我才前日來家。」李小二道：「都頭出去了許多時，不知此處近日有個東京新來打踅◈的行院，色藝雙絕，叫做白秀英。那妮子來參都頭，卻值公差出外不在，如今

◈打踅──走江湖賣藝。

現在勾欄◈裡說唱諸般品調，每日有那一般打散◈，或是戲舞，或是吹彈，或是歌唱，賺得那人山人海價看。都頭如何不去睃一睃？端的是好個粉頭！」

雷横聽了，又遇心閒，便和那李小二逕到勾欄裡來看，只見門首掛著許多金字帳額，旗桿吊著等身靠背◈。入到裡面，便去青龍頭上◈第一位坐了。看戲臺上，卻做笑樂院本◈。那李小二人叢裡撇了雷横，自出外面趕碗頭腦◈去了。

院本下來，只見一個老兒裹著磕腦◈兒頭巾，穿著一領茶褐羅衫，繫一條皂絲，拿把扇子，上來開呵◈道：「老漢是東京人氏，白玉喬的便是。如今年邁，只憑女兒秀英歌舞吹彈，普天下伏侍看官。」

鑼聲響處，那白秀英早上戲臺，參拜四方，拈起鑼棒，如撒豆般點動，拍下一聲界方◈，念了四句七言詩，便說道：「今日秀英招牌上明寫著這場話本◈，是一段風流蘊藉的格範，喚做豫章城雙漸趕蘇卿。」

說了開話◈又唱，唱了又說，合棚價眾人喝采不絕。雷横坐在上面看那婦人時，果然是色藝雙絕。但見：

羅衣疊雪，寶髻堆雲。

櫻桃口，杏臉桃腮；楊柳腰，蘭心蕙性。

歌喉宛轉，聲如枝上鶯啼；舞態蹁躚，影似花間鳳轉。

腔依古調，音出天然，高低緊慢按宮商，輕重疾徐依格範。

笛吹紫竹篇篇錦，板拍紅牙字字新。

◈**勾欄**—宋、元時代的劇場或賣藝場所。　**打散**—猶如現在的曲藝、雜技之類。

靠背—舊時戲劇表演時，武將所披的鎧甲。

青龍頭上—青龍，左方。青龍頭上指左方的第一個位置。

笑樂院本—正戲開演以前的玩笑戲，多為以滑稽手段逗笑取樂的戲劇。

頭腦—山西特有的一種清真小吃，為湯狀食品。在一碗湯糊裡，放上三大塊肥羊肉，一塊藕，一條山藥。湯裡的作料有黃酒、酒糟和黃芪，可嘗到酒、藥和羊肉的混合香味。

磕腦—古代男子裹頭的巾。

開呵—賣藝人在開始表演之前，說些請人捧場、賞錢的開場白，或介紹表演內容，稱為「開呵」。

界方—醒木。說書人拍案引起聽眾注意，所使用的硬木。

話本—說唱故事的腳本。　**開話**—開場白。

那白秀英唱到務頭◈，這白玉喬按喝道：「雖無買馬博金藝，要動聰明鑒事人。看官喝呼是過去了，我兒且回一回◈，下來便是襯交鼓兒的院本。」白秀英拿起盤子，指著道：「財門上起，利地上住，吉地上過，旺地上行，手到面前，休教空過。」

白玉喬道：「我兒且走一遭，看官都待賞妳。」白秀英托著盤子，先到雷橫面前，雷橫便去身邊袋裡摸時，不想並無一文。

雷橫道：「今日忘了，不曾帶得些出來，明日一發賞妳。」

白秀英笑道：「頭醋不釅◈徹底薄，官人坐當其位，可出個標首◈。」

雷橫通紅了面皮道：「我一時不曾帶得出來，非是我捨不得。」

白秀英道：「官人既是來聽唱，如何不記得帶錢出來？」

雷橫道：「我賞你三五兩銀子，也不打緊，卻恨今日忘記帶來。」

白秀英道：「官人今日眼見一文也無，提甚三五兩銀子，正是教俺望梅止渴，畫餅充飢。」

白玉喬叫道：「我兒，妳自沒眼。不看城裡人村裡人，只顧問他討甚麼？且過去自問曉事的恩官，告個標首。」

雷橫道：「我怎地不是曉事的？」

白玉喬道：「你若省得這子弟門庭◆時，狗頭上生角◆。」

眾人齊和哄起來。雷橫大怒，便罵道：「這忤奴◆怎敢辱我？」

白玉喬道：「便罵你這三家村使牛的◆，打甚麼緊？」

有認得的喝道：「使不得！這個是本縣雷都頭。」

白玉喬道：「只怕是驢筋頭◆。」

雷橫哪裡忍耐得住，從坐椅上直跳下戲臺來，揪住白玉喬，一拳一腳，便打得唇綻齒落。眾人見打得兇，都來解拆，又勸雷橫自回去了。勾欄裡

◆**務頭**—說唱到重要的關口，或是唱腔和故事情節最精采的地方。　**回一回**—停一下。

醲—濃厚。多用以形容酒、醋、茶、花等的色、香、味。

標首—領頭出的賞錢。又叫「標手錢」。　**子弟門庭**—風流子弟玩的門道。

狗頭上生角—比喻根本不可能發生的事。　**忤奴**—龜奴。妓女的假父。

三家村使牛的—罵人沒見過世面，不懂規矩。三家村，指人煙稀少，地處偏僻的小村落。

驢筋頭—驢鳥。罵人的話。

人一哄盡散。

原來這白秀英卻和那新任知縣舊在東京兩個來往，今日特地在鄆城縣開勾欄。那娼妓見父親被雷橫打了，又帶重傷，叫一乘轎子，逕到知縣衙內，訴告：「雷橫毆打父親，攪散勾欄，意在欺騙奴家！」知縣聽了，大怒道：「快寫狀來！」這個喚做「枕邊靈」。便教白玉喬寫了狀子，驗了傷痕，指定證見。本處縣裡有人都和雷橫好的，替他去知縣處打關節，怎當那婆娘守定在衙內，撒嬌撒癡，不由知縣不行。立等知縣差人把雷橫捉拿到官，當廳責打，取了招狀，將具枷來枷了，押出去號令示眾。

那婆娘要逞好手◈，又去把知縣行說了，定要把雷橫號令在勾欄門首。第二日，那婆娘再去做場，知縣卻教把雷橫號令在勾欄門首。這一班禁子◈人等，都是和雷橫一般的公人，如何肯手掤扒◈他？

這婆娘尋思一會：「既是出名奈何了他，只是一怪。」走出勾欄門，去茶坊裡坐下，叫禁子過去發話道：「你們都和他有首尾，卻放他自在。知縣相公教你們掤扒他，你倒做人情。少刻我對知縣說了，看道奈何得你們也不！」

禁子道：「娘子不必發怒，我們自去掤扒他便了。」

白秀英道：「恁地時，我自將錢賞你。」禁子們只得來對雷橫說道：「兄長，沒奈何，且胡亂掤一掤。」把雷橫掤扒在街上。

人鬧裡，卻好雷橫的母親正來送飯，看見兒子吃他掤扒在那裡，便哭起來，罵那禁子們道：「你眾人也和我兒一般在衙門裡出入的人，錢財直這般好使！誰保常沒事？」

禁子答道：「我那老娘，聽我說，我們卻也要容情，怎禁被原告人監定在這裡要掤，我們也沒做道理處。不時，便要去和知縣說，苦害我們，因此上做不得面皮。」

◈逞好手—顯示自己的威風。　禁子—舊稱看守罪犯的獄卒。
掤扒—剝去衣服，以繩子捆綁。掤音崩。

那婆婆道：「幾曾見原告人自監著被告號令的道理！」禁子們又低低道：「老娘，她和知縣來往得好，一句話便送了我們，因此兩難。」

那婆婆一面自去解索，一頭口裡罵道：「這個賊賤人直恁的倚勢！我且解了這索子，看她如今怎的！」

白秀英卻在茶坊裡聽得，走將過來，便道：「妳那老婢子卻才道甚麼？」那婆婆哪裡有好氣，便指著罵道：「妳這千人騎、萬人壓、亂人入的賤母狗，做甚麼倒罵我！」

白秀英聽得，柳眉倒豎，星眼圓睜，大罵道：「老咬蟲！吃貧婆！賤人！怎敢罵我？」

婆婆道：「我罵妳待怎的？妳須不是鄆城縣知縣。」

白秀英大怒，搶向前只一掌，把那婆婆打個踉蹌。那婆婆卻待掙扎，白秀英再趕入去，老大耳光子，只顧打。這雷橫是個大孝的人，見了母親吃打，一時怒從心發，扯起枷來，望著白秀英腦蓋上打將下來。那一枷梢打個正著，劈開了腦蓋，撲地倒了。眾人看時，那白秀英被打得腦漿迸流，眼珠突出，動彈不得，情知死了。

眾人見打死了白秀英，就押帶了雷橫，一發來縣裡首告，見知縣備訴前事。知縣隨即差人押雷橫下來，會集相官，拘喚里正鄰佑人等，對屍檢驗已了，都押回縣來。雷橫一面都招承了，並無難意。他娘自保領回家聽候。把雷橫枷了，下在牢裡。

當牢節級卻是「美髯公」朱仝，見發下雷橫來，也沒做奈何處，只得安排些酒食管待，教小牢子打掃一間淨房，安頓了雷橫。

少間，他娘來牢裡送飯，哭著哀告朱仝道：「老身年紀六旬之上，眼睜睜地只看著這個孩兒。望煩節級哥哥看日常間弟兄面上，可憐見我這個孩兒，看覷看覷。」

◆老婢子——蔑視年老婦女的罵詞。

朱仝道：「老娘自請放心歸去。今後飯食不必來送，小人自管待他。倘有方便處，可以救之。」

雷橫娘道：「哥哥救得孩兒，卻是重生父母。若孩兒有些好歹，老身性命也便休了。」

朱仝道：「小人專記在心，老娘不必掛念。」那婆婆拜謝去了。

朱仝尋思了一日，沒做道理救他處。朱仝自央人去知縣處打關節，上下替他使用人情。那知縣雖然愛朱仝，只是恨這雷橫打死了他婊子◈白秀英，也容不得他說了。又怎奈白玉喬那廝催併疊成文案，要知縣斷教雷橫償命。囚在牢裡六十日，限滿斷結，解上濟州，主案押司抱了文卷先行，卻教朱仝解送雷橫。

朱仝引了十數個小牢子，監押雷橫，離了鄆城縣，約行了十數里地，見個酒店，朱仝道：「我等眾人就此吃兩碗酒去。」眾人都到店裡吃酒。朱仝獨自帶過雷橫，只做水火◈，來後面僻靜處開了枷，放了雷橫，吩咐道：「賢弟自回，快去家裡取了老母，星夜去別處逃難，這裡我自替你吃官司。」

雷橫道：「小弟走了自不妨，必須要連累了哥哥。」

朱仝道：「兄弟，你不知。知縣怪你打死了他婊子，把這文案卻做死了，解到州裡，必是要你償命。我放了你，我須不該死罪。況兼我又無父母掛念，家私盡可賠償。你顧前程萬里自去。」

雷橫拜謝了，便從後門小路奔回家裡，收拾了細軟包裹，引了老母，星夜自投梁山泊入夥去了，不在話下。

卻說朱仝拿著空枷，攛在草裡，卻出來對眾小牢子說道：「吃雷橫走了，卻是怎地好？」眾人道：「我們快趕去他家裡捉。」朱仝故意延遲了半晌，料著雷橫去得遠了，卻引眾人來縣裡出首。

◈婊子——姘婦。 水火——解手的意思。

朱仝告道：「小人自不小心，路上被雷橫走了，在逃無獲，情願甘罪無詞。」知縣本愛朱仝，有心將就出脫他，被白玉喬要赴上司陳告朱仝，故意脫放雷橫，知縣只得把朱仝所犯情由，申將濟州去。朱仝家中，自著人去上州裡使錢透了，卻解朱仝到濟州來，當廳審錄明白，斷了二十脊杖，刺配滄州牢城。朱仝只得帶上行枷，兩個防送公人領了文案，押送朱仝上路。家間自有人送衣服、盤纏，先齎發了兩個公人。

當下離了鄆城縣，迤邐望滄州橫海郡來，於路無話。到得滄州，入進城中，投州衙裡來，正值知府升廳，兩個公人押朱仝在廳階下，呈上公文。知府看了，見朱仝一表非俗，貌如重棗，美髯過腹，知府先有八分歡喜。便教這個犯人休發下牢城營裡，只留在本府聽候使喚。當下除了行枷，便與了回文。兩個公人相辭了自回。

只說朱仝自在府中，每日只在廳前伺候呼喚。那滄州府裡押番、虞候、門子、承局、節級、牢子都送了些人情，又見朱仝和氣，因此上都歡喜他。忽一日，本官知府正在廳上坐堂，朱仝在階下侍立。知府喚朱仝上廳，問道：「你緣何放了雷橫，自遭配在這裡？」朱仝稟道：「小人怎敢故放了雷橫，只是一時間不小心，被他走了。」知府道：「你如何得此重罪？」朱仝道：「被原告人執定，要小人如此招做故放，以此問得重了。」知府道：「雷橫如何打死了那娼妓？」朱仝卻把雷橫上項的事，備細說了一遍。知府道：「你敢見他孝道，為義氣上放了他？」朱仝道：「小人怎敢欺公罔上？」

正問之間，只見屏風背後轉出一個小衙內◈來，年方四歲，生得端嚴美貌，乃是知府親子，知府愛惜如金似玉。那小衙內見了朱仝，逕走過來，便要他抱，朱仝只得抱起小衙內在懷裡。

◈衙內——對貴家子弟、官僚子弟的稱呼。

那小衙內雙手扯住朱仝長髯，說道：「我只要這鬍子抱。」

知府道：「孩兒快放了手，休要囉唣。」

小衙內又道：「我只要這鬍子抱，和我去耍。」

朱仝稟道：「小人抱衙內去府前閒走，耍一回了來。」

知府道：「孩兒既是要你抱，你和他去耍一回了來。」朱仝抱了小衙內，出府衙前來，買些細糖果子與他吃，轉了一遭，再抱入府裡來。

知府看見，問衙內道：「孩兒哪裡去來？」

小衙內道：「這鬍子和我街上看耍，又買糖和果子請我吃。」

知府說道：「你哪裡得錢買物事與孩兒吃？」

朱仝稟道：「微表小人孝順之心，何足掛齒！」知府教取酒來與朱仝吃。府裡侍婢捧著銀瓶果盒篩酒，連與朱仝吃了三大賞鍾。

知府道：「早晚孩兒要你耍時，你可自行去抱他耍去。」

朱仝道：「恩相臺旨，怎敢有違？」

自此為始，每日來和小衙內上街閒耍。朱仝囊篋又有，只要本官見喜，小衙內面上，盡自賠費。

時過半月之後，便是七月十五日盂蘭盆大齋之日，年例各處點放河燈◈，修設好事。當日天晚，堂裡侍婢嬭子叫道：「朱都頭，小衙內今夜要去看河燈，夫人吩咐，你可抱他去看一看。」

朱仝道：「小人抱去。」那小衙內穿一領綠紗衫兒，頭上角兒拴兩條珠子頭鬚，從裡面走出來。朱仝拖在肩頭上，轉出府衙內前來，望地藏寺裡去看點放河燈。那時恰才是初更時分，但見：

鐘聲杳靄◈，幡影招搖。
爐中焚百和名香◈，盤內貯諸般素食。
僧持金杵，誦真言薦拔幽魂；人列銀錢，掛孝服超升滯魄◈。

◈河燈——中元節時，把蓮花燈放入水中的民間習俗。　**杳靄**——幽深渺茫的樣子。
百和香——多種香藥製成的和香。　**滯魄**——遊蕩而無所依歸的魂魄。

合堂功德，畫陰司八難三塗◈；繞寺莊嚴，列地獄四生六道◈。
楊柳枝頭分淨水，蓮花池內放明燈。

當時朱仝肩背著小衙內，繞寺看了一遭，卻來水陸堂放生池邊看放河燈。那小衙內爬在欄杆上，看了笑耍。只見背後有人拽朱仝袖子道：「哥哥借一步說話。」朱仝回頭看時，卻是雷橫，吃了一驚，便道：「小衙內且下來，坐在這裡。我去買糖來與你吃，切不要走動。」小衙內道：「你快來，我要去橋上看河燈。」朱仝道：「我便來也。」轉身卻與雷橫說話。朱仝道：「賢弟因何到此？」雷橫扯朱仝到靜處拜道：「自從哥哥救了性命，和老母無處歸著，只得上梁山泊投奔了宋公明入夥。小弟說哥哥恩德，宋公明亦然思想哥哥舊日放他的恩念。晁天王和眾頭領皆感激不淺，因此特地教吳軍師同兄弟前來相探。」

朱仝道：「吳先生現在何處？」

背後轉過吳學究道：「吳用在此。」言罷便拜。

朱仝慌忙答禮道：「多時不見，先生一向安樂。」

吳學究道：「山寨裡眾頭領多多致意，今番教吳用和雷都頭特來相請足下上山，同聚大義。到此多日了，不敢相見，今夜伺候得著，請仁兄便挪尊步，同赴山寨，以滿晁、宋二公之意。」

朱仝聽罷，半晌答應不得，便道：「先生差矣！這話休題，恐被外人聽了不好。雷橫兄弟他自犯了該死的罪，我因義氣放了他，出頭不得，上山入夥。我亦為他配在這裡，天可憐見，一年半載，掙扎還鄉，復為良民。

◈**八難三途**——佛教常用詞語，出自《華嚴經》。八難，指不得遇佛、不聞正法之八種障難。三途，即火途（地獄道）、血途（畜生道）、刀途（餓鬼道）。

四生六道——四生為眾生出生的四種方式：卵生、胎生、濕生（從濕氣而生，如蚊、蟲）、化生（無所依託，借業力而生，如天神、餓鬼及地獄道眾生）。六道為天道、人道、阿修羅道、畜生道、餓鬼道、地獄道。

我卻如何肯做這等的事！你二位便可請回，休在此間惹口面不好。」

雷橫道：「哥哥在此，無非只是在人之下，伏侍他人，非大丈夫男子漢的勾當。不是小弟糾合上山，端的晁、宋二公仰望哥哥久矣，休得遲延自誤。」

朱仝道：「兄弟，你是甚麼言語！你不想，我為你母老家寒上放了你去，今日你倒來陷我為不義？」

吳學究道：「既然都頭不肯去時，我們自告退，相辭了去休。」

朱仝道：「說我賤名，上覆眾位頭領。」一同到橋邊。

朱仝回來，不見了小衙內，叫起苦來，兩頭沒路去尋。雷橫扯住朱仝道：「哥哥休尋，多管是我帶來的兩個伴當，聽得哥哥不肯去，因此倒抱了小衙內去了。我們一同去尋。」

朱仝道：「兄弟，不是耍處。這個小衙內是知府相公的性命，吩咐在我身上。」

雷橫道：「哥哥且跟我來。」朱仝幫住雷橫、吳用三個離了地藏寺，逕出城外。朱仝心慌，便問道：「你的伴當抱小衙內在哪裡？」

雷橫道：「哥哥且走，到我下處，包還你小衙內。」

朱仝道：「遲了時，恐知府相公見怪。」

吳用道：「我那帶來的兩個伴當，是個沒分曉的，一定直抱到我們的下處去了。」朱仝道：「你那伴當姓甚名誰？」

雷橫答道：「我也不認得，只聽聞叫做黑旋風李逵。」

朱仝失驚道：「莫不是江州殺人的李逵麼？」

吳用道：「便是此人。」朱仝跌腳叫苦，慌忙便趕。

離城約走到二十里，只見李逵在前面叫道：「我在這裡。」

朱仝搶近前來問道：「小衙內放在哪裡？」

李逵唱個喏道：「拜揖節級哥哥，小衙內有在這裡。」

◆惹口面——惹是非。

朱仝道：「你好好的抱出小衙內還我。」

李逵指著頭上道：「小衙內頭鬚兒卻在我頭上。」朱仝看了，又問小衙內正在何處。

李逵道：「被我拿些麻藥，抹在口裡，直拖出城來，如今睡在林子裡，你自請去看。」朱仝乘著月色明朗，逕搶入林子裡尋時，只見小衙內倒在地上。朱仝便把手去扶時，只見頭劈做兩半個，已死在那裡。

當時朱仝心下大怒，奔出林子來，早不見了三個人。四下裡望時，只見黑旋風遠遠地拍著雙斧叫道：「來，來，來！和你鬥二、三十合！」

朱仝性起，奮不顧身，拽扎起布衫，大踏步趕將來。李逵回身便走，背後朱仝趕來。這李逵卻是穿山度嶺慣走的人，朱仝如何趕得上，先自喘做一塊。李逵卻在前面，又叫：「來，來，來！」朱仝恨不得一口氣吞了他，只是趕他不上。趕來趕去，天色漸明。李逵在前面急趕急走，慢趕慢行，不趕不走，看看趕入一個大莊院裡去了。

朱仝看了道：「那廝既有下落，我和他干休不得！」

朱仝直趕入莊院內廳前去，見裡面兩邊都插著許多軍器，朱仝道：「想必也是個官宦之家。」立住了腳，高聲叫道：「莊裡有人麼？」只見屏風背後轉出一個人來。那人是誰？正是：

累代金枝玉葉，先朝鳳子龍孫。
丹書鐵券護家門，萬里招賢名振。
待客一團和氣，揮金滿面陽春。
能文會武孟嘗君，小旋風聰明柴進。

出來的正是小旋風柴進，問道：「兀的是誰？」

朱仝見那人人物軒昂，資質秀麗，慌忙施禮，答道：「小人是鄆城縣當牢節級朱仝，犯罪刺配到此。昨晚因和知府的小衙內出來看放河燈，被黑旋風殺了小衙內，現今走在貴莊，望煩添力捉拿送官。」

柴進道：「既是美髯公，且請坐。」

朱仝道：「小人不敢拜問官人高姓？」

柴進答道：「小可姓柴名進，小旋風便是。」

朱仝道：「久聞大名。」連忙下拜，又道：「不期今日得識尊顏。」

柴進說道：「美髯公亦久聞名，且請後堂說話。」朱仝隨著柴進直到裡面。

朱仝道：「黑旋風那廝如何卻敢逕入貴莊躲避？」

柴進道：「容覆：小可平生專愛結識江湖上好漢。為是家間祖上有陳橋讓位之功，先朝曾敕賜丹書鐵券，但有做下不是的人，停藏在家，無人敢搜。近間有個愛友，和足下亦是舊交，目今在那梁山泊內做頭領，名喚及時雨宋公明，寫一封密書，令吳學究、雷橫、黑旋風俱在敝莊安歇，禮請足下上山，同聚大義。因見足下推阻不從，故意教李逵殺害了小衙內，先絕了足下歸路，只得上山坐把交椅。吳先生、雷兄，如何不出來陪話？」

只見吳用、雷橫從側首閣子裡出來，望著朱仝便拜，說道：「兄長，望乞恕罪！皆是宋公明哥哥將令吩咐如此。若到山寨，自有分曉。」

朱仝道：「是則是你們弟兄好情意，只是忒毒些個！」

柴進一力相勸，朱仝道：「我去則去，只教我見黑旋風面罷！」

柴進道：「李大哥，你也快出來陪話。」

李逵也從側首出來，唱個大喏。朱仝見了，心頭一把無明業火高三千丈，按納不下，起身搶近前來，要和李逵性命相搏。柴進、雷橫、吳用三個苦死勸住。

朱仝道：「若要我上山時，依得我一件事，我便去。」

吳用道：「休說一件事，遮莫幾十件，也都依你。願聞哪一件事？」

不爭朱仝說出這件事來，有分教：大鬧高唐州，惹動梁山泊。直教：

招賢國戚遭刑法，好客皇親喪土坑。

畢竟朱仝說出甚麼事來？且聽下回分解。

第五二回

李逵打死殷天錫
柴進失陷高唐州

話說當下朱仝對眾人說道：「若要我上山時，你只殺了黑旋風，與我出了這口氣，我便罷！」

李逵聽了大怒道：「教你咬我鳥！晁、宋二位哥哥將令，干我屁事！」

朱仝怒發，又要和李逵廝併，三個又勸住了。朱仝道：「若有黑旋風時，我死也不上山去！」

柴進道：「恁地也卻容易，我自有個道理，只留下李大哥在我這裡便了。你們三個自上山去，以滿晁、宋二公之意。」

朱仝道：「如今做下這件事了，知府必然行移文書，去鄆城縣追捉，拿我家小，如之奈何？」

吳學究道：「足下放心，此時多敢宋公明已都取寶眷在山上了。」

朱仝方才有些放心。柴進置酒相待，就當日送行。三個臨晚，辭了柴大官人便行。柴進叫莊客備三騎馬送出關外。

臨別時，吳用又吩咐李逵道：「你且小心，只在大官人莊上住幾時，切不可胡亂惹事累人。待半年三個月，等他性定，卻來取你還山，多管也來請柴大官人入夥。」三個自上馬去了。

不說柴進和李逵回莊，且只說朱仝隨吳用、雷橫來梁山泊入夥。行了一程，出離滄州地界，莊客自騎了馬回去。三個取路投梁山泊來，於路無話。早到朱貴酒店裡，先使人上山寨報知。

晁蓋、宋江引了大小頭目，打鼓吹笛，直到金沙灘迎接，一行人都相見了。各人乘馬回到山上大寨前下了馬，都到聚義廳上，敘說舊話。

朱仝道：「小弟今蒙呼喚到山，滄州知府必然行移文書，去鄆城縣捉我老小，如之奈何？」

宋江大笑道：「我教長兄放心，尊嫂並令郎已取到這裡多日了。」

朱仝又問道：「現在何處？」

宋江道：「奉養在家父太公歇處，兄長請自己去問慰便了。」朱仝大喜。

宋江著人引朱仝直到宋太公歇所，見了一家老小，並一應細軟行李。妻子說道：「近日有人齎書來，說你已在山寨入夥了，因此收拾星夜到此。」朱仝出來拜謝了眾人。宋江便請朱仝、雷橫山頂下寨，一面且做筵席，連日慶賀新頭領，不在話下。

卻說滄州知府至晚不見朱仝抱小衙內回來，差人四散去尋了半夜，次日有人見殺死在林子裡，報與知府知道。府尹聽了大怒，親自到林子裡看了，慟哭不已，備辦棺木燒化。次日升廳，便行移公文，諸處緝捕捉拿朱仝正身。鄆城縣已自申報朱仝妻子挈家在逃，不知去向，行開各州縣出給賞錢捕獲，不在話下。

只說李逵在柴進莊上住了一個來月。

忽一日，見一個人齎一封書火急奔莊上來，柴大官人卻好迎著，接書看了，大驚道：「既是如此，我只得去走一遭。」

李逵便問道：「大官人有甚緊事？」

柴進道：「我有個叔叔柴皇城，現在高唐州居住。今被本州知府高廉的老婆兄弟殷天錫那廝來要占花園，嘔了一口氣，臥病在床，早晚性命不保。必有遺囑的言語吩咐，特來喚我。想叔叔無兒無女，必須親身去走一遭。」

李逵道：「既是大官人去時，我也跟大官人去走一遭如何？」

柴進道：「大哥肯去時，就同走一遭。」

柴進即便收拾行李，選了十數匹好馬，帶了幾個莊客。次日五更起來，柴進、李逵並從人都上了馬，離了莊院望高唐州來。

不一日，來到高唐州，入城直至柴皇城宅前下馬，留李逵和從人在外面廳房內。柴進自逕入臥房裡來看視那叔叔柴皇城時，但見：

面如金紙，體似枯柴。
悠悠無七魄三魂，細細只一絲兩氣。
牙關緊急，連朝水米不沾唇；
心膈膨脹，盡日藥丸難下肚。
喪門弔客已隨身，扁鵲盧醫難下手。

柴進看了柴皇城，自坐在叔叔榻前，放聲慟哭。皇城的繼室出來勸柴進道：「大官人鞍馬風塵不易，初到此間，且休煩惱。」柴進施禮罷，便問事情。繼室答道：「此間新任知府高廉，兼管本州兵馬，是東京高太尉的叔伯兄弟，倚仗他哥哥勢要，在這裡無所不為。帶將一個妻舅殷天錫來，人盡稱他做殷直閣。那廝年紀卻小，又倚仗他姐夫高廉的權勢，在此間橫行害人。有那等獻勸的賣科，對他說我家宅後有個花園水亭，蓋造得好。那廝帶將許多奸詐不良的三、二十人，逕入家裡來宅子後看了，便要發遣我們出去，他要來住。

「皇城對他說道：『我家是金枝玉葉，有先朝丹書鐵券在門，諸人不許欺侮。你如何敢奪占我的住宅，趕我老小哪裡去？』

「那廝不容所言，定要我們出屋。皇城去扯他，反被這廝推搶毆打。因此受這口氣，一臥不起、飲食不吃，服藥無效，眼見得上天遠，入地近。今日得大官人來家做個主張，便有些山高水低，也更不憂。」

柴進答道：「尊嬸放心，只顧請好醫士◈調治叔叔。但有門戶◈，小姪自使人回滄州家裡，去取丹書鐵券來，和他理會。便告到官府、今上御前，也不怕他！」

繼室道：「皇城幹事，全不濟事，還是大官人理論是得。」

◈**面如金紙**—臉色像金紙一樣發黃，形容生病的樣子。
喪門弔客—喪門、弔客均為四柱神煞，而且是兩個主凶的神煞，在八字算命中代表著喪事。
扁鵲盧醫—原姓秦，名緩，字越人，又號盧醫。
賣科—賣弄能幹。 **醫士**—醫生。 **門戶**—指官司。

柴進看視了叔叔一回，卻出來和李逵並帶來人從說知備細。

李逵聽了，跳將起來說道：「這廝好無道理！我有大斧在這裡，教他吃我幾斧，卻再商量。」

柴進道：「李大哥，你且息怒，沒來由，和他粗鹵做甚麼？他雖是倚勢欺人，我家放著有護持聖旨，這裡和他理論不得，須是京師也有大似他的，放著明明的條例，和他打官司。」

李逵道：「條例，條例！若還依得，天下不亂了！我只是前打後商量，那廝若還去告，和那鳥官一發都砍了！」

柴進笑道：「可知朱仝要和你廝併，見面不得。這裡是禁城之內，如何比得你小寨裡橫行？」

李逵道：「禁城便怎地？江州無為軍偏我不曾殺人？」

柴進道：「等我看了頭勢，用著大哥時，那時相央，無事只在房裡請坐。」

正說之間，裡面侍妾慌忙來請大官人看視皇城。

柴進入到裡面臥榻前，只見皇城擱著兩眼淚，對柴進說道：「賢姪志氣軒昂，不辱祖宗。我今日被殷天錫毆死，你可看骨肉之面，親齎書往京師攔駕告狀，與我報仇，九泉之下，也感賢姪親意。保重，保重！再不多囑！」言罷，便放了命◈。柴進痛哭了一場。

繼室恐怕昏暈，勸住柴進道：「大官人煩惱有日，且請商量後事。」柴進道：「誓書在我家裡，不曾帶得來，星夜教人去取，須用將往東京告狀。叔叔尊靈，且安排棺槨盛殮，成了孝服◈，卻再商量。」柴進教依官制，備辦內棺外槨，依禮鋪設靈位，一門穿了重孝◈，大小舉哀。李逵在外面聽得堂裡哭泣，自己摩拳擦掌價氣，問從人都不肯說。

宅裡請僧修設好事功果。至第三日，只見這殷天錫騎著一匹攛行◈的馬，

◈**放命**——失去生命。即死去。

孝服——孝服的顏色代表服喪之人與亡者的親疏遠近，也是司儀規範禮儀的依據，在葬儀上是很重要的禮節。　**重孝**——最隆重的孝服，在直系親屬的喪禮時所穿。　**攛行**——奔跑。

將引閒漢三、二十人，手執彈弓、川弩、吹筒◆、氣毬◆、粘竿◆、樂器，城外遊玩了一遭，帶五七分酒，佯醉假顛，逕來到柴皇城宅前，勒住馬，叫裡面管家的人出來說話。柴進聽得說，掛著一身孝服，慌忙出來答應。那殷天錫在馬上問道：「你是他家甚麼人？」

柴進答道：「小可是柴皇城親姪柴進。」

殷天錫道：「前日我吩咐道，教他家搬出屋去，如何不依我言語？」

柴進道：「便是叔叔臥病，不敢移動，夜來已自身故，待斷七了搬出去。」

殷天錫道：「放屁！我只限你三日便要出屋，三日外不搬，先把你這廝枷號起，先吃我一百訊棍！」

柴進道：「直閣◆休恁相欺！我家也是龍子龍孫，放著先朝丹書鐵券，誰敢不敬？」殷天錫喝道：「你將出來我看！」

柴進道：「現在滄州家裡，已使人去取來。」

殷天錫大怒道：「這廝正是胡說！便有誓書鐵券，我也不怕，左右與我打這廝！」

眾人卻待動手，原來黑旋風李逵在門縫裡都看見，聽得喝打柴進，便拽開房門，大吼一聲，直搶到馬邊，早把殷天錫揪下馬來，一拳打翻。那二、三十人卻待搶他，被李逵手起，早打倒五六個，一哄都走了。李逵將殷天錫提起來，拳頭腳尖一發上，柴進哪裡勸得住。看那殷天錫時，嗚呼哀哉，伏惟尚饗。有詩為證：

慘刻侵謀倚橫豪，豈知天理竟難逃。
李逵猛惡無人敵，不見閻羅不肯饒。

李逵將殷天錫打死在地，柴進只叫得苦，便教李逵且去後堂商議。柴進道：「眼見得便有人到這裡，你安身不得了。官司我自支吾，你快

◈吹筒──一種捕捉蟲鳥的工具。
氣毬──一種蹴踢的球。用皮片縫合，內充羽毛，玩法類似踢毽子。
粘竿──頂端塗有黏劑，立在田野中捕鳥的竿子。
直閣──本是編修官名，宋元間用作對富家子弟的尊稱。

走回梁山泊去。」

李逵道：「我便走了，須連累你。」

柴進道：「我自有誓書鐵券護身，你便快走，事不宜遲。」

李逵取了雙斧，帶了盤纏，出後門，自投梁山泊去了。不多時，只見二百餘人各執刀杖槍棒，圍住柴皇城家。

柴進見來捉人，便出來說道：「我同你們府裡分訴去。」

眾人先縛了柴進，便入家裡搜捉行凶黑大漢，不見，只把柴進綁到州衙內，當廳跪下。知府高廉聽得打死了他的舅子殷天錫，正在廳上咬牙切齒忿恨，只待拿人來。

早把柴進驅翻在廳前階下，高廉喝道：「你怎敢打死了我舅子殷天錫？」

柴進告道：「小人是柴世宗嫡派子孫，家間有先朝太祖誓書鐵券，現在滄州居住。為是叔叔柴皇城病重，特來看視，不幸身故，現今停喪在家。殷直閣將帶三、二十人到家，定要趕逐出屋，不容柴進分說，喝令眾人毆打，被莊客李大救護，一時行凶打死。」

高廉喝道：「李大現在哪裡？」柴進道：「心慌逃走了。」

高廉道：「他是個莊客，不得你的言語，如何敢打死人！你又故縱他逃走了，卻來瞞昧官府！你這廝，不打如何肯招？牢子下手，加力與我打這廝！」

柴進叫道：「莊客李大救主，誤打死人，非干我事。放著先朝太祖誓書，如何便下刑法打我？」

高廉道：「誓書在哪裡？」

柴進道：「已使人回滄州去取來也。」

高廉大怒，喝道：「這廝正是抗拒官府！左右腕頭加力，好生痛打！」眾人下手，把柴進打得皮開肉綻，鮮血迸流，只得招做使令莊客李大打死殷天錫，取面二十五斤死囚枷釘了，發下牢裡監收。殷天錫屍首檢驗了，自把棺木殯葬，不在話下。

這殷夫人要與兄弟報仇，教丈夫高廉抄扎◆了柴皇城家私◆，監禁下人

◆抄扎—搜查沒收。　家私—家財、家產。

口，占住了房屋園院。柴進自在牢中受苦。有詩為證：

　　脂唇粉面毒如蛇，鐵券金書空裡花。
　　可怪祖宗能讓位，子孫猶不保身家。

卻說李逵連夜回梁山泊，到得寨裡，來見眾頭領。朱仝一見李逵，怒從心起，掣條朴刀，逕奔李逵。黑旋風拔出雙斧，便鬥朱仝。晁蓋、宋江並眾頭領，一齊向前勸住。

宋江與朱仝陪話道：「前者殺了小衙內，不干李逵之事。卻是軍師吳學究因請兄長不肯上山，一時定的計策。今日既到山寨，便休記心，只顧同心協助，共興大義，休教外人恥笑。」便叫李逵兄弟與朱仝陪話。

李逵睜著怪眼，叫將起來，說道：「他直恁般做得起！我也多曾在山寨出氣力，他又不曾有半點之功，卻怎地倒教我陪話！」

宋江道：「兄弟，卻是你殺了小衙內，雖是軍師嚴令，論齒序，他也是你哥哥。且看我面，與他伏個禮，我卻自拜你便了。」

李逵吃宋江央及不過，便道：「我不是怕你，為是哥哥逼我，沒奈何了，與你陪話。」李逵吃宋江逼住了，只得撇了雙斧，拜了朱仝兩拜。朱仝方才消了這口氣。山寨裡晁頭領且教安排筵席，與他兩個和解。

李逵說起：「柴大官人因去高唐州看親叔叔柴皇城病症，卻被本州高知府妻舅殷天錫，要奪屋宇花園，毆罵柴進，吃我打死了殷天錫那廝。」

宋江聽罷，失驚道：「你自走了，須連累柴大官人吃官司！」

吳學究道：「兄長休驚。等戴宗回山，便有分曉。」

李逵問道：「戴宗哥哥哪裡去了？」

吳用道：「我怕你在柴大官人莊上惹事不好，特地教他來喚你回山。他到那裡不見你時，必去高唐州尋你。」說言未絕，只見小校來報戴院長回來了。宋江便去迎接，到了堂上坐下，便問柴大官人一事。

戴宗答道：「去到柴大官人莊上，已知同李逵投高唐州去了。逕奔那裡去打聽，只見滿城人傳道殷天錫因爭柴皇城莊屋，被一個黑大漢打死了，現今負累了柴大官人陷於縲絏，下在牢裡。柴皇城一家人口家私，盡都抄扎了。柴大官人性命早晚不保。」

晁蓋道：「這個黑廝又做出來了，但到處便惹口面！」

李逵道：「柴皇城被他打傷，嘔氣死了，又來占他房屋，又喝教打柴大官人，便是活佛也忍不得！」

晁蓋道：「柴大官人自來與山寨有恩，今日他有危難，如何不下山去救他。我親自去走一遭。」

宋江道：「哥哥是山寨之主，如何可便輕動。小可和柴大官人舊來有恩，情願替哥哥下山。」

吳學究道：「高唐州城池雖小，人物稠穰◈，軍廣糧多，不可輕敵。煩請林沖、花榮、秦明、李俊、呂方、郭盛、孫立、歐鵬、楊林、鄧飛、馬麟、白勝十二個頭領，部引馬步軍兵五千，作前隊先鋒。中軍主帥宋公明、吳用，並朱仝、雷橫、戴宗、李逵、張橫、張順、楊雄、石秀十個頭領，部引馬步軍兵三千策應。」

共該二十二位頭領，辭了晁蓋等眾人，離了山寨，望高唐州進發。端的好整齊，但見：

繡旗飄號帶，畫角間銅鑼。

三股叉、五股叉，燦燦秋霜；點鋼槍、蘆葉槍，紛紛瑞雪。

蠻牌◆遮路，強弓硬弩當先；火炮隨車，大戟長戈擁後。

鞍上將似南山猛虎，人人好鬥能爭；

坐下馬如北海蒼龍，騎騎能衝敢戰。

端的槍刀流水急，果然人馬撮風◆行。

梁山泊前軍已到高唐州地界，早有軍卒報知高廉。

高廉聽了，冷笑道：「你這夥草賊在梁山泊窩藏，我兀自要來剿捕你，

◆人物稠穰—指人口稠密。　蠻牌—用南方產的粗藤做的盾牌。

撮風—集攏在一起的風，即疾風。形容行動迅速。

今日你倒來就縛，此是天教我成功。左右快傳下號令，整點軍馬出城迎敵，著那眾百姓上城守護。」

這高知府上馬管軍，下馬管民，一聲號令下去，那帳前都統、監軍、統領、統制、提轄軍職一應官員，個個部領軍馬，就教場裡點視已罷，諸將便擺布出城迎敵。高廉手下有三百梯己軍士，號為飛天神兵，一個個都是山東、河北、江西、湖南、兩淮、兩浙選來的精壯好漢。那三百飛天神兵怎生結束，但見：

頭披亂髮，腦後撒一把煙雲；身掛葫蘆，背上藏千條火焰。
黃抹額齊分八卦，豹皮甲盡按四方。
熟銅面具似金裝，鑌鐵滾刀如掃帚。
掩心鎧甲，前後豎兩面青銅；照眼旌旗，左右列千層黑霧。
疑是天蓬離斗府，正如月孛◆下雲衢。

那知府高廉親自引了三百神兵，披甲背劍，上馬出到城外，把部下軍官周迴排成陣勢，卻將三百神兵列在中軍，搖旗吶喊，擂鼓鳴金，只等敵軍到來。卻說林沖、花榮、秦明引領五千人馬到來，兩軍相迎，旗鼓相望；各把強弓硬弩，射住陣腳。兩軍中吹動畫角，發起擂鼓。花榮、秦明帶同十個頭領，都到陣前，把馬勒住。

頭領林沖，橫丈八蛇矛，躍馬出陣厲聲高叫：「高唐州納命的出來！」

高廉把馬一縱，引著三十餘個軍官，都出到門旗下，勒住馬，指著林沖罵道：「你這夥不知死的叛賊，怎敢直犯俺的城池？」

林沖喝道：「你這個害民強盜，我早晚殺到京師，把你那廝欺君賊臣高俅，碎屍萬段，方是願足！」

高廉大怒，回頭問道：「誰人出馬先捉此賊去？」

軍官隊裡轉出一個統制官，姓于名直，拍馬掄刀逕出陣前。林沖見了，逕奔于直，兩個戰不到五合，于直被林沖心窩裡一蛇矛刺著，翻筋斗攧下馬

◈**月孛**——星命家十一曜之一，九日行一度。

去。高廉見了大驚：「再有誰人出馬報仇？」

軍官隊裡又轉出一個統制官，姓溫，雙名文寶，使一條長槍，騎一匹黃驃馬，鑾鈴響，珂佩鳴，早出到陣前；四隻馬蹄蕩起征塵，直奔林沖。

秦明見了，大叫：「哥哥稍歇，看我立斬此賊。」

林沖勒住馬，收了點鋼矛，讓秦明戰溫文寶。兩個約鬥十合之上，秦明放個門戶，讓他槍搠入來，手起棍落，把溫文寶削去半個天靈蓋，死於馬上，那馬跑回本陣去了。兩陣軍相對，齊聲吶喊。

高廉見連折二將，便去背上掣出那口太阿寶劍來，口中念念有詞，喝聲道：「疾！」只見高廉隊中捲起一道黑氣。那道氣散至半空裡，飛沙走石，撼天搖地，颳起怪風，逕掃過對陣來。

林沖、秦明、花榮等眾將，對面不能相顧，驚得那坐下馬亂竄咆哮，眾人回身便走。高廉把劍一揮，指點那三百神兵，從陣裡殺將出來，背後官軍協助，一掩過來，趕得林沖等軍馬星落雲散，七斷八續，呼兄喚弟，覓子尋爺，五千軍兵折了一千餘人，直退回五十里下寨。高廉見人馬退去，也收了本部軍兵，入高唐州城裡安下。

卻說宋江中軍人馬到來，林沖等接著，具說前事。宋江、吳用聽了大驚，與軍師道：「是何神術，如此利害！」吳學究道：「想是妖法，若能回風返火，便可破敵。」宋江聽罷，打開天書看時，第三卷上有回風返火破陣之法。宋江大喜，用心記了咒語並祕訣，整點人馬，五更造飯吃了，搖旗擂鼓，殺奔城下來。

有人報入城中，高廉再點了得勝人馬，並三百神兵，開放城門，布下吊橋，出來擺成陣勢。宋江帶劍縱馬出陣前，望見高廉軍中一簇皂旗，吳學

◈**太阿寶劍**——《史記‧李斯列傳》：「服太阿之劍，乘纖離之馬。」相傳太阿劍為春秋時歐冶子、干將所鑄，也作「泰阿」。

究道：「那陣內皂旗，便是使『神師計』的軍法。但恐又使此法，如何迎敵？」

宋江道：「軍師放心，我自有破陣之法。諸軍眾將勿得驚疑，只顧向前殺去。」

高廉吩咐大小將校：「不要與他強敵挑鬥，但見牌響，一齊併力擒獲宋江，我自有重賞。」兩軍喊聲起處，高廉馬鞍上掛著那面聚獸銅牌，上有龍章鳳篆，手裡拿著寶劍，出到陣前。

宋江指著高廉罵道：「昨夜我不曾到，兄弟們誤折一陣。今日我必要把你誅盡殺絕！」

高廉喝道：「你這夥反賊，快早早下馬受縛，省得我腥手汙腳！」言罷把劍一揮，口中念念有詞，喝聲道：「疾！」黑氣起處，早捲起怪風來。

宋江不等那風到，口中也念念有詞，左手捏訣◆，右手提劍一指，說聲道：「疾！」那陣風不望宋江陣裡來，倒望高廉神兵隊裡去了。

宋江卻待招呼人馬殺將過去，高廉見回了風，急取銅牌，把劍敲動，向那神兵隊裡捲一陣黃沙，就中軍走出一群猛獸。但見：

狻猊舞爪，獅子搖頭。閃金獬豸◆逞威雄，奮錦貔貅◆施勇猛。豺狼作對吐獠牙，直奔雄兵；虎豹成群張巨口，來噴劣馬。帶刺野豬衝陣入，捲毛惡犬撞人來。如龍大蟒撲天飛，吞象頑蛇鑽地落。

高廉銅牌響處，一群怪獸毒蟲，直衝過來，宋江陣裡眾多人馬驚呆了。宋江撇了劍，撥回馬先走，眾頭領簇捧著盡都逃命。大小軍校，你我不能相顧，奪路而走。高廉在後面把劍一揮，神兵在前，官軍在後，一齊掩殺

◆捏訣──按照口訣而行掐指的動作。貔貅──一種猛獸。比喻勇猛的將士。

獬豸──古代傳說中的異獸。形似牛，一說似羊，獨角，能分辨曲直，見人打鬥時，會用角觸擊理虧的人。

將來。宋江人馬，大敗虧輸。高廉趕殺二十餘里，鳴金收軍，城中去了。宋江來到土坡下，收住人馬，紮下寨柵，雖是損折了些軍卒，卻喜眾頭領都有。

屯住軍馬，便與軍師吳用商議道：「今番打高唐州，連折了兩陣，無計可破神兵，如之奈何？」

吳學究道：「若是這廝會使『神師計』，他必然今夜要來劫寨，可先用計提備，此處只可屯紮些少軍馬，我等去舊寨內駐紮。」

宋江傳令，只留下楊林、白勝看寨，其餘人馬，退去舊寨內將息。且說楊林、白勝引人離寨半里草坡內埋伏，等到一更時分。但見：

雲生四野，霧漲八方。
搖天撼地起狂風，倒海翻江飛急雨。
雷公忿怒，倒騎火獸逞神威；電母生嗔，亂掣金蛇施聖力。
大樹和根拔去，深波徹底捲乾。
若非灌口斬蛟龍，疑是泗州降水母。

當夜風雷大作，楊林、白勝引著三百餘人伏在草裡看時，只見高廉步走，引領三百神兵，吹風唿哨，殺入寨裡來，見是空寨，回身便走。楊林、白勝吶聲喊，高廉只怕中了計，四散便走，三百神兵各自奔逃。楊林、白勝亂放弩箭，只顧射去，一箭正中高廉左肩，眾軍四散，冒雨趕殺。高廉引領了神兵去得遠了，楊林、白勝人少，不敢深入。

少刻，雨過雲收，復見一天星斗，月光之下，草坡前搠翻射死拿得神兵二十餘人，解赴宋公明寨內。具說雷雨風雲之事。

宋江、吳用見說，大驚道：「此間只隔得五里遠近，卻又無雨無風。」眾人議道：「正是妖法只在本處，離地只有三、四十丈，雲雨氣味，是左近水泊中攝將來的。」

楊林說：「高廉也自披髮仗劍，殺入寨中，身上中了我一弩箭，回城中去了。為是人少，不敢去追。」

宋江分賞楊林、白勝。把拿來的中傷神兵斬了。分撥眾頭領下了七八個小寨，圍繞大寨，提備再來劫寨，一面使人回山寨，取軍馬協助。

且說高廉自中了箭，回到城中養病，令軍士：「守護城池，曉夜提備，且休與他廝殺。待我箭瘡平復起來，捉宋江未遲。」

卻說宋江見折了人馬，心中憂悶，和軍師吳用商量道：「只這個高廉尚且破不得，倘或別添他處軍馬，併力來劫，如之奈何？」吳學究道：「我想要破高廉妖法，只除非依我如此如此。若不去請這個人來，柴大官人性命，也必難救。高唐州城子，永不能得。」正是：

要除起霧興雲法，須請通天徹地◈人。

畢竟吳學究說這個人是誰？且聽下回分解。

◈**通天徹地**——形容本領高強，無所不能。

第五三回

戴宗智取公孫勝
李逵斧劈羅真人

話說當下吳學究對宋公明說道：「要破此法，只除非快教人去薊州尋取公孫勝來，便可破得。」

宋江道：「前番戴宗去了幾時，全然打聽不著，卻哪裡去尋？」

吳用道：「只說薊州，有管下多少縣治、鎮市、鄉村，他須不曾尋得到。我想公孫勝是個清高的人，必然在某個名山洞府，大川真境居住。今番教戴宗可去繞薊州管下縣治名山仙境去處，尋覓一遭，不愁不見他。」

宋江聽罷，隨即叫請戴院長商議，可往薊州尋取公孫勝。

戴宗道：「小可願往，只是得一個

做伴的去方好。」

吳用道：「你作起神行法來，誰人趕得你上？」

戴宗道：「若是同伴的人，我也把甲馬拴在他腿上，教他也走得許多路程。」

李逵便道：「我與戴院長做伴走一遭。」

戴宗道：「你若要跟我去，須要一路上吃素，都聽我的言語。」

李逵道：「這個有甚難處？我都依你便了。」

宋江、吳用吩咐道：「路上小心在意，休要惹事。若得見了，早早回來。」

李逵道：「我打死了殷天錫，卻教柴大官人吃官司。我如何不要救他？今番並不敢惹事了。」二人各藏了暗器，拴縛了包裹，拜辭宋江並眾人，離了高唐州，取路投薊州來。

走了二十餘里，李逵立住腳道：「大哥，買碗酒吃了走也好。」

戴宗道：「你要跟我作神行法，須要只吃素酒。且向前面去。」

李逵答道：「便吃些肉，也打甚麼緊。」

戴宗道：「你又來了。今日已晚，且尋客店宿了，明日早行。」

兩個又走了三十餘里，天色昏黑，尋著一個客店歇了，燒起火來做飯，沽一角酒來吃。李逵搬一碗素飯，並一碗菜湯，來房裡與戴宗吃。

戴宗道：「你如何不吃飯？」李逵應道：「我且未要吃飯哩。」

戴宗尋思道：「這廝必然瞞著我背地裡吃葷。」戴宗自把素飯吃了，卻悄悄地來後面張時，見李逵討兩角酒，一盤牛肉，在那裡自吃。

戴宗道：「我說甚麼？且不要道破他，明日小小地耍耍他便了。」

戴宗自去房裡睡了。李逵吃了一回酒肉，恐怕戴宗說他，自暗暗的來房裡睡了。

到五更時分，戴宗起來叫李逵打火，做些素飯吃了，各分行李在背上，算還了房客錢，離了客店。

行不到二里多路，戴宗說道：「我們昨日不曾使神行法，今日須要趕程途，你先把包裹拴得牢了，我與你作法，行八百里便住。」戴宗取四個甲馬，去李逵兩隻腿上也縛了，吩咐道：「你前面酒食店裡等我。」

戴宗念念有詞，吹口氣在李逵腿上，李逵拽開腳步，渾如駕雲的一般，飛也似去了。戴宗笑道：「且著他忍一日餓。」

戴宗也自拴上甲馬，隨後趕來。李逵不省得這法，只道和他走路一般。只聽耳朵邊風雨之聲，兩邊房屋樹木，一似連排價倒了的，腳底下如雲催霧趲。李逵怕將起來，幾遍待要住腳，兩條腿哪裡收拾得住，卻似有人在下面推的相似，腳不點，只管走去了。

看見酒肉飯店，又不能夠入去買吃，李逵只得叫：「爺爺，且住一住！」看看走到紅日平西，肚裡又飢又渴，越不能夠住腳，驚得一身臭汗，氣喘做一團。

戴宗從背後趕來，叫道：「李大哥，怎的不買些點心吃了去？」李逵應道：「哥哥，救我一救，餓殺鐵牛也！」戴宗懷裡摸出幾個炊餅來自吃。

李逵叫道：「我不能夠住腳買吃，你與我兩個充飢。」

戴宗道：「兄弟，你走上來與你吃。」李逵伸著手，只隔一丈來遠近，只接不著。李逵叫道：「好哥哥，等我一等！」

戴宗道：「便是今日有些蹺蹊，我的兩條腿也不能夠住。」

李逵道：「啊也！我的這鳥腳不由我半分，自這般走了去，只好把大斧砍了那下半截下來！」

戴宗道：「只除是恁的般方好，不然，直走到明年正月初一日，也不能住。」李逵道：「好哥哥，休使道兒耍我，砍了腿下來，你卻笑我。」

戴宗道：「你敢是昨夜不依我，今日連我也走不得住。你自走去。」

李逵叫道：「好爺爺，你饒我住一住！」

戴宗道：「我的這法，不許吃葷，第一戒的是牛肉。若還吃了一塊牛肉，直要走十萬里，方才得住。」

李逵道：「卻是苦也！我昨夜不合瞞著哥哥，真個偷買幾斤牛肉吃了。

正是怎麼好！」

戴宗道：「怪得今日連我的這腿也收不住，只去天盡頭走一遭了，慢慢地卻得三五年，方才回得來。」李逵聽罷，叫起撞天屈來。

戴宗笑道：「你從今以後，只依得我一件事，我便罷得這法。」

李逵道：「老爹，我今都依你便了。」

戴宗道：「你如今敢再瞞著我吃葷麼？」

李逵道：「今後但吃葷，舌頭上生碗來大疔瘡！我見哥哥要吃素，鐵牛卻吃不得，因此上瞞著哥哥，今後並不敢了。」

戴宗道：「既是恁地，饒你這一遍！」退後一步，把衣袖去李逵腿上只一拂，喝聲「住！」李逵卻似釘住了的一般，兩隻腳立定地下，挪移不動。

戴宗道：「我先去，你且慢慢的來。」李逵正待抬腳，哪裡移得動，拽也拽不起，一似生鐵鑄就了的。

◈炊餅——蒸餅。宋時為避仁宗諱（仁宗廟諱貞）故改稱為「炊餅」。

李逵大叫道：「又是苦也！晚夕怎地得去？」

便叫道：「哥哥救我一救！」

戴宗轉回頭來笑道：「你今番依我說麼？」

李逵道：「你是我親爺，卻是不敢違了你的言語。」

戴宗道：「你今番卻要依我。」便把手挽了李逵，喝聲「起！」兩個輕輕地走了去。

李逵道：「哥哥，可憐見鐵牛，早歇了罷！」前面到一個客店，兩個且來投宿。戴宗、李逵入到房裡去，腿上都卸下甲馬來，取出幾陌紙錢燒送了，問李逵道：「今番卻如何？」

李逵道：「這兩條腿，方才是我的了。」

戴宗道：「誰著你夜來私買酒肉吃！」

李逵道：「為是你不許我吃葷，偷了些吃，也吃你耍得我夠了。」

戴宗叫李逵安排些素酒素飯吃了，燒湯洗了腳，上床歇了。睡到五更起來，洗漱罷，吃了飯，還了房錢，兩個又上路。行不到三里多路，戴宗取出甲馬道：「兄弟，今日與你只縛兩個，教你慢行些。」

李逵道：「親爺，我不要縛了。」

戴宗道：「你既依我言語，我和你幹大事，如何肯弄你？你若不依我，教你一似夜來，只釘住在這裡，只等我去薊州尋見了公孫勝，回來放你。」

李逵慌忙叫道：「我依！我依！」

戴宗與李逵當日各縛兩個甲馬，作起神行法，扶著李逵兩個一同走。原來戴宗的法，要行便行，要住便住。李逵從此哪裡敢違他言語，於路上只是買些素酒素飯，吃了便行。

話休絮煩。兩個用神行法，不旬日，迤邐來薊州城外客店裡歇了。

次日兩個入城來，戴宗扮做主人，李逵扮做僕者。繞城中尋了一日，並無一個認得公孫勝的，兩個自回店裡歇了。次日又去城中小街狹巷尋了一日，絕無消耗。李逵心焦，罵道：「這個乞丐道人，卻鳥躲在哪裡！我若見時，腦揪將去見哥哥！」

戴宗說道：「你又來了！若不聽我言語，我又教你吃苦！」

李逵笑道：「我自這般說耍。」戴宗又埋怨了一回，李逵不敢回話。兩個又來店裡歇了。

次日早起，卻去城外近村鎮市尋覓。戴宗但見老人，便施禮拜問公孫勝先生家在哪裡居住，並無一人認得。戴宗也問過數十處。當日晌午時分，兩個走得肚飢，路旁邊見一個素麵店，兩個直入來，買些點心吃。

只見裡面都坐滿，沒一個空處，戴宗、李逵立在當路。過賣問道：「客官要吃麵時，和這老人合坐一坐。」戴宗見個老丈，獨自一個占著一副大座頭，便與他施禮，唱個喏，兩個對面坐了。李逵坐在戴宗肩下，吩咐過賣造四個壯麵◈來。

戴宗道：「我吃一個，你吃三個不少麼？」

李逵道：「不濟事。一發做六個來，我都包辦。」過賣見了也笑。等了半日，不見把麵來。李逵卻見都搬入裡面去了，心中已有五分焦躁。只見過賣卻搬一個熱麵，放在合坐老人面前。那老人也不謙讓，拿起麵來便吃。那分麵卻熱，老兒低著頭，伏桌兒吃。

李逵性急，見不搬麵來，叫一聲：「過賣！」罵道：「卻教老爺等了這半日。」把那桌子只一拍，濺那老人一臉熱汁，那分麵都潑翻了。

老兒焦躁，便來揪住李逵，喝道：「你是何道理，打翻我麵？」

李逵拈起拳頭，要打老兒。戴宗慌忙喝住，與他陪話道：「丈丈休和他一般見識，小可賠丈丈一分麵。」

那老人道：「客官不知，老漢路遠，早要吃了麵回去聽講，遲時誤了程途。」

戴宗問道：「丈丈何處人氏？卻聽誰人講甚麼？」

◈**壯麵**——煮得較硬的麵條。

老兒答道：「老漢是本處薊州管下九宮縣二仙山下人氏。因來這城中買些好香回去，聽山上羅真人講說長生不老之法。」

戴宗尋思道：「莫不公孫勝也在那裡？」便問老人道：「丈丈貴莊曾有個公孫勝麼？」

老人道：「客官問別人定不知，多有人不認得他。老漢和他是鄰舍。他只有個老母在堂。這個先生，一向雲遊在外，此時喚做公孫一清。如今出姓，都只叫他清道人，不叫做公孫勝。此是俗名，無人認得。」

戴宗道：「正是踏破鐵鞋無覓處，得來全不費工夫！」

戴宗又拜問丈丈道：「九宮縣二仙山離此間多少路？清道人在家麼？」

老人道：「二仙山只離本縣四十五里便是。清道人他是羅真人上首徒弟，他本師不放離左右。」戴宗聽了大喜。連忙催趲麵來吃，和那老兒一同吃了，算還麵錢，同出店肆，問了路途。

戴宗道：「丈丈先行。小可買些香紙，也便來也。」老人作別去了。

戴宗、李逵回到客店裡，取了行李、包裹，再拴上甲馬，離了客店，兩個取路投九宮縣二仙山來。戴宗使起神行法，四十五里，片時到了。二人來到縣前，問二仙山時，有人指道：「離縣投東，只有五里便是。」兩個又離了縣治，投東而行。果然行不到五里，早望見那座仙山，委實秀麗。但見：

青山削翠，碧岫堆雲。兩崖分虎踞龍盤，四面有猿啼鶴唳。
朝看雲封山頂，暮觀日掛林梢。
流水潺漫湲，澗內聲聲鳴玉珮；飛泉瀑布，洞中隱隱奏瑤琴。
若非道侶修行，定有仙翁煉藥。

當下戴宗、李逵來到二仙山下，見個樵夫。戴宗與他施禮，說道：「借問此間清道人家在何處居住？」

◆出姓—僧道出家後，去俗家之姓稱為「出姓」。

樵夫指道：「只過這個山嘴，門外有條小石橋的便是。」兩個抹過山嘴來，見有十數間草房，一周圍矮牆，牆外一座小小石橋。兩個來到橋邊，見一個村姑提一籃新果子出來。

戴宗施禮問道：「娘子從清道人家出來，清道人在家麼？」

村姑答道：「在屋後煉丹◈。」

戴宗心中暗喜，吩咐李逵道：「你且去樹背後躲一躲。待我自入去，見了他，卻來叫你。」戴宗自入到裡面看時，一帶三間草房，門上懸掛一個蘆簾。

戴宗咳嗽了一聲，只見一個白髮婆婆從裡面出來。戴宗看那婆婆，但見：

蒼然古貌，鶴髮酡顏。
眼昏似秋月籠煙，眉白如曉霜映日。
青裙素服，依稀紫府元君◈；布襖荊釵，彷彿驪山老姥◈。
形如天上翔雲鶴，貌似山中傲雪松。

戴宗當下施禮道：「告稟老娘，小可欲求清道人相見一面。」

婆婆問道：「官人高姓？」

戴宗道：「小可姓戴，名宗，從山東到此。」

婆婆道：「孩兒出外雲遊，不曾還家。」

戴宗道：「小可是舊時相識，要說一句緊要的話，求見一面。」

婆婆道：「不在家裡。有甚話說，留下在此不妨，待回家自來相見。」

戴宗道：「小可再來。」

就辭了婆婆，卻來門外對李逵道：「今番須用著你。方才他娘說道，不在家裡，如今你可去請他。她若說不在時，你便打將起來，卻不得傷犯他老母。我來喝住，你便罷。」

◈**煉丹**—古代道士將汞、鉛、丹砂等礦石藥物置於爐火中燒煉成丹。傳說服之可治病強身且長生不老。

元君—道家稱男子登仙者為「真人」，女子登仙者為「元君」。

驪山老姥—即陝西一帶民間傳說的女媧，亦稱無極老姥。造人補天，為遠古三皇之一。

李逵先去包裹裏取出雙斧，插在兩胯下，入得門裡，叫一聲：「著個出來！」

婆婆慌忙迎著問道：「是誰？」見了李逵睜著雙眼，先有八分怕他，問道：「哥哥有甚話說？」

李逵道：「我是梁山泊黑旋風。奉著哥哥將令，教我來請公孫勝。妳叫他出來，佛眼相看，若還不肯出來，放一把鳥火，把妳家當都燒做白地！」

婆婆道：「好漢莫要恁地。我這裡不是公孫勝家，自喚做清道人。」

李逵道：「妳只叫他出來，我自認得他鳥臉！」

婆婆道：「出外雲遊未歸。」李逵拔出大斧，先砍翻一堵壁。

婆婆向前攔住，李逵道：「妳不叫妳兒子出來，我只殺了妳！」拿起斧來便砍，把那婆婆驚倒在地。只見公孫勝從裡面走將出來，叫道：「不得無禮！」有詩為證：

藥爐丹灶學神仙，遁跡深山了萬緣。

不是凶神來屋裡，公孫安肯出堂前。

戴宗便來喝道：「鐵牛，如何嚇倒老母！」戴宗連忙扶起。李逵撇了大斧，便唱個喏道：「阿哥休怪。不恁地，你不肯出來。」公孫勝先扶娘入去了，卻出來拜請戴宗、李逵，邀進一間淨室坐下，問道：「虧二位尋得到此。」

戴宗道：「自從師父下山之後，小可先來薊州尋了一遍，並無打聽處，只糾合得一夥弟兄上山。今次宋公明哥哥，因去高唐州救柴大官人，致被知府高廉兩三陣用妖法贏了，無計奈何，只得教小可和李逵逕來尋請足下。繞遍薊州，並無尋處。偶因素麵店中，得個此間老丈指引到此。「卻見村姑說足下在家燒煉丹藥，老母只是推卻，因此使李逵激出師父來。這個太鹵莽了些，望乞恕罪。哥哥在高唐州界上，度日如年，請師父便可行程，以見始終成全大義之美。」

公孫勝道：「貧道幼年飄蕩江湖，多與好漢們相聚。自從梁山泊分別回鄉，非是昧心，一者母親年老無人奉侍，二乃本師羅真人留在座前聽教，恐怕有人尋來，故意改名清道人，隱藏在此。」

戴宗道：「今者宋公明正在危急之際，師父慈悲，只得去走一遭。」

公孫勝道：「干礙老母無人養贍，本師羅真人如何肯放，其實去不得了。」戴宗再拜懇告，公孫勝扶起戴宗，說道：「再容商議。」公孫勝留戴宗、李逵在淨室裡坐定，安排些素酒素食相待。

三個吃了一回，戴宗又苦苦哀告道：「若是師父不肯去時，宋公明必被高廉捉了。山寨大義，從此休矣！」

公孫勝道：「且容我去稟問本師真人，若肯容許時，便一同去。」

戴宗道：「只今便去啟問本師。」

公孫勝道：「且寬心住一宵，明日早去。」

戴宗道：「哥哥在彼一日，如度一年，煩請師父同往一遭。」

公孫勝便起身，引了戴宗、李逵，離了家裡，取路上二仙山來。此時已是秋殘冬初時分，日短夜長，容易得晚，來到半山腰，卻早紅輪西墜。松陰裡面一條小路，直到羅真人觀前，見有朱紅牌額，上寫三個金字，書著「紫虛觀」。

三人來到觀前，看那二仙山時，果然是好座仙境。但見：

青松鬱鬱，翠柏森森。一群白鶴聽經，數個青衣碾藥。青梧翠竹，洞門深鎖碧窗寒；白雪黃芽，石室雲封丹灶暖。野鹿啣花穿徑去，山猿擎果度巖來。時聞道士談經，每見仙翁論法。虛皇壇畔，天風吹下步虛聲；禮斗殿中，鸞背忽來環珮韻。只此便為真紫府，更於何處覓蓬萊？

三人就著衣亭上，整頓衣服，從廊下入來，逕投殿後松鶴軒裡去。兩個

◈啟問——請問。

童子，看見公孫勝領人入來，報知羅真人；傳法旨，教請三人入來。當下公孫勝引著戴宗、李逵到松鶴軒內，正值真人朝真◆才罷，坐在雲床◆上。公孫勝向前行禮起居，躬身侍立。戴宗、李逵看那羅真人時，端的有神遊八極之表。但見：

星冠攢玉葉，鶴氅縷金霞。
長髯廣頰，修行到無漏之天；碧眼方瞳，服食造長生之境。
每啖安期之棗◆，曾嘗方朔之桃◆。
氣滿丹田◆，端的綠筋紫腦；名登玄籙◆，定知蒼腎青肝。
正是三更步月鸞聲遠，萬里乘雲鶴背高。

戴宗當下見了，慌忙下拜，李逵只管著眼看。

羅真人問公孫勝道：「此二位何來？」

公孫勝道：「便是昔日弟子曾告我師，山東義友是也。今為高唐州知府高廉顯逞異術，有兄宋江特令二弟來此呼喚。弟子未敢擅便，故來稟問我師。」

羅真人道：「吾弟子既脫火坑，學煉長生，何得再慕此境？」

戴宗再拜道：「容乞暫請公孫先生下山，破了高廉，便送還山。」

羅真人道：「二位不知，此非出家人閒管之事。汝等自下山去商議。」

公孫勝只得引了二人，離了松鶴軒，連晚下山來。

李逵問道：「那老仙先生說甚麼？」

戴宗道：「你偏不聽得？」李逵道：「便是不省得這般鳥則聲。」

戴宗道：「便是他的師父說道教他休去。」

◈**朝真**—道家修煉養性之術，猶佛家之坐禪。　**雲床**—僧道的坐榻。
安期之棗—傳說中的仙果名。《史記．封禪書》：「臣嘗遊海上，見安期生，安期生食巨棗大如瓜。」
方朔之桃—神話傳說，西王母種桃，三千年一結果，東方朔曾偷食，事見《漢武故事》。後用以喻仙果。　**丹田**—人體臍下一寸半或三寸的地方。　**玄籙**—道教謂神仙的名冊。

李逵聽了，叫起來道：「教我兩個走了許多路程，千難萬難尋見了，卻放出這個屁來。莫要引老爺性發，一隻手捻碎你這道冠兒，一隻手提住腰胯，把那老賊道直撞下山去！」

戴宗瞅著道：「你又要釘住了腳！」

李逵道：「不敢，不敢！我自這般說一聲兒耍。」

三個再到公孫勝家裡，當夜安排些晚飯吃了。

公孫勝道：「且權宿一宵，明日再去懇告本師。若肯時，便去。」

戴宗至夜叫了安置，兩個收拾行李，都來淨室裡睡了。兩個睡到五更左側，李逵悄悄地爬將起來。

聽得戴宗齁齁的睡著，自己尋思道：「卻不是干鳥氣麼？你原是山寨裡人，卻來問甚麼鳥師父！明朝那廝又不肯，卻不誤了哥哥的大事？我忍不得了，只是殺了那個老賊道，教他沒問處，只得和我去。」

李逵當時摸了兩把板斧，悄悄地開了房門，乘著星月明朗，一步步摸上山來。到得紫虛觀前，卻見兩扇大門關了，旁邊籬牆苦不甚高，李逵騰地跳將過去，開了大門，一步步摸入裡面來。直至松鶴軒前，只聽隔窗有人看誦玉樞寶經◆之聲。李逵爬上來舐破窗紙張時，見羅真人獨自一個坐在雲床上，面前桌兒上燒著一爐好香，點起兩枝畫燭，朗朗誦經。

李逵道：「這賊道卻不是當死！」一踅踅過門邊來，把手只一推，呀的兩扇亮槅齊開。李逵搶將入去，提起斧頭，便望羅真人腦門上劈將下來，砍倒在雲床上，流出白血來。

李逵看了，笑道：「眼見得這賊道是童男子身，頤養得元陽真氣，不曾走洩，正沒半點的紅。」李逵再仔細看時，連那道冠兒劈做兩半，一顆頭直砍到項下。

李逵道：「今番且除了一害，不煩惱公孫勝不去！」

◆玉樞寶經──道教經典。

便轉身出了松鶴軒，從側首廊下奔將出來，只見一個青衣童子攔住李逵，喝道：「你殺了我本師，待走哪裡去！」

李逵道：「你這個小賊道，也吃我一斧！」手起斧落，把頭早砍下臺基邊去。

李逵笑道：「如今只好撒開！」逕取路出了觀門，飛也似奔下山來。到得公孫勝家裡，閃入來，閉上了門，淨室裡聽戴宗時，兀自未覺。李逵依然原又去睡了。直到天明，公孫勝起來安排早飯，相待兩個吃了。

戴宗道：「再請先生同引我二人上山，懇告真人。」李逵聽了，暗暗地冷笑。

三個依原舊路，再上山來。入到紫虛觀裡松鶴軒中，見兩個童子。

公孫勝問道：「真人何在？」童子答道：「真人坐在雲床上養性。」

李逵聽說，吃了一驚，把舌頭伸將出來，半日縮不入去。三個揭起簾子入來看時，見羅真人坐在雲床上中間。

李逵暗暗想道：「昨夜莫非是錯殺了？」

羅真人便道：「汝等三人又來何幹？」

戴宗道：「特來哀告我師慈悲，救取眾人免難。」

羅真人道：「這黑大漢是誰？」

戴宗答道：「是小可義弟，姓李名逵。」

真人笑道：「本待不教公孫勝去，看他的面上，教他去走一遭。」戴宗拜謝。李逵自暗暗尋思道：「那廝知道我要殺他，卻又鳥說！」

只見羅真人道：「我教你三人片時便到高唐州如何？」三個謝了。

戴宗尋思：「這羅真人又強似我的神行法。」真人喚道童取三個手帕來。

戴宗道：「上告我師，卻是怎生教我們便能夠到高唐州？」

羅真人便起身道：「都跟我來。」三個人隨出觀門外石巖上來。

先取一個紅手帕，鋪在石上道：「吾弟子可登。」

公孫勝雙腳在上面，羅真人把袖一拂，喝聲道：「起！」

那手帕化做一片紅雲，載了公孫勝，冉冉騰空便起，離山約有二十餘丈。羅真人喝聲：「住！」那片紅雲不動。卻鋪下一個青手帕，教戴宗踏上，喝聲：「起！」那手帕卻化做一片青雲，載了戴宗，起在半空裡去了。那兩片青紅二雲，如蘆席大，起在天上轉，李逵看得呆了。羅真人卻把一個白手帕鋪在石上，喚李逵踏上。

李逵笑道：「你不是耍，若跌下來，好個大疙瘩！」

羅真人道：「你見二人麼？」李逵立在手帕上，羅真人說一聲「起！」那手帕化做一片白雲，飛將起去。

李逵叫道：「啊呀！我的不穩，放我下來！」羅真人把右手一招，那青紅二雲平平墜將下來。戴宗拜謝，侍立在面前，公孫勝侍立在左手。

李逵在上面叫道：「我也要撒尿撒屎，你不放我下來，我劈頭便撒下來也！」

羅真人問道：「我等自是出家人，不曾惱犯了你，你因何夜來越牆而過，入來把斧劈我？若是我無道德，已被殺了，又殺了我一個道童。」

李逵道：「不是我，你敢錯認了！」

羅真人笑道：「雖然只是砍了我兩個葫蘆，其心不善，且教你吃些磨難。」

把那手一招喝聲：「去！」一陣惡風，把李逵吹入雲端裡。只見兩個黃巾力士◆，押著李逵，耳邊只聽得風雨之聲，不覺逕到薊州地界，諕得魂不著體，手腳搖戰。忽聽得刮剌剌地響一聲，卻從薊州府廳屋上骨碌碌滾將下來。

當日正值府尹馬士弘坐衙，廳前立著許多公吏人等，看見半天裡落下一個黑大漢來，眾皆吃驚。馬知府見了，叫道：「且拿這廝過來！」當下十數個牢子獄卒，把李逵驅至當面。

馬府尹喝道：「你這廝是哪裡妖人？如何從半天裡吊將下來？」李逵吃跌

◆黃巾力士──道教傳說中一種護法降魔、力大無窮的仙吏，多聽命於更高一級的神將。

得頭破額裂，半晌說不出話來。

馬知府道：「必然是個妖人！」教去取些法物來。牢子、節級將李逵捆翻，驅下廳前草地裡，一個虞候，掇一盆狗血，沒頭一淋；又一個提一桶尿糞來，望李逵頭上直澆到腳底下。李逵口裡、耳朵裡都是狗血、尿屎。

李逵叫道：「我不是妖人，我是跟羅真人的伴當！」原來薊州人都知道羅真人是個現世的活神仙，因此不肯下手傷他。再驅李逵到廳前，早有吏人稟道：「這薊州羅真人是天下有名的得道活神仙，若是他的從者，不可加刑。」

馬府尹笑道：「我讀千卷之書，每聞今古之事，未見神仙有如此徒弟，即係妖人。牢子，與我加力打那廝！」眾人只得拿翻李逵，打得一佛出世，二佛涅槃。

馬知府喝道：「你那廝快招了妖人，便不打你。」李逵只得招做「妖人李二」。取一面大枷釘了，押下大牢裡去。

李逵來到死囚獄裡，說道：「我是值日神將，如何枷了我？好歹教你這薊州一城人都死！」那押牢、節級、禁子，都知羅真人道德清高，誰不欽服，都來問李逵：「你這個端的是甚麼人？」

李逵道：「我是羅真人親隨值日神將，因一時有失，惡了真人，把我撇在此間，教我受此苦難，三兩日必來取我。你們若不把些酒食來將息我時，我教你們眾人全家都死！」那節級、牢子見了他說，倒都怕他，只得買酒買肉請他吃。李逵見他們害怕，越說起風話來。牢裡眾人越怕了，又將熱水來與他洗浴了，換些乾淨衣裳。

李逵道：「若還缺了我酒食，我便飛了去，教你們受苦。」牢裡禁子只得倒陪告他。李逵陷在薊州牢裡不提。

且說羅真人把上項的事，一一說與戴宗。戴宗只是苦苦哀告，求救李逵。羅真人留住戴宗在觀裡宿歇，動問山寨裡事務。戴宗訴說晁天王、宋公明仗義疏財，專只替天行道，誓不損害忠臣烈士、孝子賢孫、義夫節婦，許多好處。羅真人聽罷默然。一住五日，戴宗每日磕頭禮拜，求告真人，乞救李逵。

羅真人道：「這等人只可驅除了罷，休帶回去。」

戴宗告道：「真人不知：李逵雖是愚蠢，不省禮法，也有些小好處。第一，耿直，分毫不肯苟取於人。第二，不會阿諂於人，雖死其忠不改。第三，並無淫慾邪心，貪財背義，敢勇當先。因此宋公明甚是愛他。不爭沒了這個人回去，教小可難見兄長宋公明之面。」

羅真人笑道：「貧道已知這人是上界天殺星之數。為是下土眾生作業太重，故罰他下來殺戮。吾亦安肯逆天，壞了此人？只是磨他一會，我叫取來還你。」戴宗拜謝。

羅真人叫一聲：「力士安在？」就松鶴軒前起一陣風。風過處，一尊黃巾力士出現，但見：

面如紅玉，鬚似皂絨。彷彿有一丈身材，縱橫有千斤氣力。

黃巾側畔，金環日耀噴霞光；繡襖中間，鐵甲霜鋪吞月影。

常在壇前護法，每來世上降魔。

那個黃巾力士上告：「我師有何法旨？」

羅真人道：「先差你押去薊州的那人，罪業已滿。你還去薊州牢裡取他回來，速去速回。」力士聲喏去了。約有半個時辰，從虛空裡把李逵撇將下來。

戴宗連忙扶住李逵，問道：「兄弟這兩日在哪裡？」

李逵看了羅真人，只管磕頭拜說道：「鐵牛不敢了也！」

羅真人道：「你從今以後，可以戒性，竭力扶持宋公明，休生歹心。」

李逵再拜道：「敢不遵依真人言語！」

戴宗道：「你正去哪裡走了這幾日？」

李逵道：「自那日一陣風，直刮我去薊州府裡，從廳屋脊上直滾下來，被他府裡眾人拿住。那個馬知府道我是妖人，捉翻我捆了，卻教牢子、獄卒把狗血和尿屎，淋我一頭一身，打得我兩腿肉爛，把我枷了，下在大牢裡去。眾人問我是何神從天上落下來，我因說是羅真人的親隨值日神將，因有些過失，罰受此苦，過二三日，必來取我。雖是吃了一頓棍棒，卻也得些酒食吃。

「那廝們懼怕真人，卻與我洗浴，換了一身衣裳。方才吾在亭心裡詐酒肉吃，只見半空裡跳下這個黃巾力士，把枷鎖開了，喝我閉眼，一似睡夢中，直扶到這裡。」

公孫勝道：「師父似這般的黃巾力士，有一千餘員，都是本師真人的伴當。」李逵聽了叫道：「活佛，你何不早說，免教我做了這般不是？」只顧下拜。

戴宗也再拜懇告道：「小可端的來得多日了，高唐州軍馬甚急，望乞師父慈悲，放公孫先生同弟子去救哥哥宋公明，破了高廉，便送還山。」

羅真人道：「我本不教他去，今為汝大義為重，權教他去走一遭。我有片言，汝當記取。」

公孫勝向前跪聽真人指教。正是：

滿懷濟世安邦願，來作乘鸞跨鳳人。

畢竟羅真人對公孫勝說出甚話來？且聽下回分解。

第五四回

入雲龍鬥法破高廉
黑旋風探穴救柴進

話說當下羅真人道：「弟子，你往日學的法術，卻與高廉的一般。吾今傳授與汝『五雷天罡法』，依此而行，可救宋江，保國安民，替天行道。休被人欲所縛，誤了大事，專精從前學道之心。你的老母，我自使人早晚看視，勿得憂念。汝應上界天閒星，以此容汝去助宋公明。吾有八個字，汝當記取，休得臨期有誤。」

羅真人說那八個字，道是：「逢幽而止，遇汴而還。」

公孫勝拜授了訣法，便和戴宗、李逵三個拜辭了羅真人，別了眾道伴下山。歸到家中，收拾了、寶劍二口，並鐵冠、道衣等物了當，拜辭了老母，離山上路。行過了三、四十里路程，戴宗道：「小可先去報知哥哥，先生和李逵大路上來，卻得再來相接。」公孫勝道：「正好。賢弟先往報知，吾亦趲行來也。」戴宗吩咐李逵道：「於路小心伏侍先生，但有些差池，教你受苦。」李逵道：「他和羅真人一般的法術，我如何敢輕慢了他？」戴宗拴上甲馬，作起神行法來，預先去了。

卻說公孫勝和李逵兩個離了二仙山九宮縣，取大路而行，到晚尋店安歇。李逵懼怕羅真人法術，十分小心伏侍公孫勝，哪裡敢使性。兩個行了三日，來到一個去處，地名喚做武岡鎮。只見街市人煙湊集，公孫勝道：「這兩日於路走得困倦，買碗素酒素麵吃了行。」李逵道：「也好。」卻見驛道旁邊一個小酒店，兩個人來店裡坐下。公孫勝坐了上首，李逵解了腰包，下首坐了。叫過賣一面打酒，就安排些素饌來與二人吃。

公孫勝道：「你這裡有甚素點心賣？」

過賣道：「我店裡只賣酒肉，沒有素點心。市口人家有棗糕賣。」

李逵道：「我去買些來。」

便去包內取了銅錢，逕投市鎮上來，買了一包棗糕。欲待回來，只聽得路旁側首有人喝采道：「好氣力！」李逵看時，一夥人圍定一個大漢，把鐵瓜鎚◆在那裡使，眾人看了喝采他。

李逵看那大漢時，七尺以上身材，面皮有麻，鼻子上一條大路。李逵看那鐵鎚時，約有三十來斤。那漢使得發了，一瓜鎚正打在壓街石上，把那石頭打做粉碎，眾人喝采。李逵忍不住，便把棗糕揣在懷中，便來拿那鐵鎚。

那漢喝道：「你是甚麼鳥人？敢來拿我的鎚！」

李逵道：「你使得甚麼鳥好，教眾人喝采？看了倒汙眼！你看老爺使一回，教眾人看。」

那漢道：「我借與你，你若使不動時，且吃我一頓脖子拳了去！」李逵接過瓜鎚，如弄彈丸一般。使了一回，輕輕放下，面又不紅，心頭不跳，口內不喘。

那漢看了，倒身下拜，說道：「願求哥哥大名。」

李逵道：「你家在哪裡住？」那漢道：「只在前面便是。」引了李逵到一個所在，見一把鎖鎖著門。那漢把鑰匙開了門，請李逵到裡面坐地。李逵看他屋裡都是鐵砧、鐵鎚、火爐、鉗鑿傢伙，尋思道：「這人必是個打鐵匠人，山寨裡正用得著，何不叫他也去入夥？」

李逵又道：「漢子，你通個姓名，教我知道。」

那漢道：「小人姓湯名隆。父親原是延安府知寨官，因為打鐵上遭際老

◈**鐵瓜鎚**──古代兵器名。形如瓜狀的鐵鎚。

种經略相公，帳前敘用。近年父親在任亡故，小人貪賭，流落在江湖上，因此權在此間打鐵度日。入骨◆好使槍棒，為是自家渾身有麻點，人都叫小人做金錢豹子。敢問哥哥高姓大名？」

李逵道：「我便是梁山泊好漢黑旋風李逵。」

湯隆聽了，再拜道：「多聞哥哥威名，誰想今日偶然得遇。」

李逵道：「你在這裡幾時得發跡！不如跟我上梁山泊入夥，叫你也做個頭領。」

湯隆道：「若得哥哥不棄，肯帶攜兄弟時，願隨鞭鐙。」就拜李逵為兄。李逵認湯隆為弟。

湯隆道：「我又無家人伴當，同哥哥去市鎮上吃三杯淡酒，表結拜之意。今晚歇一夜，明日早行。」

李逵道：「我有個師父在前面酒店裡，等我買棗糕去吃了便行，耽擱不得，只可如今便行。」

湯隆道：「如何這般要緊？」

李逵道：「你不知宋公明哥哥，現今在高唐州界首廝殺，只等我這師父到來救應。」

湯隆道：「這個師父是誰？」李逵道：「你且休問，快收拾了去。」湯隆急急拴了包裹、盤纏、銀兩，戴上氈笠兒，跨了口腰刀，提條朴刀，棄了家中破房舊屋、粗重家火，跟了李逵，直到酒店裡來見公孫勝。

公孫勝埋怨道：「你如何去了許多時？再來遲些，我依前回去了。」李逵不敢做聲回話，引過湯隆拜了公孫勝，備說結義一事。公孫勝見說他是打鐵出身，心中也喜。李逵取出棗糕，叫過賣將去整理。三個一同飲了幾杯酒，吃了棗糕，算還了酒錢。李逵、湯隆各背上包裹，與公孫勝離了武岡鎮，迤邐望高唐州來。

三個於路，三停中走了兩停多路，那日早，卻好迎著戴宗來接。

◆入骨——非常、極為之意。

公孫勝見了大喜，連忙問道：「近日相戰如何？」

戴宗道：「高廉那廝，近日箭瘡平復，每日領兵來搦戰。哥哥堅守，不敢出敵，只等先生到來。」

公孫勝道：「這個容易。」

李逵引著湯隆拜見戴宗，說了備細，四人一處奔高唐州來。離寨五里遠，早有呂方、郭盛引一百餘騎軍馬迎接著。四人都上了馬，一同到寨，宋江、吳用等出寨迎接。各施禮罷，擺了接風酒，敘問間闊之情，請入中軍帳內，眾頭領亦來作慶。李逵引過湯隆來參見宋江、吳用並眾頭領等。講禮已罷，寨中且做慶賀筵席。

次日中軍帳上，宋江、吳用、公孫勝商議破高廉一事。

公孫勝道：「主將傳令，且著拔寨都起，看敵軍如何，貧道自有區處。」

當日宋江傳令各寨，一齊引軍起身，直抵高唐州城濠，下寨已定。次早五更造飯，軍人都披掛衣甲。宋公明、吳學究、公孫勝三騎馬直到軍前，搖旗搶鼓，吶喊篩鑼，殺到城下來。

再說知府高廉在城中箭瘡已痊，隔夜小軍來報知宋江軍馬又到，早晨都披掛了衣甲，便開了城門，放下吊橋，將引三百神兵並大小將校，出城迎敵。兩軍漸近，旗鼓相望，各擺開陣勢。兩陣裡花腔鼉鼓擂，雜彩繡旗搖。宋江陣門開處，分出十騎馬來，雁翅般擺開在兩邊。左手下五將：花榮、秦明、朱仝、歐鵬、呂方；右手下五將是：林沖、孫立、鄧飛、馬麟、郭盛；中間三騎馬上，為頭是主將宋公明。怎生打扮：

頭頂茜紅巾，腰繫獅蠻帶。
錦征袍大鵬貼背，水銀盔彩鳳飛簷。
抹綠靴斜踏寶鐙，黃金甲光動龍鱗。
描金鞓隨定紫絲鞭，錦鞍韉穩稱桃花馬。

左邊那騎馬上坐著的，便是梁山泊掌握兵權軍師吳學究，怎生打扮：

五明扇齊攢白羽，九綸巾巧簇烏紗。
素羅袍香皂沿邊，碧玉環絲絛束定。
鳧舄◈穩踏葵花鐙，銀鞍不離紫絲韁，
兩條銅鏈腰間掛，一騎青驄出戰場。

右邊那騎馬上，坐著的便是梁山泊掌握行兵布陣副軍師公孫勝。怎生打扮？

星冠耀日，神劍飛霜。
九霞衣服繡春雲，六甲風雷藏寶訣。
腰間繫雜色短鬚絛，背上懸松文古定劍◈。
穿一雙雲頭點翠早朝靴，騎一匹分鬃昂首黃花馬。
名標蕊笈◈玄功著，身列仙班道行高。

三個總軍主將，三騎馬出到陣前。看對陣金鼓齊鳴，門旗開處，也有

二、三十個軍官，簇擁著高唐州知府高廉出在陣前，立馬於門旗下，怎生結束，但見：

束髮冠珍珠嵌就，絳紅袍錦繡攢成。
連環鎧甲耀黃金，雙翅銀盔飛彩鳳。
足穿雲縫吊墩靴，腰繫獅蠻金鞓帶。
手內劍橫三尺水，陣前馬跨一條龍。

那知府高廉出到陣前，厲聲高叫，喝罵道：「你那水洼草賊，既有心要來廝殺，定要分個勝敗，見個輸贏，走的不是好漢！」宋江聽罷，問一聲：「誰人出馬立斬此賊？」小李廣花榮挺槍躍馬，直至垓心◆。

◆舃舄—舄，鞋子。舃舄指會飛的鞋子。
古定劍—古代名劍。河北古定鎮所出。 蕊笈—道教祕笈。
垓心—戰場之中。

高廉見了，喝問道：「誰與我直取此賊去？」那統制官隊裡轉出一員上將，喚做薛元輝，使兩口雙刀，騎一匹劣馬，飛出垓心，來戰花榮。兩個在陣前鬥了數合，花榮撥回馬，望本陣便走，薛元輝不知是計，縱馬舞刀，盡力來趕，花榮略帶住了馬，拈弓取箭，扭轉身軀，只一箭，把薛元輝頭重腳輕，射下馬去。兩軍齊吶聲喊。

高廉在馬上見了大怒，急去馬鞍前鞽取下那面聚獸銅牌，把劍去擊。那裡敲得三下，只見神兵隊裡捲起一陣黃沙來，罩得天昏地暗，日色無光。喊聲起處，豺狼虎豹，怪獸毒蟲，就這黃沙內捲將出來。

眾軍恰待都走，公孫勝在馬上，早掣出那一把松文古定劍來，指著敵軍，口中念念有詞，喝聲道：「疾！」只見一道金光射去，那夥怪獸毒蟲，都就黃沙中亂紛紛墜於陣前。眾軍人看時，卻都是白紙剪的虎豹走獸，黃沙盡皆蕩散不起。宋江看了，鞭梢一指，大小三軍一齊掩殺過去。但見人亡馬倒，旗鼓交橫。高廉急把神兵退走入城。

宋江軍馬趕到城下，城上急拽起吊橋，閉上城門，檑木炮石，如雨般打將下來。宋江叫且鳴金，收聚軍馬下寨，整點人數，各獲大勝，回帳稱謝公孫先生神功道德，隨即賞勞三軍。

次日，分兵四面圍城，盡力攻打。公孫勝對宋江、吳用道：「昨夜雖是殺敗敵軍大半，眼見得那三百神兵退入城中去了。今日攻擊得緊，那廝夜間必來偷營劫寨。今晚可收軍一處，至夜深分去四面埋伏。這裡虛紮寨柵，教眾將只聽霹靂響，看寨中火起，一齊進兵。」

傳令已了，當日攻城至未牌時分，都收四面軍兵還寨，卻在營中大吹大擂飲酒。看看天色漸晚，眾頭領暗暗分撥開去，四面埋伏已定。

卻說宋江、吳用、公孫勝、花榮、秦明、呂方、郭盛上土坡等候。是夜，高廉果然點起三百神兵，背上各帶鐵葫蘆，於內藏著硫磺焰硝，煙火藥料，各人俱執鈎刃、鐵掃帚，口內都銜著蘆哨。

二更前後，大開城門，放下吊橋，高廉當先，驅領神兵前進，背後卻帶三十餘騎，奔殺前來。離寨漸近，高廉在馬上作起妖法，卻早黑氣沖天，狂風大作，飛沙走石，播土揚塵。

三百神兵各取火種，去那葫蘆口上點著，一聲蘆哨齊響，黑氣中間，火光罩身，大刀闊斧，滾入寨裡來。高埠處，公孫勝仗劍作法，就空寨中平地上刮剌剌起個霹靂。三百神兵急待退走，只見那空寨中火起，火焰亂飛，上下通紅，無路可出。

四面伏兵齊趕，圍定寨柵，黑處遍見。三百神兵，不曾走得一個，都被殺在寨裡。高廉急引了三十餘騎，奔走回城。背後一支軍馬追趕將來，乃是豹子頭林沖。看看趕上，急叫得放下吊橋，高廉只帶得八九騎入城，其餘盡被林沖和人連馬生擒活捉了去。高廉進到城中，盡點百姓上城守護。高廉軍馬神兵，被宋江、林沖殺個盡絕。

次日，宋江又引軍馬四面圍城甚急。

高廉尋思：「我數年學得法術，不想今日被他破了，似此如之奈何？只得使人去鄰近州府求救。」急急修書二封，教去東昌、寇州，「二處離此不遠，這兩個知府都是我哥哥抬舉的人，教星夜起兵來接應。」差了兩個帳前統制官，齎擎書信，放開西門，殺將出來，投西奪路去了。眾將卻待去追趕，吳用傳令：「且放他出去，可以將計就計。」

宋江問道：「軍師如何作用？」吳學究道：「城中兵微將寡，所以他去求救。我這裡可使兩支人馬，詐作救應軍兵，於路混戰，高廉必然開門助戰。乘勢一面取城，把高廉引入小路，必然擒獲。」宋江聽了大喜。令戴宗回梁山泊另取兩支軍馬，分作兩路而來。

且說高廉每夜在城中空闊處，堆積柴草，竟天價放火為號，城上只望救兵到來。過了數日，守城軍兵望見宋江陣中不戰自亂，急忙報知。高廉聽了，連忙披掛上城瞻望，只見兩路人馬戰塵蔽日，喊殺連天，衝奔前來。

四面圍城軍馬，四散奔走。高廉知是兩路救軍到了，盡點在城軍馬，大開城門，分頭掩殺出去。

且說高廉撞到宋江陣前，看見宋江引著花榮、秦明三騎馬望小路而走。高廉引了人馬，急去追趕，忽聽得山坡後連珠炮響，心中疑惑，便收轉人馬回來。

兩邊鑼響，左手下呂方，右手下郭盛，各引五百人馬衝將出來。高廉急奪路走時，部下軍馬折其大半。奔走脫得垓心時，望見城上已都是梁山泊旗號。舉眼再看，無一處是救應軍馬。

只得引著些敗卒殘兵，投山僻小路而走，行不到十里之外，山背後撞出一彪人馬，當先擁出病尉遲孫立，攔住去路，厲聲高叫：「我等你多時，好好下馬受縛！」

高廉引軍便回，背後早有一彪人馬，截住去路，當先馬上卻是美髯公朱仝。兩頭夾攻將來，四面截了去路，高廉便棄了坐下馬，便走上山。

四下裡部軍一齊趕上山去，高廉慌忙，口中念念有詞，喝聲道：「起！」駕一片黑雲，冉冉騰空，直上山頂。只見山坡邊轉出公孫勝來，見了，便把劍在馬上望空作用，口中也念念有詞，喝聲道：「疾！」將劍望上一指，只見高廉從雲中倒撞下來。側首搶過插翅虎雷橫，一朴刀把高廉揮做兩段。可憐五馬諸侯貴，化作南柯夢裡人。有詩為證：

上臨之以天鑒，下察之以地祇。
明有王法相繼，暗有鬼神相隨。
行凶畢竟逢凶，恃勢還歸失勢。
勸君自警平生，可嘆可驚可畏。

且說雷橫提了首級，都下山來，先使人去飛報主帥。宋江已知殺了高廉，收軍進高唐州城內，先傳下將令：「休得傷害百姓。」一面出榜安民，秋毫無犯。

且去大牢中救出柴大官人來。那時當牢節級、押獄禁子已都走了，只有三、五十個罪囚，盡數開了枷鎖釋放。數中只不見柴大官人一個，宋江心中憂悶。尋到一處監房內，卻監著柴皇城一家老小；又一座牢內，監著滄州提捉到柴進一家老小，同監在彼。為是連日廝殺，未曾取問發落，只是沒尋柴大官人處。

吳學究教喚集高唐州押獄禁子跟問時，數內有一個稟道：「小人是當牢節級藺仁，前日蒙知府高廉所委，專一牢固監守柴進，不得有失。又吩咐道：『但有凶吉，你可便下手。』三日之前，知府高廉要取柴進出來施刑。小人為見本人是個好男子，不忍下手，只推道本人病至八分，不必下手。

「後又催併得緊，小人回稱柴進已死。因是連日廝殺，知府不閒，小人卻恐他差人下來看視，必見罪責。昨日引柴進去後面枯井邊，開了枷鎖，推放裡面躲避，如今不知存亡。」

宋江聽了，慌忙著藺仁引入。直到後面枯井邊望時，見裡面黑洞洞地，不知多少深淺。上面叫時，哪得人應。把索子放下去探時，約有八九丈深。

宋江道：「柴大官人眼見得多是歿了！」宋江垂淚。

吳學究道：「主帥且休煩惱。誰人敢下去探看一遭，便見有無。」說猶未了，轉過黑旋風李逵來，大叫道：「等我下去！」

宋江道：「正好。當初也是你送了他，今日正宜報本。」

李逵笑道：「我下去不怕，你們莫要割斷了繩索。」

吳學究道：「你卻也忒奸猾。」

且取一個大篾籮，把索子絡了，接長索頭，紮起一個架子，把索掛在上面。李逵脫得赤條條的，手拿兩把板斧，坐在籮裡，卻放下井裡去，索上縛兩個銅鈴。漸漸放到底下，李逵卻從籮裡爬將出來，去井底下摸時，摸著一堆，卻是骸骨。

李逵道：「爺娘！甚鳥東西在這裡！」

又去這邊摸時，底下濕漉漉的，沒下腳處。李逵把雙斧撥放籮裡，兩手去摸底下，四邊卻寬，一摸摸著一個人，做一堆兒蹲在水坑裡。

李逵叫一聲：「柴大官人！」哪裡見動。把手去摸時，只覺口內微微聲喚。

李逵道：「謝天地，恁地時還有救哩！」隨即爬在籮裡，搖動銅鈴，眾人扯將上來。

李逵說下面的事，宋江道：「你可再下去，先把柴大官人放在籮裡，先發上來，卻再放籮下來取你。」

李逵道：「哥哥不知我去薊州著了兩道兒，今番休撞第三遍！」

宋江笑道：「我如何肯弄你！你快下去。」李逵只得再坐籮裡，又下井去。

到得底下，李逵爬將出籮去，卻把柴大官人抱在籮裡，搖動索上銅鈴。上面聽得，早扯起來。到上面，眾人看了大喜。宋江見柴進頭破額裂，兩腿皮肉打爛，眼目略開又閉。宋江心中甚是悽慘，叫請醫生調治。李逵卻在井底下發喊大叫。宋江聽得，急叫把籮放將下去，取他上來。李逵到得上面，發作道：「你們也不是好人，便不把籮放下來救我！」宋江道：「我們只顧看柴大官人，因此忘了你，休怪。」宋江就令眾人把柴進扛扶上車睡了，先把兩家老小並奪轉許多家財，共有二十餘輛車子，叫李逵、雷橫先護送上梁山泊去。卻把高廉一家老小良賤三、四十口，處斬於市。再把府庫財帛，倉廒糧米、並高廉所有家私，盡數裝載上山。大小將校離了高唐州，得勝回梁山泊。所過州縣，秋毫無犯。

在路已經數日，回到大寨，柴進扶病起來，稱謝晁、宋二公並眾頭領。晁蓋教請柴大官人就山頂宋公明歇處，另建一所房子，與柴進並家眷安歇。晁蓋、宋江等眾皆大喜。自高唐州回來，又添得柴進、湯隆兩個頭領，且作慶賀筵席，不在話下。

再說東昌、寇州兩處，已知宋公明殺了高廉，失陷了城池，只得寫表差人申奏朝廷。又有高唐州逃難官員，都到京師說知真實。高太尉聽了，知道殺死他兄弟高廉。次日五更，在待漏院◆中，專等景陽鐘◆響。百官各具公服，直臨丹墀，伺候朝見。當日五更三點，道君皇帝陞殿。

淨鞭◆三下響，文武兩班齊。天子駕坐，殿頭官喝道：「有事出班啟奏，無事捲簾退朝。」

高太尉出班奏曰：「今有濟州梁山泊賊首晁蓋、宋江，累造大惡，打劫城池，搶擄倉廒，聚集凶徒惡黨。現在濟州殺害官軍，鬧了江州無為軍，今又將高唐州官民殺戮一空，倉廒庫藏，盡被擄去。此是心腹大患，若不早行誅剿，他日養成賊勢，難以制服。伏乞聖斷。」

天子聞奏大驚，隨即降下聖旨，就委高太尉選將調兵，前去剿捕，務要掃清水泊，殺絕種類。

高太尉又奏道：「量此草寇，不必興舉大兵，臣保一人，可去收復。」

天子道：「卿若舉用，必無差錯，即令起行，飛捷報功，加官賜賞，高遷任用。」

高太尉奏道：「此人乃開國之初，河東名將呼延贊嫡派子孫，單名喚個灼字。使兩條銅鞭，有萬夫不當之勇。現受汝寧郡都統制，手下多有精兵勇將。臣舉保此人，可以征剿梁山泊。可授兵馬指揮使，領馬步精銳軍士，剋日掃清山寨，班師還朝。」

天子准奏，降下聖旨：「著樞密院即便差人，齎敕前往汝寧州，星夜宣取。」當日朝罷，高太尉就於帥府著樞密院撥一員軍官，齎擎聖旨，前去宣取。當日起行，限時定日，要呼延灼赴京聽命。

卻說呼延灼在汝寧州統軍司坐衙，聽得門人報道：「有聖旨特來宣取將軍赴京，有委用的事。」

◆**待漏院**──宰相等待早朝休息的地方。漏，古代計時器。

景陽鐘──景陽為南朝宮名。齊武帝置鐘於景陽樓上。文武百官聽到景陽鐘聲，早朝議政。後世各朝各代，皆以景陽鐘聲為準。

淨鞭──舊日朝會的儀仗。用絲綢纏繞編成的軟鞭，鞭梢塗蠟，揮打時發出陣陣響聲，令人肅靜。

呼延灼與本州官員出郭迎接到統軍司。開讀已罷，設宴管待使臣，火急收拾了頭盔衣甲，鞍馬器械，帶引三、四十從人，一同使命，離了汝寧州，星夜赴京。於路無話。早到京師城內殿帥府前下馬，來見高太尉。

當日高俅正在殿帥府坐衙，門吏報道：「汝寧州宣到呼延灼，現在門外。」高太尉大喜，叫喚進來參見了。看那呼延灼一表非俗，正是：

開國功臣後裔，先朝良將玄孫，
家傳鞭法最通神，英武熟經戰陣。
仗劍能探虎穴，彎弓解射鵰群。
將軍出世定乾坤，呼延灼威名大振。

高太尉問慰已畢，與了賞賜。次日早朝，引見道君皇帝。徽宗天子看了呼延灼一表非俗，喜動天顏，就賜踢雪烏騅一匹。

那馬渾身墨錠似黑，四蹄雪練價白，因此名為踢雪烏騅，那馬日行千里，奉聖旨賜與呼延灼騎坐。呼延灼謝恩已罷，隨高太尉再到殿帥府，商議起軍，剿捕梁山泊一事。

呼延灼道：「恩相，小人覷探梁山泊兵多將廣，武藝高強，不可輕敵小覷。小人乞保二將為先鋒，同提軍馬到彼，必獲大功。」

高太尉聽罷大喜，問道：「將軍所保誰人，可為前部先鋒？」

不爭呼延灼舉保此二將，有分教：宛子城重添良將，梁山泊大破官軍。

且教：

功名未上凌煙閣，姓字先標聚義廳。

畢竟呼延灼對高太尉保出誰來？且聽下回分解。

◈使命──使臣、使者。

第五五回

高太尉大興三路兵
呼延灼擺布連環馬

話說高太尉問呼延灼道：「將軍所保何人，可為先鋒？」

呼延灼稟道：「小人舉保陳州團練使，姓韓名滔。原是東京人氏，曾應過武舉出身，使一條棗木槊，人呼為『百勝將軍』。此人可為正先鋒。

「又有一人，乃是潁州團練使，姓彭名玘，亦是東京人氏，乃累代將門之子，使一口三尖兩刃刀，武藝出眾，人呼為『天目將軍』。此人可為副先鋒。」

高太尉聽了大喜道：「若是韓、彭二將為先鋒，何愁狂寇不滅！」

當日高太尉就殿帥府押了兩道牒

文，著樞密院差人，星夜往陳、潁二州，調取韓滔、彭玘，火速赴京。不旬日之間，二將已到京師，逕來殿帥府，參見了太尉並呼延灼。次日，高太尉帶領眾人，都往御教場中，操演武藝。看軍了當，卻來殿帥府，會同樞密院計議軍機重事。

高太尉問道：「你等三路，總有多少人馬？」

呼延灼答道：「三路軍馬計有五千，連步軍數及一萬。」

高太尉道：「你三人親自回州，揀選精銳馬軍三千，步軍五千，約會啟程，收剿梁山泊。」

呼延灼稟道：「此三路馬步軍兵，都是訓練精熟之士，人強馬壯，不必殿帥憂慮。但恐衣甲未全，只怕誤了日期，取罪不便，乞恩相寬限。」

高太尉道：「既是如此說時，你三人可就京師甲仗庫◈內，不拘數目，任意選揀衣甲盔刀，關領前去。務要軍馬整齊，好與對敵。出師之日，我自

◈甲仗庫——古代貯藏兵器的倉庫。

差官來點視。」

呼延灼領了鈞旨，帶人往甲仗庫關支。呼延灼選得鐵甲三千副，熟皮馬甲五千副，銅鐵頭盔三千頂，長槍二千根，滾刀一千把，弓箭不計其數，火炮、鐵炮五百餘架，都裝載上車。臨辭之日，高太尉又撥與戰馬三千匹。三個將軍，各賞了金銀緞疋，三軍盡關了糧賞。

呼延灼和韓滔、彭玘都與了必勝軍狀，辭別了高太尉並樞密院等官，三人上馬，都投汝寧州來，於路無話。

到得本州，呼延灼便道：「韓滔、彭玘各往陳、潁二州起軍，前來汝寧會合。」不到半月之上，三路兵馬，都已完足。呼延灼便把京師關到衣甲盔刀，旗槍鞍馬，並打造連環鐵鎧、軍器等物，分俵三軍已了，伺候出軍。高太尉差到殿帥府兩員軍官，前來點視。犒賞三軍已罷，呼延灼擺布三路兵馬出城，端的是：

鞍上人披鐵鎧，坐下馬帶銅鈴。

旌旗紅展一天霞，刀劍白鋪千里雪。弓彎鵲畫，飛魚袋半露龍梢；籠插雕翎，獅子壺緊拴豹尾。人頂深盔垂護項，微露雙睛；馬披重甲帶朱纓，單懸四足。開路人兵，齊擔大斧；合後軍將，盡拈長槍。數千甲馬離州城，三個將軍來水泊。

當下起軍，擺布兵馬出城，前軍開路韓滔，中軍主將呼延灼，後軍催督彭玘，馬步三軍人等，浩浩蕩蕩殺奔梁山泊來。

卻說梁山泊遠探報馬，逕到大寨，報知此事。聚義廳上，當中晁蓋、宋江，上首軍師吳用，下首法師公孫勝並眾頭領，各與柴進賀喜，終日筵宴。聽知報道：「汝寧州雙鞭呼延灼，引著軍馬到來征戰。」眾皆商議迎

◈**關支**—支領、領取。

敵之策。

吳用便道：「我聞此人乃開國功臣河東名將呼延贊之後，武藝精熟，使兩條銅鞭，卒不可近。必用能征敢戰之將，先以力敵，後用智擒。」說言未了，黑旋風李逵便道：「我與你去捉這廝！」

宋江道：「你如何去得？我自有調度。可請霹靂火秦明打頭陣，豹子頭林沖打第二陣，小李廣花榮打第三陣，一丈青扈三娘打第四陣，病尉遲孫立打第五陣；將前面五陣，一隊隊戰罷如紡車般轉作後軍。

「我親自帶引十個弟兄，引大隊人馬押後。左軍五將：朱仝、雷橫、穆弘、黃信、呂方；右軍五將：楊雄、石秀、歐鵬、馬麟、郭盛。水路中可請李俊、張橫、張順、阮家三弟兄，駕船接應。」卻教李逵與楊林引步軍分作兩路，埋伏救應。

宋江調撥已定，前軍秦明早引人馬下山，向平原曠野之處列成陣勢。此時雖是冬天，卻喜和暖。等候了一日，早望見官軍到來，先鋒隊裡，百勝將韓滔領兵紮下寨柵，當晚不戰。

次日天曉，兩軍對陣，三通畫鼓◆，霹靂火秦明出到陣前。馬上橫著狼牙棍。望對陣門旗開處，先鋒將韓滔橫槊勒馬，大罵秦明道：「天兵到此，不思早早投降，還敢抗拒，不是討死！我直把你水泊填平，梁山踏碎，生擒活捉你這夥反賊解京，碎屍萬段！」

秦明本是性急的人，聽了也不打話，便拍馬舞起狼牙棍，直取韓滔。韓滔挺槊躍馬，來戰秦明。兩個鬥到二十餘合，韓滔力怯，只待要走，背後中軍主將呼延灼已到，見韓滔戰秦明不下，便從中軍舞起雙鞭，縱坐下那匹御賜踢雪烏騅，咆哮嘶喊，來到陣前。

秦明見了，欲待來戰呼延灼，第二撥豹子頭林沖已到，便叫：「秦統制少歇，看我戰三百合卻理會！」林沖挺起蛇矛，直奔呼延灼。秦明自把軍馬從左邊踅向山坡後去。這裡呼延灼自戰林沖，兩個正是對手，槍來鞭去花一團，鞭去槍來錦一簇。兩個鬥到五十合之上，不分勝敗。

◆紡車──有輪可轉動的紡紗器具。　畫鼓──有彩繪的鼓。

第三撥小李廣花榮軍到，陣門下大叫道：「林將軍少息，看我擒捉這廝！」林沖撥轉馬便走。呼延灼因見林沖武藝高強，也回本陣。

林沖自把本部軍馬一轉，轉過山坡後去，讓花榮挺槍出馬，呼延灼後軍也到，天目將彭玘橫著那三尖兩刃四竅八環刀，騎著五明千里黃花馬，出陣大罵花榮道：「反國逆賊，何足為道！與吾併個輸贏！」花榮大怒，也不答話，便與彭玘交馬，兩個戰二十餘合，呼延灼看見彭玘力怯，縱馬舞鞭，直奔花榮。

鬥不到三合，第四撥一丈青扈三娘人馬已到，大叫：「花將軍少歇，看我捉這廝！」花榮也引軍望右邊踅轉山坡下去了。

彭玘來戰一丈青未定，第五撥病尉遲孫立軍馬早到，勒馬於陣前擺著，看這扈三娘去戰彭玘。兩個正在征塵影裡，殺氣陰中，一個使大桿刀，一個使雙刀，兩個鬥到二十餘合，一丈青把雙刀分開，回馬便走。

彭玘要逞功勞，縱馬趕來，一丈青便把雙刀掛在馬鞍鞽上，袍底下取出紅錦套索，上有二十四個金鈎，等彭玘馬來得近，扭過身軀，把套索望空一撒，看得親切，彭揣手不及，早拖下馬來。

孫立喝教眾軍一發向前，把彭玘捉了。呼延灼看見大怒，奮力向前來救，一丈青便拍馬來迎敵。呼延灼恨不得一口水吞了那一丈青，兩個鬥到十合之上，急切贏不得一丈青。

呼延灼心中想道：「這個潑婦人在我手裡鬥了許多合，倒恁地了得！」心忙意急，賣個破綻，放她入來，卻把雙鞭只一蓋，蓋將下來，那雙刀卻在懷裡。提起右手銅鞭，望一丈青頂門上打下來。卻被一丈青眼明手快，早起刀只一隔，右手那口刀望上直飛起來，卻好那一鞭打將下來，正在刀口上，錚地一聲響，火光迸散，一丈青回馬望本陣便走，呼延灼縱馬趕來。

病尉遲孫立見了，便挺槍縱馬向前，迎住廝殺。背後宋江卻好引十對良將都到，列成陣勢。一丈青自引了入馬，也投山坡下去了。宋江見活捉得天目將彭玘，心中甚喜。且來陣前看孫立與呼延灼交戰。孫立也把槍帶住，手腕上綽起那條竹節鋼鞭，來迎呼延灼。

兩個都使鋼鞭，却更一般打扮：病尉遲孫立是交角鐵幞頭◆，大紅羅抹額，百花點翠皂羅袍，烏油戧金甲，騎一匹烏騅馬，使一條竹節虎眼鞭，賽過尉遲恭。

這呼延灼卻是沖天角鐵幞頭，鎖金黃羅抹額，七星打釘皂羅袍，烏油對嵌鎧甲，騎一匹御賜踢雪烏騅，使兩條水磨八稜鋼鞭，左手的重十二斤，右手的重十三斤，真似呼延贊。兩個在陣前左盤右旋，鬥到三十餘合，不分勝敗。宋江看了，喝采不已。有詩為證：

各跨烏騅健似龍，呼延贊對尉遲恭。
雙鞭遇敵真奇事，更好同歸水滸中。

官軍陣裡，韓滔見說折了彭玘，便去後軍隊裡，盡起軍馬，一發向前廝殺。宋江只怕衝將過來，便把鞭梢一指，十個頭領引了大小軍士，掩殺過去；背後四路軍兵，分作兩路夾攻攏來。

呼延灼見了，急收轉本部軍馬，各敵個住。為何不能全勝？卻被呼延灼陣裡都是連環馬，官軍馬帶馬甲，人披鐵鎧，馬帶甲只露得四蹄懸地，人披鎧只露著一對眼睛。宋江陣上雖有甲馬，只是紅纓面具，銅鈴雉尾而已。這裡射將箭去，那裡鎧甲都護住了。那三千馬軍，各有弓箭，對面射來，因此不敢近前。宋江急叫鳴金收軍，呼延灼也退二十餘里下寨。

宋江收軍，退到山西下寨，屯住軍馬，且教左右群刀手，簇擁彭玘過來。宋江望見，便起身喝退軍士，親解其縛，扶入帳中，分賓而坐。宋江便拜。彭玘連忙答禮拜道：「小子被擒之人，理合就死。何故將軍以賓禮待之？」

宋江道：「某等眾人，無處容身，暫占水泊，權時避難，造惡甚多。今

◈幞頭──古代一種頭巾。古人以皂絹三尺裹髮，有四帶，二帶繫腦後垂之，二帶反繫頭上，令曲折附項，故稱四腳或折上巾。至北周武帝時裁出角後幞髮，始名「幞頭」。初用軟帛垂腳，隋始以桐木為骨子，唐方以羅代繒。宋制有直角、局角、交角、朝天、順風等式樣。

者朝廷差遣將軍前來收捕，本合延頸就縛，但恐不能存命，因此負罪交鋒，誤犯虎威，敢乞恕罪！」彭玘答道：「素知將軍仗義行仁，扶危濟困，不想果然如此義氣。倘蒙存留微命，當以捐軀保奏。」宋江道：「某等眾兄弟也只待聖主寬恩，赦宥重罪，忘生報國，萬死不辭。」詩曰：

忠為君主恨賊臣，義連兄弟且藏身。
不因忠義心如一，安得團圓百八人。

宋江當日就將天目將彭玘使人送上大寨，教與晁天王相見，留在寨裡。這裡自一面犒賞三軍並眾頭領，計議軍情。

再說呼延灼收軍下寨，自和韓滔商議，如何取勝梁山水泊。韓滔道：「今日這廝們見俺催軍近前，他便慌忙掩擊過來，明日盡數驅馬軍向前，必獲大勝。」

呼延灼道：「我已如此安排下了，只要和你商量相通。」隨即傳下將令：「教三千匹馬軍做一排攏著，每三十匹一連，卻把鐵環連鎖，但遇敵軍，遠用箭射，近則使槍，直衝入去；三千連環馬軍，分作一百隊鎖定。五千步軍，在後策應。明日休得挑戰，我和你押後掠陣。但若交鋒，分作三面衝將過去。」計策商量已定，次日天曉出戰。

卻說宋江次日把軍馬分作五隊在前，後軍十將簇擁，兩路伏兵，分於左右。秦明當先，搦呼延灼出馬交戰，只見對陣但知吶喊，並不交鋒。為頭五軍，都一字兒擺在陣前，中是秦明，左是林沖、一丈青，右是花榮，孫立在後。隨即宋江引十將也到，重重疊疊，擺著人馬。看對陣時，約有一千步軍，只是擂鼓發喊，並無一人出馬交鋒。宋江看了，心中疑惑，暗傳號令，教後軍且退，卻縱馬直到花榮隊裡窺望。猛聽

◆**延頸就縛**—延，伸、就，接受。縛，捆綁。伸出脖子來讓人捉住，指毫不抵抗，乖乖地讓人捉住。

對陣裡連珠炮響，一千步軍，忽然分作兩下，放出三隊連環馬軍，直衝將來；兩邊把弓箭亂射，中間盡是長槍。宋江看了大驚，急令眾軍把弓箭施放，哪裡抵敵得住。每一隊三十匹馬，一齊跑發，不容你不向前走。

那連環馬軍漫山遍野，橫衝直撞將來。前面五隊軍馬望見，便亂攛了，策立不定。後面大隊人馬攔擋不住，各自逃生。宋江飛馬慌忙便走，十將擁護而行。背後早有一隊連環馬軍追將來，卻得伏兵李逵、楊林引人從蘆葦中殺出來，救得宋江。逃至水邊，卻有李俊、張橫、張順、三阮六個水軍頭領，擺下戰船接應。

宋江急急上船，便傳將令，教分頭去救應眾頭領下船。那連環馬直趕到水邊，亂箭射來，船上卻有傍牌遮護，不能損傷。慌忙把船棹到鴨嘴灘頭，盡行上岸，就水寨裡整點人馬，折其大半。卻喜眾頭領都全，雖然折了些馬匹，都救得性命。

少刻，只見石勇、時遷、孫新、顧大嫂都逃命上山，卻說：「步軍衝殺將來，把店屋平拆了去。我等若無號船接應，盡被擒捉。」

宋江一一親自撫慰，計點眾頭領時，中箭者六人：林沖、雷橫、李逵、石秀、孫新、黃信。小嘍囉中傷帶箭者，不計其數。晁蓋聞知，同吳用、公孫勝下山來動問。宋江眉頭不展，面帶憂容。

吳用勸道：「哥哥休憂，勝敗乃兵家常事，何必掛心。別生良策，可破連環軍馬。」

晁蓋便傳號令，吩咐水軍，牢固寨柵船隻，保守灘頭，曉夜提備。請宋公明上山安歇。宋江不肯上山，只就鴨嘴灘寨內駐紮，只教帶傷頭領上山養病。

卻說呼延灼大獲全勝，回到本寨，開放連環馬，都次第前來請功。殺死者不計其數，生擒得五百餘人，奪得戰馬三百餘匹。隨即差人前去京師報捷，一面犒賞三軍。

卻說高太尉正在殿帥府坐衙，門上報道：「呼延灼收捕梁山泊得勝，差

◆傍牌—用來擋箭的武器。

人報捷。」心中大喜。

次日早朝，越班奏聞天子。徽宗甚喜，敕賞黃封御酒十瓶，錦袍一領。差官一員，齎錢十萬貫，前去行營賞軍。高太尉領了聖旨，同到殿帥府，隨即差官齎捧前去。卻說呼延灼已知有天使到，與韓滔出二十里外迎接。接到寨中，謝恩受賞已畢，置酒管待天使。一面令韓先鋒俵錢賞軍，且將捉到五百餘人囚在寨中，待拿得賊首，一併解赴京師，示眾施行。

天使問道：「彭團練如何失陷？」

呼延灼道：「為因貪捉宋江，深入重地，致被擒捉。今次群賊必不敢再來。小可分兵攻打，務要肅清山寨，掃盡水洼，擒獲眾賊，拆毀巢穴。但恨四面是水，無路可進。

「遙觀寨柵，只除非得火炮飛打，以碎賊巢。久聞東京有個炮手凌振，名號『轟天雷』，此人善造火炮，能去十四、五里遠近，石炮落處，天崩地陷，山倒石裂。若得此人，可以攻打賊巢，更兼他深通武藝，弓馬熟嫻。若得天使回京，於太尉前言知此事，可以急急差遣到來，剋日可取賊巢。」使命應允，次日起程，於路無話。

回到京師，來見高太尉，備說呼延灼求索炮手凌振，要建大功，高太尉聽罷，傳下鈞旨，教喚甲仗庫副炮手凌振那人來，原來凌振祖貫燕陵人，是宋朝盛世第一個炮手，人都呼他是「轟天雷」，更兼武藝精熟。曾有四句詩讚凌振的好處：

強火發時城郭碎，煙雲散處鬼神愁。
金輪子母轟天振，炮手名聞四百州。

當下凌振來參見了高太尉，就受了行軍統領官文憑，便教收拾鞍馬軍器起身。且說凌振把應用的煙火藥料，就將做下的諸色火炮，並一應的炮石、炮架裝載上車，帶了隨身衣甲、盔刀、行李等件，並三、四十個軍漢，離了東京，取路投梁山泊來。

◈**黃封**——皇帝賞賜的茶、酒等，外加封口用的羅帕。羅帕色黃，故稱黃封。

到得行營，先來參見主將呼延灼，次見先鋒韓滔，備問水寨遠近路程，山寨險峻去處，安排三等炮石攻打：第一是風火炮，第二是金輪炮，第三是子母炮。先令軍健整頓炮架，直去水邊豎起，準備放炮。

卻說宋江在鴨嘴灘上小寨內，和軍師吳學究商議破陣之法，無計可施。有探細人來報道：「東京新差一個炮手，號作轟天雷凌振，即日在於水邊豎起架子，安排施放火炮，攻打寨柵。」吳學究道：「這個不妨，我山寨四面都是水泊，港汊甚多，宛子城離水又遠，縱有飛天火炮，如何能夠打得到城邊？且棄了鴨嘴灘小寨，看他怎地設法施放？卻做商議。」當下宋江棄了小寨，便都起身，且上關來。晁蓋、公孫勝接到聚義廳上，問道：「似此如何破敵？」動問未絕，早聽得山下炮響，一連放了三個火炮，兩個打在水裡，一個直打到鴨嘴灘邊小寨上。宋江見說，心中輾轉憂悶，眾頭領盡皆失色。吳學究道：「若得一人誘引凌振到水邊，先捉了此人，方可商議破敵之法。」

晁蓋道：「可著李俊、張橫、張順、三阮六人棹船如此行事，岸上朱仝、雷橫如此接應。」

且說六個水軍頭領得了將令，分作兩隊：李俊和張橫先帶了四、五十個會水的軍士，用兩隻快船，從蘆葦深處悄悄過去；背後張順、三阮棹四十餘隻小船接應。再說李俊、張橫上到對岸，便去炮架子邊吶聲喊，把炮架推翻。軍士慌忙報與凌振知道，凌振便帶了風火二炮，拿槍上馬，引了一千餘人趕將來。

李俊、張橫領人便走，凌振追至蘆葦灘邊，看見一字兒擺開四十餘隻小船，船上共有百十餘個水軍，李俊、張橫早跳在船上，故意不把船開，看看人馬到來，吶聲喊，都跳下水裡去了。凌振人馬已到，便來搶船。朱仝、雷橫卻在對岸吶喊擂鼓。

凌振奪得許多船隻，叫軍健盡數上船，便殺過去。船才行到波心之中，只見岸上朱仝、雷橫鳴起鑼來。水底下早鑽起四、五十水軍，盡把船尾楔子◆拔了，水都潑入船裡來。外邊就勢扳翻船，軍健都撞在水裡。凌振急待回船，船尾舵櫓已自被拽下水底去了。兩邊卻鑽上兩個頭領來，把船隻一扳，仰合轉來，凌振卻被合下水裡去。水底下卻是阮小二，一把抱住，直拖到對岸來。

岸上早有頭領接著，便把索子綁了，先解上山來。水中生擒二百餘人，一半水中淹死，些少逃得性命回去。詩曰：

怎許船軍便渡河，不施火炮卻如何？
空說半天轟霹靂，卻愁尺水起風波。

呼延灼得知，急領軍馬趕將來時，船都已過鴨嘴灘去了。箭又射不著，人都不見了，只忍得氣。呼延灼恨了半晌，只得引了人馬回去。且說眾頭領捉得轟天雷凌振，解上山寨，先使人報知。

宋江便同滿寨頭領下第二關迎接，見了凌振，連忙親解其縛，便埋怨眾人道：「我叫你們禮請統領上山，如何恁的無禮！」凌振拜謝不殺之恩。

宋江便與他把盞已了，自執其手，相請上山。到大寨，見了彭玘已做了頭領，凌振閉口無言。

彭玘勸道：「晁、宋二頭領替天行道，招納豪傑，專等招安，與國家出力。既然我等到此，只得從命。」

宋江卻又陪話，凌振答道：「小的在此趨侍不妨，爭奈老母妻子都在京師，倘或有人知覺，必遭誅戮，如之奈何！」

宋江道：「但請放心，限日取還統領。」

凌振謝道：「若得頭領如此周全，死而瞑目。」

晁蓋道：「且教做筵席慶賀。」

次日，廳上大聚會眾頭領。飲酒之間，宋江與眾人商議破連環馬之策。正無良法，只見金錢豹子湯隆起身道：「小人不才，願獻一計，除之得這般軍器和我一個哥哥，可以破得連環軍馬。」

◈楔子——這裡指船尾上裝置的類似塞子的東西。

吳學究便問道：「賢弟，你且說用何等軍器？你這個令親哥哥是誰？」湯隆不慌不忙，叉手向前，說出這般軍器和那個人來。有分教：四五個頭領直往京師，三千餘馬軍盡遭毒手。正是：

計就玉京擒獬豸，謀成金闕捉狻猊。

畢竟湯隆對眾說出哪般軍器，甚麼人來？且聽下回分解。

第五六回

吳用使時遷盜甲
湯隆賺徐寧上山

話說當時湯隆對眾頭領說道：「小可是祖代打造軍器為生。先父因此藝上，遭際老种經略相公，得做延安知寨。先朝曾用這連環甲馬取勝。欲破陣時，須用鈎鐮槍可破。

「湯隆祖傳已有畫樣在此，若要打造，便可下手。湯隆雖是會打，卻不會使。若要會使的人，只除非是我那個姑舅哥哥。會使這鈎鐮槍法，只有他一個教頭，他家祖傳習學，不教外人。或是馬上，或是步行，都有法則，端的使動神出鬼沒。」

說言未了，林沖問道：「莫不是現做金槍班教師徐寧？」

湯隆應道：「正是此人。」

林沖道：「你不說起，我也忘了。這徐寧的金槍法、鉤鐮槍法，端的是天下獨步。在京師時，多與我相會，較量武藝，彼此相敬相愛。只是如何能夠得他上山來？」

湯隆道：「徐寧先祖留下一件寶貝，世上無對，乃是鎮家之寶。湯隆比時◈曾隨先父知寨往東京視探姑姑時，多曾見來。是一副雁翎砌就圈金甲。這一副甲，披在身上，又輕又穩，刀劍箭矢急不能透，人都喚做『賽唐猊』。多有貴公子要求一見，造次不肯與人看。這副甲是他的性命，有一個皮匣子盛著，直掛在臥房中梁上。若是先對付得他這副甲來時，不由他不到這裡。」

吳用道：「若是如此，何難之有？放著有高手弟兄在此，今次卻用著鼓

◈**畫樣**——畫的樣式。　**比時**——當時。

上蚤時遷去走一遭。」

時遷隨即應道：「只怕無此一物在彼，若端的有時，好歹定要取了來。」

湯隆道：「你若盜得甲來，我便包辦賺他上山。」

宋江問道：「你如何去賺他上山？」

湯隆去宋江耳邊低低說了數句，宋江笑道：「此計大妙！」

吳學究道：「再用得三個人，同上東京走一遭。一個到京收買煙火、藥料，並炮內用的藥材；兩個去取凌統領家老小。」

彭玘見了，便起身稟道：「若得一人到潁州取得小弟家眷上山，實拜成全之德。」

宋江便道：「團練放心。便請二位修書，小可自教人去。」便喚楊林可將金銀、書信，帶領伴當，前往潁州取彭玘將軍老小；薛永扮做使槍棒賣藥的，往東京取凌統領老小。李雲扮做客商，同往東京收買煙火、藥料等物。樂和隨湯隆同行，又挈薛永往來作伴。一面先送時遷下山去了。次後且叫湯隆打起一把鈎鐮槍做樣，卻教雷橫提調監督。原來雷橫祖上也是打鐵出身。

再說湯隆打起鈎鐮槍樣子，教山寨裡打軍器的照著樣子打造，自有雷橫提調監督，不在話下。大寨做個送路筵席，當下楊林、薛永、李雲、樂和、湯隆辭別下山去了。次日又送戴宗下山，往來探聽事情。這段話一時難盡。

這裡且說時遷離了梁山泊，身邊藏了暗器，諸般行頭，在路迤邐來到東京，投個客店安下了。次日，踅進城來，尋問金槍班教師徐寧家。有人指點道：「入得班門裡，靠東第五家黑角子門便是。」時遷轉入班門裡，先看了前門；次後踅來，相了後門，見是一帶高牆，牆裡望見兩間小巧樓屋，側首卻是一根戧

◆戧柱——屋角支撐的柱子，使房屋不會傾斜。戧音嗆。

柱◈。時遷看了一回，又去街坊問道：「徐教師在家裡麼？」人應道：「敢在內裡隨直未歸。」時遷又問道：「不知幾時歸？」人應道：「直到晚方歸來，五更便去內裡隨班。」

時遷叫了相擾，且回客店裡來，取了行頭，藏在身邊，吩咐店小二道：「我今夜多敢是不歸，照管房中則個。」

小二道：「但放心自去，並不差池。」

時遷再入到城裡，買了些晚飯吃了，卻踅到金槍班徐寧家，左右看時，沒一個好安身去處。看看天色黑了，時遷捵◈入班門裡面。是夜寒冬天色，卻無月光。時遷看見土地廟後一株大柏樹，便把兩隻腿夾定，一節節爬將上去樹頭頂，騎馬兒坐在枝柯上。

悄悄望時，只見徐寧歸來，望家裡去了。又見班裡兩個人提著燈籠出來關門，把一把鎖鎖了，各自歸家去了。早聽得譙樓◈禁鼓，卻轉初更。雲寒星斗無光，露散霜花漸白。時遷見班裡靜悄悄地，卻從樹上溜將下來，踅到徐寧後門邊，從牆上下來，不費半點氣力，爬將過去，看裡面時，卻是個小小院子。

時遷伏在廚房外張時，見廚房下燈明，兩個丫鬟兀自收拾未了。時遷卻從戧柱上盤到博風板◈邊，伏做一塊兒，張那樓上時，見那金槍手徐寧和娘子對坐爐邊向火，懷裡抱著一個六七歲孩兒。時遷看那臥房裡時，見梁上果然有個大皮匣拴在上面。房門口掛著一副弓箭，一口腰刀，衣架上掛著各色衣服。

徐寧口裡叫道：「梅香，妳來與我摺了衣服。」下面一個丫鬟上來，就側首春臺上先摺了一領紫繡圓領，又摺一領官綠襯裡襖子，並下面五色花繡踢串◈，一個護項彩色錦帕，一條紅綠結子並手帕一包。另用一個小黃帕兒，包著一條雙獺尾荔枝金帶，也放在包袱內，

◈**挟**—輕手輕腳的。挟音舔。　**譙樓**—城門上用以守望的高樓。俗稱鼓樓。
博風板—屋簷角端向上的部分，可以擋風。
踢串—古代服飾。一種束腰的帶子，在肚子前成丁字形，豎的一條垂於襠下，可以踢起。

把來安在烘籠上。時遷多看在眼裡。

約至二更以後，徐寧收拾上床，娘子問道：「明日隨直也不？」

徐寧道：「明日正是天子駕幸龍符宮，須用早起五更去伺候。」

娘子聽了，便吩咐梅香道：「官人明日要起五更，出去隨班。妳們四更起來燒湯，安排點心。」

時遷自忖道：「眼見得梁上那個皮匣子，便是盛甲在裡面。我若趁半夜下手便好。倘若鬧將起來，明日出不得城，卻不誤了大事？且捱到五更裡下手不遲。」

聽得徐寧夫妻兩口兒上床睡了，兩個丫鬟在房門外打鋪。房裡桌上，卻點著碗燈。那五個人都睡著了。兩個梅香一日伏侍到晚，精神困倦，亦皆睡了。時遷溜下來，去身邊取個蘆管兒，就窗櫺眼裡只一吹，把那碗燈早吹滅了。看看伏到四更左側，徐寧起來，便喚丫鬟起來燒湯。

那兩個使女，從睡夢裡起來，看房裡沒了燈，叫道：「啊呀，今夜卻沒了燈！」

徐寧道：「妳不去後面討燈，等幾時！」那個梅香開樓門，下胡梯響。時遷聽得，卻從柱上只一溜，來到後門邊黑影裡伏了。聽得丫鬟正開後門出來，便去開牆門，時遷卻潛入廚房裡，貼身在廚桌下。梅香討了燈火入來看時，又去關門，卻來灶前燒火。這個女使也起來生炭火上樓去。多時湯滾，捧面湯◈上去，徐寧洗漱了，叫燙些熱酒上來。丫鬟安排肉食炊餅上去，徐寧吃罷，叫把飯與外面當值的吃。

時遷聽得徐寧下來，叫伴當吃了飯，背著包袱，拿了金槍出門。兩個梅香點著燈，送徐寧出去。時遷卻從廚桌下出來，便上樓去，從槅子邊直踅到梁上，卻把身軀伏了。兩個丫鬟又關閉了門戶，吹滅了燈火，上樓來脫了衣裳，倒頭便睡。

◈**烘籠**——用竹片、枝條等編成的籠子。罩在爐子或火盆上，可用來烘乾衣物。
面湯——洗臉水。
隨直——班直是宋時最接近皇帝的衛兵之一；隨直，就是班直隨班執行警衛任務。

時遷聽那兩個梅香睡著了，在梁上把那蘆管兒指燈一吹，那燈又早滅了。時遷卻從梁上輕輕解了皮匣，正要下來，徐寧的娘子覺來，聽得響，叫梅香道：「梁上甚麼響？」時遷做老鼠叫。

丫鬟道：「娘子不聽得是老鼠叫？因廝打，這般響。」

時遷就便學老鼠廝打，溜將下來。悄悄地開了樓門，款款◈地背著皮匣，下得胡梯，從裡面直開到外門，來到班門口。已自有那隨班的人出門，四更便開了鎖。時遷得了皮匣，從人隊裡趁鬧出去了，一口氣奔出城外，到客店門前。此時天色未曉，敲開店門，去房裡取出行李，拴束做一擔兒挑了，計算還了房錢，出離店肆，投東便走。

行到四十里外，方才去食店裡打火做些飯吃，只見一個人也撞將入來。時遷看時，不是別人，卻是神行太保戴宗。

見時遷已得了物，兩個暗暗說了幾句話，戴宗道：「我先將甲投山寨去，你與湯隆慢慢地來。」

時遷打開皮匣，取出那副雁翎鎖子甲來，做一包袱包了。戴宗拴在身上，出了店門，作起神行法，自投梁山泊去了。時遷卻把空皮匣子明明的拴在擔子上，吃了飯食，還了打火錢，挑上擔兒，出店門便走。到二十里路上，撞見湯隆，兩個便入酒店裡商量。

湯隆道：「你只依我從這條路去，但過路上酒店、飯店、客店，門上若見有白粉圈兒，你便可就在那店裡買酒買肉吃，客店之中就便安歇，特地把這皮匣子放在他眼睛頭◈，離此間一程外等我。」時遷依計去了。湯隆慢慢地吃了一回酒，卻投東京城裡來。

且說徐寧家裡天明，兩個丫鬟起來，只見樓門也開了，下面中門大門都不關，慌忙家裡看時，一應物件都有，兩個丫鬟上樓來，對娘子說道：「不知怎的門戶都開了，卻不曾失了物件。」

◈款款──徐緩的樣子。　眼睛頭──眼前。指眼睛容易看見的地方。

娘子便道：「五更裡聽得梁上響，妳說是老鼠廝打，妳且看那皮匣子沒甚麼事？」兩個丫鬟看了，只叫得苦：「皮匣子不知哪裡去了！」

那娘子聽了，慌忙起來道：「快央人去龍符宮裡報與官人知道，教他早來跟尋！」

丫鬟急急尋人去龍符宮報徐寧，連央了三四替人，都回來說道：「金槍班直隨駕內苑去了，外面都是親軍護禦守把，誰人能夠入去？直須等他自歸。」徐寧妻子並兩個丫鬟如熱鍋子上螞蟻，走投無路，不茶不飯，慌做一團。

徐寧直到黃昏時候方才卸了衣袍服色，著當值的背了將著金槍，逕回家來。到得班門口，鄰舍說道：「娘子在家失盜，等候得觀察，不見回來。」

徐寧吃了一驚，慌忙走到家裡，兩個丫鬟迎門道：「官人五更出去，卻被賊人閃將入來，單單只把梁上那個皮匣子盜將去了。」徐寧聽罷，只叫那連聲的苦，從丹田底下直滾出口角來。

娘子道：「這賊正不知幾時閃在屋裡？」

徐寧道：「別的都不打緊，這副雁翎甲乃是祖宗留傳四代之寶，不曾有失。『花兒』王太尉曾還我三萬貫錢，我不曾捨得賣與他。恐怕久後軍前陣後要用，生怕有些差池，因此拴在梁上。多少人要看我的，只推沒了。今次聲張起來，枉惹他人恥笑，今卻失去，如之奈何！」

徐寧一夜睡不著，思量道：「不知是甚麼人盜了去？也是曾知我這副甲的人。」

娘子想道：「敢是夜來滅了燈時，那賊已躲在家裡了。必然是有人愛你的，將錢問你買不得，因此使這個高手賊來盜了去。你可央人慢慢緝訪出來，別作商議，且不要打草驚蛇。」徐寧聽了，到天明起來，坐在家中納悶。好似：

蜀王春恨◈，宋玉秋悲。

呂虔遺腰下之刀◈，雷煥失獄中之劍◈。

珠亡照乘◈，璧碎連城◈。

王愷之珊瑚◈已毀，無可賠償；

裴航之玉杵◆未逢，難諧歡好。

正是鳳落荒坡凋錦羽，龍居淺水失明珠。

這日徐寧正在家中納悶，早飯時分，只聽得有人扣門。當值的出去問了名姓，入去報道：「有個延安府湯知寨兒子湯隆，特來拜望。」徐寧聽罷，教請進客位裡相見。湯隆見了徐寧，納頭拜下，說道：「哥哥一向安樂？」

徐寧答道：「聞知舅舅歸天去了，一者官身羈絆，二乃路途遙遠，不能前來弔問。並不知兄弟信息，一向正在何處？今次自何而來？」

湯隆道：「言之不盡，自從父親亡故之後，時乖運蹇，一向流落江湖。今從山東逕來京師，探望兄長。」

徐寧道：「兄弟少坐。」便叫安排酒食相待。

湯隆去包袱內取出兩錠蒜條金，重二十兩，送與徐寧，說道：「先父臨終之日，留下這些東西，教寄與哥哥做遺念◆。為因無心腹之人，不曾捎來。

今次兄弟特地到京師納還哥哥。」

徐寧道：「感承舅舅如此掛念，我又不曾有半分孝順處，怎地報答？」

◈**蜀王春恨**──傳説蜀君杜宇死後，他的魂魄化作杜鵑鳥。傳説杜鵑春天啼鳴時聲音悲切，以致嘴角流血。

呂虔刀──三國魏刺史呂虔，有一寶刀，鑄工相之，以為必三公始可佩帶，因而將刀贈送王祥，王祥後位列三公。祥臨終，復以刀授弟王覽，覽後仕至大中大夫。後遂以「呂虔刀」為寶刀之美稱。

雷煥劍──晉時大臣張華，善識天文，能辨古物。一日看見天上斗牛之間有寶氣燭天，曉得豫章丰城縣中當有奇物出世。遂選朋友雷煥做丰城縣令，託他訪尋。雷煥領命，看那寶氣卻在縣間獄中，果然掘出一對寶劍來，雄曰「純鈎」，雌曰「湛盧」。

珠照乘──戰國時魏惠王，曾吹嘘自己有玉能照亮前後十二乘車。

璧連城──趙有卞和璧，秦昭王欲以十五連城貿之。

王愷珊瑚──石崇與王愷鬥富，晉武帝是王愷的外甥，經常幫助王愷。他曾把一枝高二尺左右的珊瑚賞賜給王愷，這珊瑚樹枝條紛披，世上很少有能同它比美的。王愷把它拿給石崇看。石崇看畢，用鐵如意敲打它，隨手打碎了。

裴航玉杵──裴航在藍橋驛討茶水喝，看上了美麗的少女雲英，遂向其祖母求親，老婦人非要他找到玉杵臼為聘不可，最後裴航找到了玉杵臼，娶了雲英。玉杵，指在月宮裡的玉兔搗藥用的工具。

遺念──死者遺留的紀念物。

湯隆道：「哥哥休恁地說。先父在日之時，常是想念哥哥這一身武藝。只恨山遙水遠，不能夠相見一面，因此留這些物與哥哥做遺念。」

徐寧謝了湯隆，交收過了，且安排酒來管待。湯隆和徐寧飲酒中間，見徐寧眉頭不展，面帶憂容。

湯隆起身道：「哥哥如何尊顏有些不喜？心中必有憂疑不決之事。」

徐寧嘆口氣道：「兄弟不知，一言難盡，夜來家間被盜。」

湯隆道：「不知失去了何物？」

徐寧道：「單單只盜去了先祖留下那副雁翎鎖子甲，又喚做賽唐猊。昨夜失了這件東西，以此心下不樂。」

湯隆道：「哥哥那副甲，兄弟也曾見來，端的無比，先父常常稱讚不盡。卻是放在何處被盜了去？」

徐寧道：「我把一個皮匣子盛著，拴縛在臥房中梁上，正不知賊人甚麼時候入來盜了去。」湯隆問道：「卻是甚等樣皮匣子盛著？」

徐寧道：「是個紅羊皮匣子盛著，裡面又用香綿裹住。」

湯隆假意失驚道：「紅羊皮匣子？不是上面有白綫刺著綠雲頭如意，中間有獅子滾繡毬的？」

徐寧道：「兄弟，你哪裡見來？」

湯隆道：「小弟夜來離城四十里，在一個村店裡沽些酒吃，見個鮮眼睛黑瘦漢子擔兒上挑著。我見了，心中也自暗忖道：『這個皮匣子，卻是盛甚麼東西的？』臨出店時，我問道：『你這皮匣子作何用？』『那漢子應道：『原是盛甲的，如今胡亂放些衣服。』必是這個人了。我見那廝卻似閃朒◈了腿的，一步步挨著了走。何不我們追趕他去？」

徐寧道：「若是趕得著時，卻不是天賜其便！」

湯隆道：「既是如此，不要耽擱，便趕去罷！」

徐寧聽了，急急換上麻鞋，帶了腰刀，提條朴刀，便和湯隆兩個出了東

◈朒——扭傷、折傷。朒音女四聲。

郭門，拽開腳步，迤邐趕來。

前面見壁上有白圈酒店裡，湯隆道：「我們且吃碗酒了趕，就這裡問一聲。」

湯隆入得門坐下，便問道：「主人家，借問一問，曾有個鮮眼黑瘦漢子，挑個紅羊皮匣子過去麼？」

店主人道：「昨夜晚是有這般一個人挑著個紅羊皮匣子過去了。一似腿上吃跌了的，一步一攧走。」

湯隆道：「哥哥，你聽卻如何？」

徐寧聽了，做聲不得。兩個連忙還了酒錢，出門便去。前面又見一個客店，壁上有那白圈，湯隆立住了腳，說道：「哥哥，兄弟走不動了，和哥哥且就這客店裡歇了。明日早去趕。」

徐寧道：「我卻是官身，倘或點名不到，官司必然見責，如之奈何？」

湯隆道：「這個不用兄長憂心，嫂嫂必自推個事故。」

當晚又在客店裡問時，店小二答道：「昨夜有一個鮮眼黑瘦漢子，在我店裡歇了一夜，直睡到今日小日中◈，方才去了。口裡只問山東路程。」湯隆道：「恁地可以趕了。明日起個四更，定是趕著，拿住那廝，便有下落。」

當夜兩個歇了，次日起個四更，離了客店，又迤邐趕來。湯隆但見壁上有白粉圈兒，便做買酒買食吃了問路，處處皆說得一般。徐寧心中急切要那副甲，只顧跟隨著湯隆趕了去。看看天色又晚了，望見前面一所古廟，廟前樹下，時遷放著擔兒，在那裡坐地。

湯隆看見，叫道：「好了，前面樹下那個，不是哥哥盛甲的匣子？」徐寧見了，搶向前來一把揪住時遷，喝道：「你這廝好大膽！如何盜了我這副甲來！」

時遷道：「住，住！不要叫！是我盜了你這副甲來，你如今卻是要怎地？」

◈小日中——將近中午的時候。

徐寧喝道：「畜生無禮！倒問我要怎地！」

時遷道：「你且看匣子裡有甲也無？」湯隆便把匣子打開看時，裡面卻是空的。

徐寧道：「你這廝把我這副甲哪裡去了！」

時遷道：「你聽我說，小人姓張，排行第一，泰安州人氏，本州有個財主，要結識老种經略相公，知道你家有這副雁翎鎖子甲，不肯貨賣。特地使我同一個李三兩人來你家偷盜，許俺們一萬貫。不想我在你家柱子上跌下來，閃朒了腿，因此走不動。先教李三把甲拿了去，只留得空匣在此。你若要奈何我時，便到官司，只是拚著命，就打死我也不招，休想我指出別人來。若還肯饒我官司時，我和你去討這副甲來還你。」

徐寧躊躇了半晌，決斷不下。湯隆便道：「哥哥，不怕他飛了去，只和他去討甲。若無甲時，須有本處官司告理。」

徐寧道：「兄弟也說的是。」

三個廝趕著，又投客店裡來息了。徐寧、湯隆監住時遷一處宿歇。原來時遷故把些絹帛紮縛了腿，只做閃朒了腿。徐寧見他又走不動，因此十分中只有五分防他。三個又歇了一夜，次日早起來再行，時遷一路買酒買肉陪告，又行了一日。

次日，徐寧在路上心焦起來，不知畢竟有甲也無。正走之間，只見路旁邊三四個頭口◈，拽出一輛空車子，背後一個人駕車，旁邊一個客人，看著湯隆，納頭便拜。

湯隆問道：「兄弟因何到此？」

那人答道：「鄭州做了買賣，要回泰安州去。」

湯隆道：「最好。我三個要搭車子，也要到泰安州去走一遭。」

那人道：「莫說三個上車，再多些也不計較。」湯隆大喜，叫與徐寧相見。徐寧問道：「此人是誰？」

◈頭口——牲口。

湯隆答道：「我去年在泰安州燒香，結識得這個兄弟，姓李，名榮，是個有義氣的人。」

徐寧道：「既然如此，這張一又走不動，都上車子坐地。」只叫車客駕車子行。

四個人坐在車子上，徐寧問道：「張一，你且說與我那個財主姓名。」時遷吃逼不過，三回五次推托，只得胡亂說道：「他是有名的郭大官人。」徐寧卻問李榮道：「你那泰安州曾有個郭大官人麼？」李榮答道：「我那本州郭大官人是個上戶財主，專好結識官宦來往，門下養著多少閒人。」

徐寧聽罷，心中想道：「既有主坐◆，必不礙事。」又見李榮一路上說些槍棒，唱幾個曲兒，不覺又過了一日。

話休絮煩。看看到梁山泊只有兩程多路，只見李榮叫車客把葫蘆去沽些酒來，買些肉來，就車子上吃三杯。李榮把出一個瓢來，先傾一瓢，來勸徐寧，徐寧一飲而盡。李榮再叫傾酒，車客假做手脫，把這一葫蘆酒都傾翻在地下。李榮喝罵車客再去沽些。只見徐寧口角流涎，撲地倒在車子上了。李榮是誰？卻是鐵叫子樂和。

三個從車上跳將下來，趕著車子，直送到旱地忽律朱貴酒店裡。眾人就把徐寧扛扶下船，都到金沙灘上岸。宋江已有人報知，和眾頭領下山接著。徐寧此時麻藥已醒，眾人又用解藥解了。

徐寧開眼見了眾人，吃了一驚，便問湯隆道：「兄弟，你如何賺我到這裡？」

湯隆道：「哥哥得聽我說，小弟今次聞知宋公明招接四方豪傑，因此上在武岡鎮拜黑旋風李逵做哥哥，投托大寨入夥。今被呼延灼用連環甲馬衝陣，無計可破，是小弟獻此鉤鐮槍法，只除是哥哥會使。由此定這條計使時遷先來盜了你的甲，卻教小弟賺哥哥上路，後使樂和假做李榮，過山時，

◆主坐——主謀、主使的人。

下了蒙汗藥，請哥哥上山來坐把交椅。」

徐寧道：「卻是兄弟送了我也！」

宋江執杯向前陪告道：「現今宋江暫居水泊，專待朝廷招安，盡忠竭力報國，非敢貪財好殺，行不仁不義之事。萬望觀察憐此真情，一同替天行道。」

林沖也來把盞陪話道：「小弟亦到此間，多說兄長清德，休要推卻。」徐寧道：「湯隆兄弟，你卻賺我到此，家中妻子必被官司擒捉，如之奈何！」宋江道：「這個不妨。觀察放心，只在小可身上，早晚便取寶眷到此完聚。」

晁蓋、吳用、公孫勝都來與徐寧陪話，安排筵席作慶。一面選揀精壯小嘍囉，學使鈎鐮槍法，一面使戴宗和湯隆星夜往東京，搬取徐寧老小。旬日之間，楊林自潁州取到彭玘老小，薛永自東京取到凌振老小，李雲收買到五車煙火藥料回寨。

更過數日，戴宗、湯隆取到徐寧老小上山。

徐寧見了妻子到來，吃了一驚，問是如何便到得這裡。

妻子答道：「自你轉背◈，官司點名不到，我使了些金銀首飾，只推道患病在床，因此不來叫喚。忽見湯叔叔賫著雁翎甲來說道：『甲便奪得來了。哥哥只是於路染病，將次死在客店裡，叫嫂嫂和孩兒便來看視。』把我賺上車子，我又不知路徑，迤邐來到這裡。」

徐寧道：「兄弟，好卻好了。只可惜將我這副甲陷在家裡了。」

湯隆笑道：「好教哥哥歡喜，打發嫂嫂上車之後，我便復翻身去賺了這甲，誘了這兩個丫鬟，收拾了家中應有細軟，做一擔兒挑在這裡。」

徐寧道：「恁地時，我們不能夠回東京去了。」

湯隆道：「我又教哥哥再知一件事來，在半路上，撞見一夥客人，我把

◈轉背——離開。

哥哥的雁翎甲穿了，搽畫了臉，說哥哥名姓，劫了那夥客人的財物。這早晚東京已自遍行文書，捉拿哥哥。」

徐寧道：「兄弟，你也害得我不淺！」

晁蓋、宋江都來陪話道：「若不是如此，觀察如何肯在這裡住？」隨即撥定房屋，與徐寧安頓老小。眾頭領且商議破連環馬軍之法。此時雷橫監造鈎鐮槍已都完備。宋江、吳用等啟請徐寧，教眾軍健學使鈎鐮槍法。

徐寧道：「小弟今當盡情剖露，訓練眾軍頭目，揀選身材長壯之士。」眾頭領都在聚義廳上看徐寧選軍，說那個鈎鐮槍法。有分教：三千甲馬登時破，一個英雄指日降。

畢竟金槍手徐寧怎的敷演鈎鐮槍法？且聽下回分解。

第五七回

徐寧教使鈎鐮槍
宋江大破連環馬

話說晁蓋、宋江、吳用、公孫勝與眾頭領，就聚義廳上啟請徐寧教使鈎鐮槍法。眾人看徐寧時，果是一表好人物，六尺五、六長身體，團團的一個白臉，三牙細黑髭髯，十分腰圓膀闊。

曾有一篇《西江月》單道徐寧模樣：

臂健開弓有準，身輕上馬如飛。
彎彎兩道臥蠶眉，鳳翥鸞翔子弟。
戰鎧細穿柳葉，烏巾斜帶花枝。
常隨寶駕侍丹墀，槍手徐寧無對。

當下徐寧選軍已罷，便下聚義廳來，拿起一把鈎鐮槍自使一回。眾人見了喝采。徐寧便教眾軍道：「但凡馬上使這般軍器，就腰胯裡做步上來，上中七路，三鈎四撥，一搠一分，共使九個變法。若是步行使這鈎鐮槍，亦最得用。先使八步四撥，蕩開門戶；十二步一變，十六步大轉身。分鈎、鐮、搠、繳，二十四步，挪上攢下，鈎東撥西；三十六步，渾身蓋護，奪硬鬥強。此是鈎鐮槍正法。」有詩訣為證：四撥三鈎通七路，共分九變合神機。二十四步挪前後，一十六翻大轉圍。

徐寧將正法一路路敷演，教眾頭領看。眾軍漢見了徐寧使鈎鐮槍，都喜歡。就當日為始，將選揀精銳壯健之人，曉夜習學。又教步軍藏林伏草，鈎蹄拽腿下面三路暗法。不到半月之間，教成山寨五七百人，宋江並眾頭領看了大喜，準備破敵。

卻說呼延灼自從折了彭玘、凌振，每日只把馬軍來水邊搦戰。山寨中只教水軍頭領牢守各處灘頭，水底釘了暗樁。呼延灼雖是在山西山北兩路出哨，決不能夠到山寨邊。梁山泊卻叫凌振製造了諸般火炮，剋日定時，下山對敵。學使鈎鐮槍軍士，已都學成。

宋江道：「不才淺見，未知合眾位心意否？」吳用道：「願聞其略。」

宋江道：「明日並不用一騎馬軍，眾頭領都是步戰。孫吳兵法，卻利於山林沮澤。今將步軍下山，分作十隊誘敵。但見軍馬衝掩將來，都望蘆葦荊棘林中亂走。卻先把鈎鐮槍軍士埋伏在彼，每十個會使鈎鐮槍的，間著十個撓鈎手，但見馬到，一攪鈎翻，便把撓鈎搭將入去捉了。平川窄路，也如此埋伏。此法如何？」

吳學究道：「正應如此藏兵捉將。」

徐寧道：「鈎鐮槍並撓鈎，正是此法。」

宋江當日分撥十隊步軍人馬：劉唐、杜遷引一隊，穆弘、穆春引一隊，楊雄、陶宗旺引一隊，朱仝、鄧飛引一隊，解珍、解寶引一隊，鄒淵、鄒潤引一隊，一丈青、王矮虎引一隊，薛永、馬麟引一隊，燕順、鄭天壽引一隊，楊林、李雲引一隊。這十隊步軍，先行下山誘引敵軍。再差李俊、張橫、張順、三阮、童威、童猛、孟康九個水軍頭領，乘駕戰船接應。再叫花榮、秦明、李應、柴進、孫立、歐鵬六個頭領，乘馬引軍，只在山邊搦戰。凌振、杜興專放號炮。

卻叫徐寧、湯隆總行招引使鈎鐮槍軍士。中軍宋江、吳用、公孫勝、戴宗、呂方、郭盛總制軍馬，指揮號令。其餘頭領俱各守寨。

宋江分撥已定，是夜三更，先載使鈎鐮槍軍士過渡，四面去分頭埋伏已定，四更卻渡十隊步軍過去。凌振、杜興載過風火炮，架上高埠去處，豎起炮架，擱上火炮。徐寧、湯隆各執號帶渡水。平明◈時分，宋江守中軍人馬，隔水擂鼓吶喊搖旗。

呼延灼正在中軍帳內，聽得探子報知，傳令便差先鋒韓滔先來出哨。隨即鎖上連環甲馬，呼延灼全身披掛，騎了踢雪烏騅馬，仗著雙鞭，大驅車

◈平明——天剛亮的時候。

馬，殺奔梁山泊來。隔水望見宋江引著許多人馬，呼延灼教擺開馬軍。

先鋒韓滔來與呼延灼商議道：「正南上一隊步軍，不知是何處來的？」

呼延灼道：「休問他何處軍，只顧把連環馬衝將去。」韓滔引著五百馬軍，飛哨出去。又見東南上一隊軍兵起來，卻欲分兵去哨，只見西南上又擁起一隊旗號，招颭吶喊。

韓滔再引軍回來，對呼延灼道：「南邊三隊賊兵，都是梁山泊旗號。」

呼延灼道：「這廝許多時不出來廝殺，必有計策。」說猶未了，只聽得北邊一聲炮響。

呼延灼罵道：「這炮必是凌振從賊，教他施放。」

眾人平南一望，只見北邊又擁起三隊旗號，呼延灼對韓滔道：「此必是賊人奸計。我和你把人馬分為兩路，我去殺北邊人馬，你去殺南邊人馬。」

正欲分兵之際，只見西邊又是四隊人馬起來，呼延灼心慌。

又聽得正北上連珠炮響，一帶直接到土坡上。那一個母炮周廻◆接著四十九個子炮，名為「子母炮」，響處風威大作。呼延灼軍兵，不戰自亂，急和韓滔各引馬步軍兵四下衝突。

這十隊步軍，東趕東走，西趕西走，呼延灼看了大怒，引兵望北衝將來。宋江軍兵盡投蘆葦中亂走，呼延灼大驅連環馬，捲地而來。那甲馬一齊跑發◈，收勒不住，盡望敗葦折蘆之中、枯草荒林之內跑了去。只聽裡面胡哨響處，鈎鐮槍一齊舉手；先鈎倒兩邊馬腳，中間的甲馬，便自咆哮起來，那撓鈎手軍士一齊搭住，蘆葦中只顧縛人。

呼延灼見中了鈎鐮槍計，便勒馬回南邊去趕韓滔。背後風火炮當頭打將下來。這邊那邊，漫山遍野，都是步軍追趕著。韓滔、呼延灼部領的連環甲馬，亂滾滾都入荒草蘆葦之中，盡被捉了。

二人情知中了計策，縱馬去四面跟尋馬軍，奪路奔走時，更兼那幾條路上麻林般擺著梁山泊旗號，不敢投那幾條路走，一直便望西北上來。

◈**周廻**—同「周圍」。 **跑發**—牲口受驚不服控制而亂跑。

行不到五六里路，早擁出一隊強人，當先兩個好漢攔路，一個是沒遮攔穆弘，一個是小遮攔穆春，撚兩條朴刀大喝道：「敗將休走！」呼延灼忿怒，舞起雙鞭，縱馬直取穆弘、穆春。略鬥四、五合，穆春便走。呼延灼只怕中了計，不來追趕，望正北大路而走。山坡下又轉出一隊強人，當先兩個好漢攔路，一個是兩頭蛇解珍，一個是雙尾蝎解寶。各挺鋼叉，直奔前來。呼延灼舞起雙鞭，來戰兩個。

鬥不到五七合，解珍、解寶拔步便走。呼延灼趕不過半里多路，兩邊鑽出二十四把鈎鐮槍，著地捲將來。呼延灼無心戀戰，撥轉馬頭望東北上大路便走，又撞著王矮虎、一丈青夫妻二人，截住去路。

呼延灼見路徑不平，四下兼有荊棘遮攔，拍馬舞鞭，殺開條路，直衝過去。王矮虎、一丈青趕了一直，趕不上，呼延灼自投東北上去了，殺得大敗虧輸，雨零星散。有詩為證：

十路軍兵振地來，烏騅踢雪望風回。

連環盡被鈎鐮破，剩得雙鞭出九垓。

話分兩頭。且說宋江鳴金收軍回山，各請功賞。三千連環甲馬有停半被鈎鐮槍撥倒，傷損了馬蹄、剝去皮甲，把來做菜馬◈食；二停多好馬，牽上山去餵養，作坐馬。帶甲軍士，都被生擒上山。五千步軍，被三面圍得緊急，有望中軍躲的，都被鈎鐮槍拖翻捉了；望水邊逃命的，盡被水軍頭領圍裹上船去，拽過灘頭，拘捉上山。先前被拿去的馬匹並捉去軍士，盡行復奪回寨。

把呼延灼寨柵盡數拆來，水邊泊內搭蓋小寨，再造兩處做眼酒店房屋等項，仍前著孫新、顧大嫂、石勇、時遷兩處開店。劉唐、杜遷拿得韓滔，把來綁縛解到山寨。宋江見了，親解其縛，請上廳來，以禮陪話，相待筵宴，令彭玘、凌振說他入夥，韓滔也是七十二煞之數，自然意氣相投，就梁山泊做了頭領。

宋江便教修書，使人往陳州搬取韓滔老小，來山寨中完聚。宋江喜得破

◈菜馬——專供食用的馬。

了連環馬，又得了許多軍馬、衣甲、盔刀添助，每日做筵席慶喜。仍舊調撥各路守把，提防官兵，不在話下。

卻說呼延灼折了許多官軍人馬，不敢回京，獨自一個騎著那匹踢雪烏騅馬，把衣甲拴在馬上，於路逃難，卻無盤纏；解下束腰金帶，賣來盤纏，在路尋思道：「不想今日閃得我如此，卻是去投誰好？」猛然想起：「青州慕容知府，舊與我有一面相識，何不去那裡投奔他？卻打慕容貴妃的關節，那時再引軍來報仇未遲。」

在路行了二日，當晚又飢又渴。見路旁一個村酒店，呼延灼下馬，把馬拴在門前樹上。入來店內，把鞭子放在桌上，坐下了，叫酒保取酒肉來吃。酒保道：「小人這裡只賣酒。要肉時，村裡卻才殺羊，若要，小人去回買。」呼延灼把腰裡料袋解下來，取出些金帶倒換的碎銀兩，把與酒保道：「你可回一腳羊肉與我煮了，就對付草料，餵養我這匹馬。今夜只就你這裡宿一宵，明日自投青州府裡去。」

酒保道：「官人，此間宿不妨，只是沒好床帳。」

呼延灼道：「我是出軍的人，但有歇處便罷。」酒保拿了銀子，自去買羊肉。

呼延灼把馬背上捎的衣甲取將下來，鬆了肚帶，坐在門前。等了半晌，只見酒保提一腳羊肉歸來。呼延灼便叫煮了，回三斤麵來打餅，打兩角酒來。酒保一面煮肉打餅，一面燒腳湯，與呼延灼洗了腳，便把馬牽放屋後小屋下。酒保一面切草煮料，呼延灼先討熱酒吃了一回。

少刻肉熟，呼延灼叫酒保，也與他些酒肉吃了，吩咐道：「我是朝廷軍官，為因收捕梁山泊失利，待往青州投慕容知府，你好生與我餵養這匹馬，是今上御賜的，名為踢雪烏騅馬。明日我重重賞你。」

酒保道：「感承相公。卻有一件事教相公得知，離此間不遠有座山，喚做桃花山。山上有一夥強人，為頭的是打虎將李忠，第二個是小霸王周通，聚集著五七百小嘍囉，打家劫舍，時常來攪惱村坊。官司累次著仰捕盜官軍來，收捕他不得，相公夜間須用小心省睡。」

呼延灼說道：「我有萬夫不當之勇，便道那廝們全夥都來，也待怎生！只與我好生餵養這匹馬。」

吃了一回酒肉餅子，酒保就店裡打了一鋪，安排呼延灼睡了。一者呼延灼連日心悶，二乃又多吃了幾杯酒，就和衣而臥。一覺直睡到三更方醒，只聽得屋後酒保在那裡叫屈◈起來。呼延灼聽得，連忙跳將起來，提了雙鞭，走去屋後問道：「你如何叫屈？」

酒保道：「小人起來上草，只見籬笆推翻，被人將相公的馬偷將去了。遠遠地望見三四里火把尚明，一定是那裡去了。」

呼延灼道：「那裡正是何處？」

酒保道：「眼見得那條路上，正是桃花山小嘍囉偷得去了。」

呼延灼吃了一驚，便叫酒保引路，就田塍◈上趕了二三里。火把看看不見，正不知投哪裡去了。呼延灼說道：「若無了御賜的馬，卻怎地是好！」

酒保道：「相公明日須去州裡告了，差官軍來勦捕，方才能夠奪回這匹馬。」呼延灼悶悶不已，坐到天明，叫酒保挑了衣甲，逕投青州。來到城裡時，天色已晚了，且在客店裡歇了一夜。

次日天曉，逕到府堂階下參拜了慕容知府。知府大驚，問道：「聞知將軍收捕梁山泊草寇，如何卻到此間？」呼延灼只得把上項訴說了一遍。慕容知府聽了道：「雖是將軍折了許多人馬，此非慢功之罪，中了賊人奸計，亦無奈何。下官所轄地面，多被草寇侵害。將軍到此，可先掃清桃花山，奪取那匹御賜的馬。卻連那二龍山、白虎山兩處強人，一發剿捕了時，下官自當一力保奏，再教將軍引兵復仇如何？」

呼延灼再拜道：「深謝恩相主監◆！若蒙如此，誓當效死報德！」

慕容知府教請呼延灼去客房裡暫歇，一面更衣宿食。那挑甲酒保，自叫他回去了。

◆叫屈—自認為倒楣。 田塍—田間的小路。塍音程。

一住三日，呼延灼急欲要這匹御賜馬，又來稟覆知府，便教點軍。慕容知府便點馬步軍二千，借與呼延灼，又與了一匹青鬃馬。呼延灼謝了恩相，披掛上馬，帶領軍兵前來奪馬，逕往桃花山進發。

且說桃花山上打虎將李忠與小霸王周通自得了這匹踢雪烏騅馬，每日在山上慶喜飲酒。當日有伏路小嘍囉報道：「青州軍馬來也！」小霸王周通起身道：「哥哥守寨，兄弟去退官軍。」便點起一百小嘍囉，綽槍上馬，下山來迎敵官軍。卻說呼延灼引起二千兵馬來到山前，擺開陣勢，呼延灼當先出馬，厲聲高叫：「強賊早來受縛！」小霸王周通將小嘍囉一字擺開，便挺槍出馬。怎生打扮：

身著團花宮錦襖，手持走水綠沉槍。
聲雄面闊鬚如戟，盡道周通賽霸王。

呼延灼見了周通，便縱馬向前來戰。周通也躍馬來迎。二馬相交，鬥不到六七合，周通氣力不加，撥轉馬頭，往山上便走。呼延灼趕了一直，怕有計策，急下山來，紮住寨柵，等候再戰。

卻說周通回寨，見了李忠，訴說：「呼延灼武藝高強，遮攔不住，只得且退上山。倘或他趕到寨前來，如之奈何？」

李忠道：「我聞二龍山寶珠寺花和尚魯智深在彼，多有人伴，更兼有個甚麼青面獸楊志，又新有個行者武松，都有萬夫不當之勇。不如寫一封書，使小嘍囉去那裡求救。若解得危難，拚得投托他大寨，月終納他些進奉也好。」

周通道：「小弟也多知他那裡豪傑，只恐那和尚記當初之事，不肯來救。」李忠笑道：「他那時又打了你，又得了我們許多金銀酒器，如何倒有見怪之心？他是個直性的好人，使人到彼，必然親引軍來救應。」

◆主監──照顧。

周通道：「哥哥也說得是。」就寫了一封書，差兩個了事的小嘍囉，從後山踅將下去，取路投二龍山來。

行了兩日，早到山下，那裡小嘍囉問了備細來情。

且說寶珠寺裡大殿上坐著三個頭領：為首是花和尚魯智深，第二是青面獸楊志，第三是行者二郎武松。

前面山門下坐著四個小頭領：一個是金眼彪施恩，原是孟州牢城施管營的兒子，為因武松殺了張都監一家人口，官司著落他家追捉凶身，以此連夜挈家逃走在江湖上。

後來父母俱亡，打聽得武松在二龍山，連夜投奔入夥。一個是操刀鬼曹正，原是同魯智深、楊志收奪寶珠寺，殺了鄧龍，後來入夥。一個是菜園子張青，一個是母夜叉孫二娘。這夫妻兩個，原是孟州道十字坡賣人肉饅頭的。

因魯智深、武松連連寄書招他，亦來投奔入夥。曹正聽得說桃花山有書，先來問了詳細，直去殿上，稟覆三個大頭領知道。

智深便道：「洒家當初離五臺山時，到一個桃花村投宿，好生打了那周通撮鳥一頓。李忠那廝，卻來認得洒家，卻請去上山吃了一日酒，結識洒家為兄，留俺做個寨主。俺見這廝們慳吝，被俺捲了若干金銀酒器撒開他。如今來求救，且看他說甚麼。放那小嘍囉上關來。」

曹正去不多時，把那小嘍囉引到殿下，唱了喏，說道：「青州慕容知府近日收得個征進梁山泊失利的雙鞭呼延灼。如今慕容知府先教掃蕩俺這裡桃花山、二龍山、白虎山幾座山寨，卻借軍與他收捕梁山泊復仇。俺的頭領今欲啟請大頭領將軍下山相救，明朝無事了時，情願來納進奉。」

楊志道：「俺們各守山寨，保護山頭，本不去救應的是。洒家一者怕壞了江湖上豪傑；二者恐那廝得了桃花山，便小覷了洒家這裡。可留下張青、孫二娘、施恩、曹正看守寨柵，俺三個親自走一遭。」隨即點起五百小嘍囉，六十餘騎軍馬，各帶了衣甲軍器，逕往桃花山來。

卻說李忠知二龍山消息，自引了三百小嘍囉下山策應。呼延灼聞知，急領所部軍馬，攔路列陣，舞鞭出馬，來與李忠相持。怎見李忠模樣：

頭尖骨臉似蛇形，槍棒林中獨擅名。
打虎將軍心膽大，李忠祖是霸陵生。

原來李忠祖貫濠州定遠人氏，家中祖傳靠使槍棒為生。人見他身材壯健，因此呼他做「打虎將」。

當時下山來與呼延灼交戰，卻如何敵得呼延灼過，鬥了十合之上，見不是頭，撥開軍器便走。呼延灼見他本事低微，縱馬趕上山來。小霸王周通正在半山裡看見，便飛下鵝卵石來，呼延灼慌忙回馬下山來。

只見官軍迭頭◆吶喊，呼延灼便問道：「為何吶喊？」

後軍答道：「遠望見一彪軍馬飛奔而來。」呼延灼聽了，便來後軍隊裡看時，見塵頭起處，當頭一個胖大和尚，騎一匹白馬，那人是誰？正是：

自從落髮寓禪林，萬里曾將壯士尋。

臂負千斤扛鼎力，天生一片殺人心。
欺佛祖，喝觀音，戒刀禪杖冷森森。
不看經卷花和尚，酒肉沙門魯智深。

魯智深在馬上大喝道：「哪個是梁山泊殺敗的撮鳥，敢來俺這裡唬嚇人！」呼延灼道：「先殺你這個禿驢，豁我心中怒氣！」魯智深掄動鐵禪杖，呼延灼舞起雙鞭，二馬相交，兩邊吶喊。鬥四、五十合，不分勝敗。呼延灼暗暗喝采道：「這個和尚，倒恁地了得！」兩邊鳴金，各自收軍暫歇。呼延灼少停，再縱馬出陣，大叫：「賊和尚再出來，與你定個輸贏，見個勝敗！」魯智深卻待正要出馬，側首惱犯了這個英雄，叫道：「大哥少歇，看洒家去捉這廝！」那人舞刀出馬。來戰呼延灼的是誰？正是：

◆迭頭——連續不斷。

曾向京師為制使，花石綱累受艱難。
虹霓氣逼牛斗寒。
刀能安宇宙，弓可定塵寰。
虎體狼腰猿臂健，跨龍駒穩坐雕鞍。
英雄聲價滿梁山。
人稱青面獸，楊志是軍班。

當下楊志出馬，來與呼延灼交鋒。兩個鬥到四十餘合，不分勝敗。呼延灼見楊志手段高強，尋思道：「怎的哪裡走出這兩個來？好生了得，不是綠林中手段。」楊志也見呼延灼武藝高強，賣個破綻，撥回馬，跑回本陣。呼延灼也勒轉馬頭，不來追趕。兩邊各自收軍。魯智深便和楊志商議道：「俺們初到此處，不宜逼近下寨。且退二十里，明日卻再來廝殺。」帶領小嘍囉，自過附近山岡下寨去了。

卻說呼延灼在帳中納悶，心內想道：「指望到此勢如劈竹，便拿了這夥草寇，怎知卻又逢著這般對手。我直如此命薄！」

正沒擺布處，只見慕容知府使人來喚道：「叫將軍且領兵回來，保守城中。今有白虎山強人孔明、孔亮，引人馬來青州借糧，怕府庫有失，特令來請將軍回城守備。」呼延灼聽了，就這機會，帶領軍馬連夜回青州去了。

次日，魯智深與楊志、武松又引了小嘍囉搖旗吶喊，直到山下來看時，一個軍馬也無了，倒吃了一驚。山上李忠、周通引人下來，拜請三位頭領上到山寨裡，殺牛宰馬，筵席相待，一面使人下山，探聽前路消息。

且說呼延灼引軍回到城下，卻見了一彪軍馬，正來到城邊。為頭的乃是白虎山下孔太公的兒子「毛頭星」孔明、「獨火星」孔亮。兩個因和本鄉一個財主爭競，把他一門良賤盡都殺了，聚集起五七百人，占住白虎山，打家劫舍。

因為青州城裡有他的叔叔孔賓，被慕容知府捉下，監在牢裡，孔明、孔亮特地點起山寨小嘍囉來打青州，要救叔叔孔賓，正迎著呼延灼軍馬。兩邊擁著，敵住廝殺，呼延灼便出馬到陣前。慕容知府在城樓上觀看，見孔明當先，挺槍出馬，直取呼延灼。

兩馬相交，鬥到二十餘合，呼延灼要在知府跟前顯本事，又值孔明武藝不精，只辦得架隔遮攔，鬥到間深裡，被呼延灼就馬上把孔明活捉了去，孔亮只得引了小嘍囉便走。慕容知府在敵樓上指著，叫呼延灼引軍去趕，官兵一掩，活捉得百十餘人。孔亮大敗，四散奔走，至晚尋個古廟安歇。

卻說呼延灼活捉得孔明，解入城中，來見慕容知府。知府大喜，叫把孔明大枷釘下牢裡，和孔賓一處監收。一面賞勞三軍，一面管待呼延灼，備問桃花山消息。

呼延灼道：「本待是甕中捉鱉，手到拿來，無端又被一夥強人前來救應。數內一個和尚，一個青臉大漢，二次交鋒，各無勝敗。這兩個武藝不比尋常，不是綠林中手段，因此未曾拿得。」

慕容知府道：「這個和尚，便是延安府老种經略帳前軍官提轄魯達，今次落髮為僧，喚做『花和尚』魯智深。這一個青臉大漢，亦是東京殿帥府制使官，喚做『青面獸』楊志。再有一個行者，喚做武松，原是景陽岡打虎的武都頭。這三個占住二龍山，打家劫舍，累次拒敵官軍，殺了三五個捕盜官，直至如今，未曾捉得。」

呼延灼道：「我見這廝們武藝精熟，原來卻是楊制使和魯提轄，名不虛傳。恩相放心，呼延灼已見他們本事了。只在早晚，一個個活捉了解官。」

知府大喜，設筵管待已了，且請客房內歇，不在話下。

卻說孔亮引了敗殘人馬，正行之間，猛可裡樹林中撞出一彪軍馬，當先一籌好漢，怎生打扮？有《西江月》為證：

直裰冷披黑霧，界箍光射秋霜。

◆城樓──城門上的樓臺，多作瞭望與防禦之用。 間深裡──長時間。

額前剪髮拂眉長，腦後護頭齊項。
頂骨數珠燦白，雜絨縧結微黃。
鋼刀兩口迸寒光，行者武松形象。

孔亮見了是武松，慌忙滾鞍下馬，便拜道：「壯士無恙！」武松連忙答應，扶起問道：「聞知足下弟兄們占住白虎山聚義，幾次要來拜望，一者不得下山，二乃路途不順，以此難得相見。今日何事到此？」孔亮把救叔叔孔賓陷兒之事，告訴了一遍。武松道：「足下休慌。我有六七個弟兄，現在二龍山聚義。今為桃花山李忠、周通被青州官軍攻擊得緊，來我山寨求救。魯、楊二頭領引了孩兒們先來與呼延灼交戰。

「兩個廝併了一日，不知何故，呼延灼忽然夜間去了。山寨中留我弟兄三人筵宴，把這匹御賜馬送與我們。今我部領頭隊人馬回山，他二位隨後便到。我叫他去打青州，救你叔兄如何？」

孔亮拜謝武松。等了半晌，只見魯智深、楊志兩個並馬都到。

武松引孔亮拜見二位，備說：「那時我與宋江在他莊上相會，多有相擾。今日俺們可以義氣為重，聚集三山人馬，攻打青州，殺了慕容知府，擒獲呼延灼，各取府庫錢糧，以供山寨之用，如何？」

魯智深道：「洒家也是這般思想。便使人去桃花山報知，叫李忠、周通引孩兒們來，俺三處一同去打青州。」

楊志便道：「青州城池堅固，人馬強壯，又有呼延灼那廝英勇。不是俺自滅威風，若要攻打青州時，只除非依我一言，指日可得。」

武松道：「哥哥，願聞其略。」那楊志言無數句，話不一席，有分教：

青州百姓，家家瓦裂煙飛；水滸英雄，個個摩拳擦掌。

畢竟楊志對武松說出怎地打青州？且聽下回分解。

第五八回

三山聚義打青州
眾虎同心歸水泊

話說武松引孔亮拜告魯智深、楊志，求救哥哥孔明並叔叔孔賓。魯智深便要聚集三山人馬，前去攻打。

楊志道：「若要打青州，須用大隊軍馬，方可打得。俺知梁山泊宋公明大名，江湖上都喚他做『及時雨』宋江，更兼呼延灼是他那裡仇人。

「俺們弟兄和孔家弟兄的人馬都併做一處，洒家這裡再等桃花山人馬齊備，一面且去攻打青州。孔亮兄弟你可親身星夜去梁山泊，請下宋公明來，併力攻城，此為上計。抑且宋三郎與你至厚，你們弟兄心下如何？」

魯智深道：「正是如此。我只見今

日也有人說宋三郎好，明日也有人說宋三郎好，可惜洒家不曾相會。眾人說他的名字，聒得洒家耳朵也聾了，想必其人是個真男子，以致天下聞名。前番和花知寨在清風山時，洒家有心要去和他廝會，及至洒家去時，又聽得說道去了，以此無緣不得相見。罷了，孔亮兄弟，你要救你哥哥時，快親自去那裡告請他們，洒家等先在這裡和那撮鳥們廝殺。」孔亮交付小嘍囉與了魯智深，只帶一個伴當，扮做客商，星夜投梁山泊來。

且說魯智深、楊志、武松三人，去山寨裡喚將施恩、曹正，再帶一二百人下山來相助。桃花山李忠、周通得了消息，便帶本山人馬盡數點起，只留三、五十個小嘍囉看守寨柵，其餘都帶下山來，青州城下聚集，一同攻打城池，不在話下。

卻說孔亮自離了青州，迤邐來到梁山泊邊催命判官李立酒店裡買酒吃，問路。李立見他兩個來得面生，便請坐地，問道：「客人從哪裡來？」

孔亮道：「從青州來。」李立問道：「客人要去梁山泊尋誰？」

孔亮答道：「有個相識在山上，特來尋他。」

李立道：「山上寨中，都是大王住處，你如何去得？」

孔亮道：「便是要尋宋大王。」

李立道：「既是來尋宋頭領，我這裡有分例◈。」便叫伙家快去安排分例酒來相待。孔亮道：「素不相識，如何見款？」

李立道：「客官不知，但是來尋山寨頭領，必然是社火◈中人故舊交友，豈敢有失祗應◈！便當去報。」

孔亮道：「小人便是白虎山前莊戶孔亮的便是。」

李立道：「曾聽得宋公明哥哥說大名來，今日且喜上山。」

二人飲罷分例酒，隨即開窗，就水亭上放了一枝響箭。見對港蘆葦深處，早有小嘍囉棹過船來。到水亭下，李立便請孔亮下了船，一同搖到金沙灘上岸，卻上關來。

孔亮看見三關雄壯，槍刀劍戟如林，心下想道：「聽得說梁山泊興旺，不想做下這等大事業！」

已有小嘍囉先去報知，宋江慌忙下來迎接。孔亮見了，連忙下拜。宋江問道：「賢弟緣何到此？」孔亮拜罷，放聲大哭。宋江道：「賢弟心中有何危厄不決之難，但請盡說不妨。便當不避水火◆，力為救解，與汝相助。賢弟且請起來。」

孔亮道：「自從師父離別之後，老父亡化，哥哥孔明與本鄉上戶爭些閒氣起來，殺了他一家老小，官司來捕捉得緊。因此反上白虎山，聚得五七百人，打家劫舍。青州城裡，卻有叔父孔賓，被慕容知府捉了，重枷釘在獄中。因此我弟兄兩個去打城子，指望救取叔叔孔賓。誰想去到城下，正撞了一個使雙鞭的呼延灼。哥哥與他交鋒，致被他捉了，解送青州，下在牢裡，存亡未保。小弟又被他追殺一陣。

◆**分例**——按習慣或規定以一定分量分配的東西。 **不避水火**——指不畏凶險。
社火——同行、同業。 **祇應**——恭敬地伺候、照應。

「次日，正撞著武松，說起師父大名來，他便引我去拜見同伴的，一個是花和尚魯智深，一個是青面獸楊志。他二人一見如故，便商議救兄一事。他道：『我請魯、楊二頭領並桃花山李忠、周通，聚集三山人馬，攻打青州。你可連夜快去梁山泊內，告你師父宋公明來救你叔兄兩個。』以此今日一逕到此。」

宋江道：「此是易為之事，你且放心。先來拜見晁頭領，共同商議。」

宋江便引孔亮參見晁蓋、吳用、公孫勝並眾頭領，備說呼延灼走在青州，投奔慕容知府，今來捉了孔明，以此孔亮來到，懇告求救。

晁蓋道：「既然他兩處好漢，尚兀自仗義行仁，今者三郎和他至愛交友，如何不去？三郎賢弟你連次下山多遍，今番權且守寨，愚兄替你走一遭。」

宋江道：「哥哥是山寨之主，不可輕動。這個是兄弟的事。既是他遠來相投，小可若自不去，恐他弟兄們心下不安。小可情願請幾位弟兄同走一遭。」

說言未了，廳上廳下一齊都道：「願效犬馬之勞，跟隨同去。」

宋江大喜。當日設筵管待孔亮。飲筵之間，宋江喚鐵面孔目裴宣定撥下山人數，分作五軍起行。前軍便差花榮、秦明、燕順、王矮虎，開路作先鋒，第二隊便差穆弘、楊雄、解珍、解寶，中軍便是主將宋江、吳用、呂方、郭盛，第四隊便是朱仝、柴進、李俊、張橫，後軍便差孫立、楊林、歐鵬、凌振催軍作合後。

梁山泊點起五軍，共計二十個頭領，馬步軍兵二千人馬。其餘頭領，自與晁蓋守把寨柵。當下宋江別了晁蓋，自同孔亮下山來。梁山人馬分作五軍起發。正是：

初離水泊，渾如海內縱蛟龍；
乍出梁山，卻似風中奔虎豹。
五軍並進，前後列二十輩英雄；
一陣同行，首尾分三千名士卒。
繡彩旗如雲似霧，蘸鋼刀燦雪鋪霜。

鑾鈴響，戰馬奔馳；畫鼓振，征夫踴躍。
捲地黃塵靄靄，漫天土雨濛濛。
寶纛旗中，簇擁著多智足謀吳學究；
碧油幢下，端坐定替天行道宋公明。
過去鬼神皆拱手，回來民庶盡歌謠。

所過州縣，秋毫無犯。已到青州，孔亮先到魯智深等軍中，報知眾好漢，安排迎接。宋江中軍到了，武松引魯智深、楊志、李忠、周通、施恩、曹正，都來相見了。

宋江讓魯智深坐地，魯智深道：「久聞阿哥大名，無緣不曾拜會，今日且喜認得阿哥。」

宋江答道：「不才何足道哉！江湖上義士甚稱吾師清德，今日得識慈顏，平生甚幸。」

楊志也起身再拜道：「楊志舊日經過梁山泊，多蒙山寨重義相留，為是洒家愚迷，不曾肯住。今日幸得義士壯觀山寨，此是天下第一好事。」
宋江答道：「制使威名，播於江湖，只恨宋江相會太晚。」魯智深便令左右置酒管待，一一都相見了。

次日，宋江問：「青州一節，近日勝敗如何？」
楊志道：「自從孔亮去了，前後也交鋒三五次，各無輸贏。如今青州只憑呼延灼一個。若是拿得此人，覷此城子，如湯潑雪◆。」
吳學究笑道：「此人不可力敵，可用智擒。」
宋江道：「用何智可獲此人？」
吳學究道：「只除如此如此。」
宋江大喜道：「此計大妙！」當日分撥了人馬。
次早起軍，前到青州城下，四面盡著軍馬圍住，擂鼓搖旗，吶喊搦戰。

◆**如湯潑雪**——好像用熱水澆在雪上。比喻事情極易解決。

城裡慕容知府見報，慌忙教請呼延灼商議：「今次群賊又去報知梁山泊宋江到來，似此如之奈何？」

呼延灼道：「恩相放心。群賊到來，先失地利。這廝們只好在水泊裡張狂，今卻擅離巢穴，一個來，捉一個，那廝們如何施展得？請恩相上城，看呼延灼廝殺。」

呼延灼連忙披掛衣甲上馬，叫開城門，放下吊橋，領了一千人馬，近城擺開。宋江陣中，一將出馬。

那人搦手狼牙棍，厲聲高罵知府：「濫官！害民賊徒！把我全家誅戮，今日正好報仇雪恨！」

慕容知府認得秦明，便罵道：「你這廝是朝廷命官，國家不曾負你，緣何敢造反？若拿住你時，碎屍萬段！呼延將軍，可先下手拿這賊！」

呼延灼聽了，舞起雙鞭，縱馬直取秦明。秦明也出馬，舞動狼牙大棍來迎呼延灼。二將交馬，正是對手。有《江月》為證：

鞭舞兩條龍尾，棍橫一串狼牙，三軍看得眼睛花。

二將縱橫交馬，使棍的軍班領袖，使鞭的將種堪誇。
天昏地慘日揚沙，這廝殺鬼神須怕。

兩個鬥到四、五十合，不分勝敗。慕容知府見鬥得多時，恐怕呼延灼有失，慌忙鳴金收軍入城。秦明也不追趕，退回本陣。宋江教眾頭領、軍校，且退十五里下寨。卻說呼延灼回到城中，下馬來見慕容知府，說道：「小將正要拿那秦明，恩相如何收軍？」

知府道：「我見你鬥了許多合，但恐勞困，因此收軍暫歇。秦明那廝，原是我這裡統制，與花榮一同背反，這廝亦不可輕敵。」

呼延灼道：「恩相放心，小將必要擒此背義之賊。適間和他鬥時，棍法已自亂了。來日教恩相看我立斬此賊！」

知府道：「既是將軍如此英雄，來日若臨敵之時，可殺開條路，送三個人出去。一個教他去往東京求救，兩個教他去鄰近府州會合起兵，相助勦捕。」

呼延灼道：「恩相高見極明。」當日知府寫了求救文書，選了三個軍官，都發放了當。

只說呼延灼回到歇處，卸了衣甲暫歇。天色未明，只聽得軍校來報道：「城北門外土坡上有三騎私自在那裡看城。中間一個穿紅袍騎白馬的，兩邊兩個，只認得右邊的是『小李廣』花榮，左邊那個道裝打扮。」呼延灼道：「那個穿紅的，眼見是宋江了，道裝的，必是軍師吳用。你們且休驚動了他，便點一百馬軍，跟我捉這三個。」呼延灼連忙披掛上馬，提了雙鞭，帶領一百餘騎馬軍，悄悄地開了北門，放下吊橋，引軍趕上坡來。宋江、吳用、花榮三個，只顧呆了臉看城。呼延灼拍馬上坡，三個勒轉馬頭，慢慢走去。呼延灼奮力趕到前面幾株枯樹邊廂，宋江、吳用、花榮三個齊齊的勒住馬，呼延灼方才趕到枯樹邊，只聽得吶聲減，呼延灼正踏著陷坑，人馬都跌將下坑去了。兩邊走出五、六十個撓鈎手，先把呼延灼鈎將起來，綁縛了拿去，後面牽著那匹馬。這許多趕來的馬軍，卻被花榮拈弓搭箭，射倒當頭五七個，後面的勒轉馬，一哄都走了。

宋江回到寨裡坐，左右群刀手卻把呼延灼推將過來。宋江見了，連忙起身，喝叫：「快解了繩索！」親自扶呼延灼上帳坐定，宋江拜見。

呼延灼道：「何故如此？」

宋江道：「小可宋江怎敢背負朝廷？蓋為官吏汙濫，威逼得緊，誤犯大罪。因此權借水泊裡隨時避難，只待朝廷赦罪招安。不想起動將軍，致勞神力。實慕將軍虎威，今者誤有冒犯，切乞恕罪。」

呼延灼道：「被擒之人，萬死尚輕，義士何故重禮陪話？」

宋江道：「量宋江怎敢壞得將軍性命。皇天可表寸心。」只是懇告哀求。

呼延灼道：「兄長尊意，莫非教呼延灼往東京告請招安，到山赦罪？」

宋江道：「將軍如何去得？高太尉那廝是個心地匾窄之徒，忘人大恩，記人小過。將軍折了許多軍馬錢糧，他如何不見你罪責？如今韓滔、彭玘、凌振已多在敝山入夥，倘蒙將軍不棄山寨微賤，宋江情願讓位與將軍。等朝廷見用，受了招安，那時盡忠報國，未為晚矣。」

呼延灼沉思了半晌，一者是天罡之數，自然義氣相投；二者見宋江禮貌甚恭，語言有理，嘆了一口氣，跪下在地道：「非是呼延灼不忠於國，實感兄長義氣過人，不容呼延灼不依，願隨鞭鐙。事既如此，決無還理。」

有詩為證：

親承天語淨狼煙，不著先鞭願執鞭。
豈昧忠心翻作賊，降魔殿內有因緣。

宋江大喜，請呼延灼和眾頭領相見了，叫問李忠、周通，討這匹踢雪烏騅馬還將軍騎坐。眾人再商議救孔明之計，吳用道：「只除教呼延灼將軍賺開城門，唾手可得◈！更兼絕了呼延灼將軍念頭！」

宋江聽了，來與呼延灼陪話道：「非是宋江貪劫城池，實因孔明叔姪陷在縲絏之中，非將軍賺開城門，必不可得。」

呼延灼答道：「小將既蒙兄長收錄，理當效力。」

當晚點起秦明、花榮、孫立、燕順、呂方、郭盛、解珍、解寶、歐鵬、王英十個頭領，都扮做軍士衣服模樣，跟了呼延灼，共是十一騎軍馬，來到城邊，直至濠塹上，大呼：「城上開門，我逃得性命回來！」

城上人聽得是呼延灼聲音，慌忙報與慕容知府。此時知府為折了呼延灼正納悶間，聽得報說呼延灼逃得回來，心中歡喜，連忙上馬，奔到城上。望見呼延灼有十數騎馬跟著，又不見面顏，只認得呼延灼聲音。

知府問道：「將軍如何走得回來？」

◈唾手可得——容易到手。

呼延灼道：「我被那廝的陷坑捉了我到寨裡，卻有原跟我的頭目，暗地盜這匹馬與我騎，就跟我來了。」

知府只聽得呼延灼說了，便叫軍士開了城門，放下吊橋。十個頭領跟到城門裡，迎著知府，早被秦明一棍，把慕容知府打下馬來，解珍、解寶便放起火來。歐鵬、王矮虎奔上城，把軍士殺散。宋江大隊人馬見城上火起，一齊擁將入來。

宋江急急傳令，休教殘害百姓、且收倉庫錢糧。就大牢裡救出孔明，並他叔叔孔賓一家老小，便教救滅了火。把慕容知府一家老幼，盡皆斬首，抄扎家私，分俵眾軍。

天明，計點在城百姓被火燒之家，給散糧米救濟。把府庫金帛，倉廒米糧，裝載五六百車，又得了二百餘匹好馬，就青州府裡做個慶喜筵席，請三山頭領同歸大寨。

李忠、周通使人回桃花山，盡數收拾人馬、錢糧下山，放火燒毀寨柵。魯智深也使施恩、曹正回二龍山，與張青、孫二娘收拾人馬錢糧，也燒了寶珠寺寨柵。數日之間，三山人馬都皆完備。宋江領了大隊人馬，班師回山。先叫花榮、秦明、呼延灼、朱仝四將開路，所過州縣，分毫不擾。鄉村百姓，扶老挈幼，燒香羅拜迎接。

數日之間，已到梁山泊邊。眾多水軍頭領，具舟迎接。晁蓋引領山寨馬步頭領，都在金沙灘迎接。直至大寨，向聚義廳上列位坐定。大排筵席慶賀新到山寨頭領：呼延灼、魯智深、楊志、武松、施恩、曹正、張青、孫二娘、李忠、周通、孔明、孔亮共十二位新上山頭領。

坐間，林沖說起相謝魯智深相救一事，魯智深動問道：「洒家自與教頭滄州別後，曾知阿嫂信息否？」

林沖答道：「小可自火併王倫之後，使人回家搬取老小，已知拙婦被高太尉逆子所逼，隨即自縊而死；妻父亦為憂疑，染病而亡。」

楊志舉起舊日王倫手內上山相會之事，眾人皆道：「此皆注定，非偶然也！」晁蓋說起黃泥岡劫取生辰綱一事，眾皆大笑。次日輪流做筵席，不在話下。

且說宋江見山寨又添了許多人馬，如何不喜，便叫湯隆做鐵匠總管，提督打造諸般軍器，並鐵葉連環甲等；侯健管做旌旗袍服總管，添造三才◆、九曜◆、四斗、五方◆、二十八宿◆等旗，飛龍、飛虎、飛熊、飛豹旗，黃鉞白旄，朱纓皂蓋；山邊四面築起墩臺；重造西路南路二處酒店，招接往來上山好漢，一就探聽飛報軍情。

山西路酒店，今令張青、孫二娘夫妻二人，原是酒家，前去看守；山南路酒店，仍令孫新、顧大嫂夫妻看守；山東路酒店，依舊朱貴、樂和；山北路酒店，還是李立、時遷。

三關上添造寨柵，分調頭領看守。部領已定，個個遵依，不在話下。

忽一日，花和尚魯智深來對宋公明說道：「智深有個相識，李忠兄弟也曾認得，喚做『九紋龍』史進。現在華州華陰縣少華山上，和那一個『神機軍師』朱武，又有一個『跳澗虎』陳達，一個『白花蛇』楊春，四個在那裡聚義。洒家常常思念他。昔日在瓦罐寺救助洒家，思念不曾有忘。今洒家要去那裡探望他一遭，就取他四個同來入夥，未知尊意如何？」宋江道：「我也曾聞得史進大名，若得吾師去請他來，最好。雖然如此，不可獨自去，可煩武松兄弟相伴走一遭。他是行者，一般出家人，正好同行。」武松應道：「我和師兄去。」當日便收拾腰包行李，魯智深只做禪和子◈打扮，武松裝做隨侍行者。兩個相辭了眾頭領下山，過了金沙灘，曉行夜住，不止一日，來到華州華陰縣界，逕投少華山來。

◈三才—天、地、人。
九曜—梵曆所稱的九星，為日曜（太陽）、月曜（太陰）、火曜（熒惑）、水曜（辰星）、木曜（歲星）、金曜（太白星）、土曜（鎮星）、羅睺（黃旛星）、計都（豹尾星）。梵曆以其配日，而定其日之吉凶。
五方—東、西、南、北及中央，稱為五方。
二十八宿—古人將黃道（赤道）附近的星象，劃分成二十八個大小不等的部分，每一部分叫做一宿，合稱二十八宿。古人用二十八星宿的變化，來觀測星體的運行，以及預測擇日的吉凶好壞。

且說宋江自魯智深、武松去後，一時容他下山，常自放心不下，便喚神行太保戴宗隨後跟來，探聽消息。

再說魯智深、武松兩個來到少華山下，伏路小嘍囉出來攔住問道：「你兩個出家人哪裡來？」

武松便答道：「這山上有史大官人麼？」

小嘍囉說道：「既是要尋史大王的，且在這裡少等。我上山報知頭領，便下來迎接。」

武松道：「你只說魯智深到來相探。」小嘍囉去不多時，只見神機軍師朱武並跳澗虎陳達、白花蛇楊春三個下山來接魯智深、武松，卻不見有史進。

魯智深便問道：「史大官人在哪裡？卻如何不見他？」

朱武近前上覆道：「吾師不是延安府魯提轄麼？」

魯智深道：「洒家便是。這行者便是景陽岡打虎都頭武松。」

三個慌忙剪拂道：「聞名久矣！聽知二位在二龍山紮寨，今日緣何到此？」

魯智深道：「俺們如今不在二龍山了，投托梁山泊宋公明大寨入夥。今者特來尋史大官人。」

朱武道：「既是二位到此，且請到山寨中，容小可備細告訴。」

魯智深道：「有話便說，待一待，誰鳥耐煩？」

武松道：「師父是個性急的人，有話便說何妨。」

朱武道：「小人等三個在此山寨，自從史大官人上山之後，好生興旺。近日史大官人下山，因撞見一個畫匠，原是北京大名府人氏，姓王名義。因許下西嶽華山金天聖帝廟內裝畫影壁◈，前去還願。「因為帶將一個女兒，名喚玉嬌枝同行，卻被本州賀太守，原是蔡太師門人，那廝為官貪濫，非理害民。一日，因來廟裡行香，不想正見了玉嬌枝有些顏色，累次著人來說，要娶她為妾。王義不從，太守將他女兒強奪

◈禪和子——修禪的出家人。　影壁——以浮雕為飾的牆壁。

了去為妾，又把王義刺配遠惡軍州。「路經這裡過，正撞見史大官人，告說這件事。史大官人把王義救在山上，將兩個防送公人殺了，直去府裡要刺賀太守。被人知覺，倒吃拿了，現監在牢裡。又要聚起軍馬掃蕩山寨，我等正在這裡無計可施！」

魯智深聽了道：「這撮鳥敢如此無禮，倒恁麼利害，洒家與你結果了那廝！」

朱武道：「且請二位到寨裡商議。」

一行五個頭領，都到少華山寨中坐下，便叫王義見魯智深、武松，訴說賀太守貪酷害民，強占良家女子。朱武等一面殺牛宰馬，管待魯智深、武松。飲筵間，魯智深想道：「賀太守那廝好沒道理，我明日與你去州裡打死那廝罷！」

武松道：「哥哥不得造次。我和你星夜回梁山泊去報知，請宋公明領大隊人馬來打華州，方可救得史大官人。」

魯智深叫道：「等俺們去山寨裡叫得人來，史家兄弟性命不知哪裡去了！」

武松道：「便殺了太守，也怎地救得史大官人？」武松卻決不肯放魯智深去。

朱武又勸道：「吾師且息怒。武都頭也論得是。」

魯智深焦躁起來，便道：「都是你這般慢性的人，以此送了俺史家兄弟。你也休去梁山泊報知，看洒家去如何！」眾人哪裡勸得住，當晚又諫不從。明早起個四更，提了禪杖，帶了戒刀，逕奔華州去了。

武松道：「不聽人說，此去必然有失。」朱武隨即差兩個精細的小嘍囉，前去打聽消息。

卻說魯智深奔到華州城裡，路旁借問州衙在哪裡。

人指道：「只過州橋，投東便是。」

魯智深卻好來到浮橋上，只見人都道：「和尚且躲一躲，太守相公過來！」

魯智深道：「俺正要尋他，卻正好撞在洒家手裡！那廝多敢是當死！」賀太守頭踏◈一對對擺將過來，看見太守那乘轎子，卻是暖轎◈。轎窗兩邊，各有十個虞候簇擁著，人人手執鞭槍鐵鏈，守護兩邊。

魯智深看了尋思道：「不好打那撮鳥，若打不著，倒吃他笑！」賀太守卻在轎窗眼裡看見了魯智深欲進不進，過了渭橋，到府中下了轎，便叫兩個虞候吩咐道：「你與我去請橋上那個胖大和尚到府裡赴齋。」虞候領了言語，來到橋上對魯智深說道：「太守相公請你赴齋。」魯智深想道：「這廝合當死在洒家手裡！俺卻才正要打他，只怕打不著，讓他過去了。俺要尋他，他卻來請洒家！」魯智深便隨了虞候逕到府裡。

太守已自吩咐下了，一見魯智深進到廳前，太守叫放了禪杖，去了戒刀，請後堂赴齋。魯智深初時不肯，眾人說道：「你是出家人，好不曉事，府堂深處，如何許你帶刀仗入去？」

魯智深想：「只俺兩個拳頭，也打碎了那廝腦袋！」廊下放了禪杖、戒刀，跟虞候入來。賀太守正在後堂坐定，把手一招，喝聲：「捉下這禿賊！」兩邊壁衣內走出三、四十個做公的來，橫拖倒拽，捉了魯智深。你便是哪吒太子，怎逃地網天羅？火首金剛◆，難脫龍潭虎窟！正是：

飛蛾投火身傾喪，蝙蝠遭竿命必傷。

畢竟魯智深被賀太守拿下，性命如何？且聽下回分解。

◆**頭踏**──官員出巡時的前列儀仗。**暖轎**──四面設有帷幔以避風的轎子。
火首金剛──是禪宗與密宗主要金剛護法神之一。

第五九回

吳用賺金鈴吊掛
宋江鬧西嶽華山

話說賀太守把魯智深賺到後堂內，喝聲：「拿下！」眾多做公的，把魯智深簇擁到廳階下。

賀太守喝道：「你這禿驢從哪裡來？」

魯智深應道：「洒家有甚罪犯？」

太守道：「你只實說，誰教你來刺我？」

魯智深道：「俺是出家人，你卻如何問俺這話？」

太守喝道：「卻才見你這禿驢，意欲要把禪杖打我轎子，卻又思量，不敢下手。你這禿驢好好招了！」

魯智深道：「洒家又不曾殺你，你

如何拿住洒家，妄指平人？」

太守喝罵：「幾曾見出家人自稱洒家。這禿驢必是個關西五路打家劫舍的強盜，來與史進那廝報仇，不打如何肯招！左右好生加力打那禿驢！」

魯智深大叫道：「不要打傷老爺！我說與你，俺是梁山泊好漢花和尚魯智深。我死倒不打緊，洒家的哥哥宋公明得知，下山來時，你這顆驢頭趁早兒都砍了送去。」

賀太守聽了大怒，把魯智深拷打了一回，教取面大枷來釘了，押下死囚牢裡去。一面申聞◈都省，乞請明降◈。禪杖、戒刀封入府堂裡去了。

此時鬧動了華州一府。小嘍囉得了這個消息，飛報上山來。武松大驚道：「我兩個來華州幹事，折了一個，怎地回去見眾頭領？」正沒理會處，只見山下小嘍囉報道：「有個梁山泊差來的頭領，喚做神行

◈申聞—以文狀呈達上官。　明降—聖旨。

太保戴宗，現在山下。」武松慌忙下來迎接上山，和朱武等三人都相見了，訴說魯智深不聽諫勸失陷一事。

戴宗聽了，大驚道：「我不可久停了！就便回梁山泊報與哥哥知道，早遣兵將，前來救取！」

武松道：「小弟在這裡專等，萬望兄長早去急來。」

戴宗吃了些素食，作起神行法，再回梁山泊來。三日之間，已到山寨。見了晁、宋二頭領，便說魯智深因救史進，要刺賀太守被陷一事。

宋江聽罷，失驚道：「既然兩個兄弟有難，如何不救？我今不可耽擱，便須點起人馬，作三隊而行。」

前軍點五員先鋒：花榮、秦明、林沖、楊志、呼延灼引領一千甲馬、二千步軍先行，逢山開路，遇水疊橋；中軍領兵主將宋公明、軍師吳用、朱仝、徐寧、解珍、解寶共是六個頭領，馬步軍兵二千；後軍主掌糧草，李應、楊雄、石秀、李俊、張順共是五個頭領押後，馬步軍兵二千，共計七千人馬，離了梁山泊，直取華州來。在路趲行，不止一日，早過了半路，先使戴宗去報少華山上。朱武等三人安排下豬羊牛馬，醞造◈下好酒等候。

再說宋江軍馬三隊都到少華山下，武松引了朱武、陳達、楊春三人下山拜請宋江、吳用並眾頭領，都到山寨裡坐下。宋江備問城中之事，朱武道：「兩個頭領已被賀太守監在牢裡，只等朝廷明降發落。」

宋江與吳用說道：「怎地定計去救取史進、魯智深？」

朱武說道：「華州城郭廣闊，濠溝深遠，急切難打。只除非得裡應外合，方可取得。」

吳學究道：「明日且去城邊看那城池如何，卻再商量。」

宋江飲酒到晚，巴不得天明，要去看城。

吳用諫道：「城中監著兩隻大蟲在牢裡，如何不做提備？白日未可去看。今夜月色必然明朗，申牌前後下山，一更時分，可到那裡窺望。」

◈醞造——釀釀的意思。

當日捱到午後，宋江、吳用、花榮、秦明、朱仝共是五騎馬下山，迤邐前行。初更時分，已到華州城外。在山坡高處，立馬望華州城裡時，正是二月中旬天氣，月華如晝，天上無一片雲彩。看見華州周圍有數座城門，城高地壯，塹濠深闊。看了半晌，遠遠地望見那西嶽華山時，端的是好座名山。但見：

峰名仙掌，觀隱雲臺。上連玉女洗頭盆，下接天河分派水。乾坤皆秀，尖峰彷彿接雲根；山嶽推尊，怪石巍峨侵斗柄。青如澄黛，碧若浮藍。張僧繇◈妙筆畫難成，李龍眠◈天機描不就。深沉洞府，月光飛萬道金霞；崒嵂巖崖，日影動千條紫焰。旁人遙指，雲池波內藕如船；故老傳聞，玉井水中花十丈。巨靈神忿怒，劈開山頂逞神通；陳處士◈清高，結就茅庵來盹睡。千古傳名推華嶽，萬年香火祀金天。

宋江等看了西嶽華山，見城池厚壯，形勢堅牢，無計可施。吳用道：

「且回寨裡去，再作商議。」五騎馬連夜回到少華山上。宋江眉頭不展，面帶憂容。

吳學究道：「且差十數個精細小嘍囉下山，去遠近探聽消息。」

兩日內，忽有一人上山來報道：「如今朝廷差個殿司太尉，將領御賜金鈴吊掛來西嶽降香◈，從黃河入渭河而來。」

吳用聽了，便道：「哥哥休憂，計在這裡了。」便叫李俊、張順：「你兩個與我如此如此而行。」

◈**張僧繇**──南朝梁畫家，善山水佛像。所畫佛像，自成樣式，有「張家樣」之稱。所繪山水，在素縑上以青綠重色先圖峰巒泉石，而後染出丘壑巉巖，不以筆墨先鉤，謂之「沒骨皴」；後人將其畫法與吳道子並稱為「疏體」。武帝時「畫龍點睛」的故事，即出自張氏。

李龍眠──以白描著名，他的傳世之作《離騷九歌圖》、《羅漢圖》，都是白描的。

陳處士──陳摶，字圖南，號扶搖子、希夷先生，常被視為神仙，尊稱為陳摶老祖、希夷祖師等。主張以睡眠休養生息，時常一眠數日，人稱睡仙。相傳紫微斗數及無極圖說皆為陳摶之創作。

降香──到寺廟進香拜拜。

李俊道：「只是無人識得地境，得一個引領路道最好。」白花蛇楊春便道：「小弟相幫同去如何？」宋江大喜。三個下山去了。次日，吳學究請宋江、李應、朱仝、呼延灼、花榮、秦明、徐寧共七個人，悄悄只帶五百餘人下山。逕到渭河渡口，李俊、張順、楊春已奪下十數隻大船在彼。吳用便教花榮、秦明、徐寧、呼延灼四個埋伏在岸上，宋江、吳用、朱仝、李應下在船裡，李俊、張順、楊春把船都去灘頭藏了。

眾人等候了一夜。次日天明，聽得遠遠地鑼鳴鼓響，三隻官船到來，船上插著一面黃旗，上寫「欽奉聖旨西嶽降香太尉宿元景」。宋江看了，心中暗喜道：「昔日玄女有言：『遇宿重重喜。』今日既見此人，必有主意。」

太尉官船將近河口，朱仝、李應各執長槍，立在宋江、吳用背後。太尉船到當港截住。船裡走出紫衫銀帶虞候二十餘人，喝道：「你等甚麼船隻，敢當港攔截住大臣？」

宋江執著骨朵，躬身聲喏。吳學究立在船頭上說道：「梁山泊義士宋江，謹參祗候◆。」船上客帳司◆出來答道：「此是朝廷太尉，奉聖旨去西嶽降香。汝等是梁山泊亂寇，何故攔截！」

吳用道：「俺們義士只要求見太尉尊顏，有告覆的事。」

客帳司道：「你等是何等人，敢造次要見太尉！」

兩邊虞候喝道：「低聲！」

宋江說道：「暫請太尉到岸上，自有商量的事。」

客帳司道：「休胡說！太尉是朝廷命臣，如何與你商量？」

宋江道：「太尉不肯相見，只怕孩兒們驚了太尉。」

朱仝把槍上小號旗只一招動，岸上花榮、秦明、徐寧、呼延灼引出馬軍來，一齊搭上弓箭，都到河口，擺列在岸上。那船上艄公，都驚得鑽入艙裡去了。客帳司人慌了，只得入去稟覆，宿太尉只得出到船頭上坐定。

◆祗候—恭敬。　客帳司—達官貴人、富豪大戶身邊的傳話人。

宋江躬身唱喏道：「宋江等不敢造次。」

宿太尉道：「義士何故如此邀截船隻？」

宋江道：「某等怎敢邀截太尉？只欲求請太尉上岸，別有稟覆。」

宿太尉道：「我今特奉聖旨，自去西嶽降香，與義士有何商議？朝廷大臣，如何輕易登岸？」

宋江道：「太尉不肯時，只怕下面伴當亦不相容。」

李應把號帶槍一招，李俊、張順、楊春一齊撐出船來。宿太尉看見大驚。李俊、張順明晃晃掣出尖刀在手，早跳過船來，手起先把兩個虞候攧下水裡去。宋江連忙喝道：「休得胡做，驚了貴人！」

李俊、張順撲地也跳下水去，早把兩個虞候又送上船來。張順、李俊在水面上如登平地，托地又跳上船來。嚇得宿太尉魂不著體。

宋江喝道：「孩兒們且退去，休得驚著貴人，俺自慢慢地請太尉登岸。」

宿太尉道：「義士有甚事？就此說不妨。」

宋江道：「這裡不是說話處，謹請太尉到山寨告稟，並無損害之心。若懷此念，西嶽神靈誅滅！」到此時候，不容太尉不上岸，宿太尉只得離船上了岸。眾人牽過一匹馬來，扶策太尉上了馬，不得已隨眾同行。宋江先叫花榮、秦明陪奉太尉上山。宋江隨後也上了馬，吩咐教把船上一應人等，並御香、祭物、金鈴吊掛齊齊收拾上山。只留下李俊、張順，帶領一百餘人看船。

一行眾頭領都到山上，宋江下馬入寨，把宿太尉扶在聚義廳上當中坐定，眾頭領兩邊侍立著。

宋江下了四拜，跪在面前，告覆道：「宋江原是鄆城縣小吏，為被官司所逼，不得已哨聚山林，權借梁山水泊避難，專等朝廷招安，與國家出力。今有兩個兄弟，無事被賀太守生事陷害，下在牢裡。欲借太尉御香、儀從並金鈴吊掛，去賺華州。事畢並還，於太尉身上，並無侵犯。乞太尉鈞鑒。」

宿太尉道：「不爭你將了御香等物去，明日事露，須連累下官。」

宋江道：「太尉回京，都推在宋江身上便了。」宿太尉看了那一班人模樣，怎生推托得？只得應允了。宋江執盞擎杯，設筵拜謝。就把太尉帶來的人穿的衣服都借穿了。於小嘍囉內選揀一個俊俏的，剃了髭鬚，穿了太尉的衣服，扮做宿元景；宋江、吳用扮做客帳司；解珍、解寶、楊雄、石秀扮做虞候；小嘍囉都是紫衫銀帶，執著旌節、旗旛、儀仗、法物，擎抬了御香、祭禮、金鈴吊掛；花榮、徐寧、朱仝、李應扮做四個衙兵。朱武、陳達、楊春款住太尉並跟隨一應人等，置酒管待。卻教秦明、呼延灼引一隊人馬，林沖、楊志引一隊人馬，分作兩路取城。教武松預先去西嶽門下伺候，只聽號起行事。

話休絮煩。且說一行人等離了山寨，逕到河口下船而行，不去報與華州太守，一逕奔西嶽廟來。戴宗先去報知雲臺觀觀主並廟裡職事人等，直至船邊，迎接上岸。香花燈燭，幢幡寶蓋，擺列在前。先請御香上了香亭，廟裡人夫扛抬了，導引金鈴吊掛前行。觀主拜見了太尉。

吳學究道：「太尉一路染病不快，且把轎子來。」

左右人等，扶策太尉上轎，逕到嶽廟裡官廳內歇下。

客帳司吳學究對觀主道：「這是特奉聖旨，齎捧御香、金鈴吊掛來與聖帝供養。緣何本州官員輕慢，不來迎接？」

觀主答道：「已使人去報了，敢是便到。」

說猶未了，本州先使一員推官◆，帶領做公的五、七十人，將著酒果來見太尉。原來那扮太尉的小嘍囉雖然模樣相似，卻語言發放不得，因此只教裝做染病，把靠褥圍定在床上坐。推官看了，見來的旌節、門旗、牙仗等物都是內府製造出的，如何不信？客帳司假意出入，稟覆了兩遭，卻引推官入去，遠遠地階下參拜了。那假太尉只把手指，並不聽得說甚麼。

吳用引到面前，埋怨推官道：「太尉是天子前近幸大臣，不辭千里之遙，特奉聖旨到此降香，不想於路染病未痊，本州眾官如何不來遠接！」

◆推官——宋朝時三司下各部每部設一員，主管各案公事。

推官答道：「前路官司雖有文書到州，不見近報，因此有失迎迓，不期太尉先到廟裡。本是太守便來，奈緣少華山賊人，糾合梁山泊草盜要打城池，每日在彼提防，以此不敢擅離。特差小官先來貢獻酒禮，太守隨後便來參見。」

吳學究道：「太尉涓滴不飲，只叫太守快來商議行禮。」

推官隨即教取酒來，與客帳司親隨人把盞了。吳學究又入去稟一遭，將了鑰匙出來，引著推官去看金鈴吊掛，開了鎖，就香帛袋中取出那御賜金鈴吊掛來叫推官看，便把條竹竿叉起。看時，果然製造得無比。但見：

渾金打就，五彩妝成。
雙懸纓絡金鈴，上掛珠璣寶蓋。
黃羅密布，中間八爪玉龍盤；
紫帶低垂，外壁雙飛金鳳遞。
對嵌珊瑚瑪瑙，重圍琥珀珍珠。
碧琉璃掩映絳紗燈，紅菡萏參差青翠葉。

堪宜金屋瓊樓掛，雅稱瑤臺寶殿懸。

這一對金鈴吊掛乃是東京內府高手匠人做成的，渾是七寶珍珠嵌造，中間點著碗紅紗燈籠，乃是聖帝殿上正中掛的，不是內府降來，民間如何做得？吳用叫推官看了，再收入櫃匣內鎖了。又將出中書省許多公文，付與推官。便叫太守快來商議，揀日祭祀。推官和眾多做公的都見了許多物件文憑，便辭了客帳司，逕回到華州府裡來報賀太守。

卻說宋江暗暗地喝采道：「這廝雖然奸猾，也騙得他眼花心亂了。」此時武松已在廟門下了。吳學究又使石秀藏了尖刀，也來廟門下相幫武松行事；卻又叫戴宗扮虞候。雲臺觀主進獻素齋，一面教執事人等安排鋪陳嶽廟。宋江閒步看那西嶽廟時，果然是蓋造得好，殿宇非凡，真乃人間天上。宋江來到正殿上，撚香再拜，暗暗祈禱已罷，回至官廳前。

門人報道：「賀太守來也。」

宋江便叫花榮、徐寧、朱仝、李應四個衙兵各執著器械，分列在兩邊；解珍、解寶、楊雄、戴宗各帶暗器，侍立在左右。

卻說賀太守將帶三百餘人，來到廟前下馬，簇擁入來。假客帳司吳學究、宋江見賀太守帶著三百餘人，都是帶刀公吏人等入來。

吳學究喝道：「朝廷貴人在此，閒雜人不許近前！」

眾人立住了腳。賀太守獨自進前來拜見太尉。

客帳司道：「太尉教請太守入來廝見。」賀太守入到官廳前，望著假太尉便拜。

吳學究道：「太守你知罪麼？」

太守道：「賀某不知太尉到來，伏乞恕罪。」

吳學究道：「太尉奉敕到此西嶽降香，如何不來遠接？」

太守答道：「不曾有近報到州，有失迎迓。」

吳學究喝聲：「拿下！」解珍、解寶弟兄兩個身邊早掣出短刀來，一腳把賀太守踢翻，便割了頭。

宋江喝道：「兄弟們動手！」

早把那跟來的人三百餘個驚得呆了，正走不動。花榮等一發向前，把那一干人算子◈般都倒在地下；有一半搶出廟門下，武松、石秀舞刀殺將入來，小嘍囉四下趕殺，三百餘人不剩一個回去。續後到廟裡來的，都被張順、李俊殺了。

宋江急叫收了御香、吊掛下船，都趕到華州時，早見城中兩路火起，一齊殺將入來。

先去牢中救了史進、魯智深，就打開庫藏，取了財帛，裝載上車。一行人離了華州，上船回到少華山上，都來拜見宿太尉，納還了御香、金鈴吊

◈**算子**——算盤。**送路**——送行。

掛、旌節、門旗、儀仗等物，拜謝了太尉恩相。宋江教取一盤金銀相送太尉。隨從人等，不分高低，都與了金銀。就山寨裡做了個送路筵席，謝承太尉。

眾頭領直送下山，到河口交割了一應什物船隻，一些不少，還了原來的人等。宋江謝別了宿太尉，回到少華山上，便與四籌好漢商議，收拾山寨錢糧，放火燒了寨柵。一行人等，軍馬糧草，都望梁山泊來。

且說宿太尉下船來，到華州城中，已知被梁山泊賊人殺死軍兵人馬，劫了府庫錢糧，城中殺死軍校一百餘人，馬匹盡皆擄去。西嶽廟中，又殺了許多人性命，便叫本州推官動文書申達中書省起奏，都做「宋江先在途中劫了御香、吊掛，因此賺知府到廟，殺害性命」。宿太尉到廟裡焚了御香，把這金鈴吊掛吩咐與了雲臺觀主，星夜急急自回京師，奏知此事，不在話下。

再說宋江救了史進、魯智深，帶了少華山四個好漢，仍舊作三隊，分俵人馬，向梁山泊來，所過州縣，秋毫無犯。先使戴宗前來上山報知，晁蓋並眾頭領下山迎接宋江等，一同到山寨裡聚義廳上，都相見已罷，一面做慶喜筵席。

次日，史進、朱武、陳達、楊春各以己財做筵宴，拜謝晁、宋二公。酒席間，晁蓋說道：「我有一事，為的是公明賢弟連日不在山寨，只得權時擱起；昨日又是四位兄弟新到，不好便說出來。」

三日前，有朱貴上山報說：「徐州沛縣芒碭山中，新有一夥強人，聚集著三千人馬。為頭一個先生，姓樊，名瑞，綽號『混世魔王』，能呼風喚雨，用兵如神。手下兩個副將：一個姓項，名充，綽號『八臂哪吒』，能使一面團牌，牌上插飛刀二十四把，百步取人，無有不中，手中仗一條鐵標槍。又有一個姓李，名袞，綽號『飛天大聖』，也使一面團牌，牌上插標槍二十四根，手中使一口寶劍。這三個結為兄弟，占住芒碭山，打家劫舍。三個商量了，要來吞併俺梁山泊大寨。」

宋江聽了，大怒道：「這賊怎敢如此無禮！我便再下山走一遭！」

只見九紋龍史進便起身道：「小弟等四個初到大寨，無半米之功，情願引本部人馬前去收捕這夥強人！」宋江大喜。

當下史進點起本部人馬，與朱武、陳達、楊春都披掛了，來辭宋江下山；把船渡過金沙灘，上路逕奔芒碭山來。三日之內，早望見那座山，乃是昔日漢高祖斬蛇起義之處。不一時來到山下，有伏路小嘍囉上山報知。

且說史進把少華山帶來的人馬一字擺開，自己全身披掛，騎一匹火炭赤馬，當先出陣。怎見得史進的英雄？但見：

久在華州城外住，出身原是莊農，學成武藝慣心胸。

三尖刀似雪，渾赤馬如龍。

體掛連環鑌鐵鎧，戰袍風颭猩紅，雕青鐫玉更玲瓏。

江湖稱史進，綽號九紋龍。

當時史進首先出馬，手中橫著三尖兩刃刀。背後三個頭領，中間的便是神機軍師朱武。那人原是定遠縣人氏，平生足智多謀，亦能使兩口雙刀，出到陣前，亦有八句詩單道朱武好處：

道服裁棕葉，雲冠剪鹿皮。
臉紅雙眼俊，面目細髯垂。
智可張良比，才將范蠡欺。
今堪副吳用，朱武號神機。

上首馬上坐著一籌好漢，手中橫著一條出白點鋼槍，綽號跳澗虎陳達，原是鄴城人氏。當時提槍躍馬，出到陣前。也有一首詩單道著陳達好處：

每見力人能虎跳，亦知猛虎跳山溪。
果然陳達人中虎，躍馬騰槍奮鼓鼙。

下首馬上坐著一籌好漢，手中使一口大桿刀，綽號白花蛇楊春，原是解良縣蒲城人氏。當下挺刀立馬，守住陣門。也有一首詩單題楊春的好處：

楊春名姓亦奢遮◆，劫客多年在少華。
伸臂展腰長有力，能吞巨象白花蛇。

四個好漢勒馬在陣前，望不多時，只見芒碭山上飛下一彪人馬來，當先兩個好漢，為頭那一個便是徐州沛縣人氏，姓項名充，使一面團牌，背插飛刀二十四把，右手仗一條標槍，後面打著一面認軍旗，上書《八臂哪吒》，步行下山。有八句詩單題項充：

鐵帽深遮頂，銅環半掩腮。傍牌懸獸面，飛刃插龍胎。
腳到如風火，身先降禍災。哪吒號八臂，此是項充來。

次後那個便是邳縣人氏，姓李，名袞，綽號飛天大聖；會使一面團牌，背插二十四把標槍，左手挽牌，右手仗劍，後面打著《飛天大聖》四個大字。出到陣前。有八句詩單道李袞：

纓蓋盔兜頂，袍遮鐵掩襟。胸藏拖地膽◆，毛蓋殺人心。

飛刀齊攢玉，蠻牌滿畫金。飛天號大聖，李衮眾人欽。

當下項充、李衮見了對陣史進、朱武、陳達、楊春四騎馬在陣前，並不打話◈，小嘍囉篩起鑼來，兩個好漢舞動團牌齊上，直滾入陣來。史進等攔擋不住，後軍先走。史進前軍抵敵，朱武等中軍吶喊，退三、四十里。史進險些兒中了飛刀。楊春轉身得遲，被一飛刀，戰馬著傷，棄了馬，逃命走了。史進點軍，折了一半，和朱武等商議，欲要差人回梁山泊求救。正憂疑之間，只見軍士來報：「北邊大路上塵頭起處，約有二千軍馬到來。」

史進等直迎來時，卻是梁山泊旗號，當先馬上兩員上將：一個是小李廣花榮，一個是金槍手徐寧。史進接著，備說項充、李衮蠻牌滾動，軍馬遮攔不住。

◈**奢遮**──能幹、出眾。 **拖地膽**──形容膽大。 **不打話**──一語不發。

花榮道：「宋公明哥哥見兄長來了，放心不下，好生懊悔，特差我兩個到來幫助。」史進等大喜，合兵一處下寨。

次日天曉，正欲起兵對敵，軍士報道：「北邊大路上又有軍馬到來！」花榮、徐寧、史進一齊上馬望時，卻是宋公明親自和軍師吳學究、公孫勝、柴進、朱仝、呼延灼、穆弘、孫立、黃信、呂方、郭盛帶領三千人馬來到。

史進備說項充、李袞飛刀、標槍、滾牌難近，折了人馬一事。宋江大驚，吳用道：「且把軍馬紮下寨柵，別作商議。」宋江性急，要起兵剿捕，直到山下。此時天色已晚，望見芒碭山上都是青色燈籠。公孫勝看了，便道：「此寨中青色燈籠，必有個會行妖法之人在內。我等且把軍馬退去，來日貧道獻一個陣法，要捉此二人。」

宋江大喜，傳令教軍馬且退二十里，紮住營寨。次日清晨，公孫勝獻出這個陣法，有分教：魔王拱手上梁山，神將傾心歸水泊。

畢竟公孫勝獻出甚麼陣法來？且聽下回分解。

◆滾牌——一種盾牌名。

第六〇回

公孫勝芒碭山降魔
晁天王曾頭市中箭

話說公孫勝對宋江、吳用獻出那個陣圖：「便是漢末三分，諸葛孔明擺石為陣的法：四面八方，分八八六十四隊，中間大將居之。其像四頭八尾，左旋右轉，按天地風雲之機，龍虎鳥蛇之狀。待他下山衝入陣來，兩軍齊開，如若伺候他入陣，只看七星號帶起處，把陣變為長蛇之勢。

「貧道作起道法，教這三人在陣中前後無路，左右無門。卻於坎地上掘下陷坑，直逼此三人到於那裡。兩邊埋伏下撓鉤手，準備捉將。」

宋江聽了大喜，便傳將令，叫大小將校依令而行。再用八員猛將守陣，那八員：呼延灼、朱仝、花榮、徐寧、穆弘、孫立、史進、黃信。卻叫柴進、呂方、郭盛權攝中軍；宋江、吳用、公孫勝帶領陳達磨旗◈。叫朱武指引五個軍士，在近山高坡上看對陣報事。

是日巳牌時分，眾軍近山擺開陣勢，搖旗擂鼓搦戰。只見芒碭山上有三、二十面鑼聲震地價響。三個頭領一齊來到山下，便將三千餘人擺開。左右兩邊，項充、李袞。中間馬上，擁出那個為頭的好漢，姓樊名瑞，祖貫濮州人氏，幼年作全真先生，江湖上學得一身好武藝。馬上慣使一個流星鎚，神出鬼沒，斬將搴旗◈，人不敢近，綽號「混世魔王」。怎見得樊瑞英雄？有《西江月》為證：

頭散青絲細髮，身穿絨繡皂袍。連環鐵甲晃寒霄，慣使銅鎚更妙。
好似北方真武，世間伏怪除妖。雲遊江海把名標，混世魔王綽號。

◈**磨旗**—像推磨般揮動著旗幟。 **搴旗**—奪取敵人的旗幟。

那個混世魔王樊瑞騎一匹黑馬，立於陣前。上首是項充，下首是李衮。那樊瑞雖會使神術妖法，卻不識陣勢。看了宋江軍馬，四面八方，擺成陣勢，心中暗喜道：「你若擺陣，中我計了！」吩咐項充、李衮道：「若見風起，你兩個便引五百滾刀手殺入陣去。」項充、李衮得令，各執定蠻牌，挺著標槍飛劍，只等樊瑞作法。只看樊瑞立於馬上，左手挽定流星銅鎚，右手仗著混世魔王寶劍，口中念念有詞，喝聲道：「疾！」只見狂風四起，飛沙走石，天昏地暗，日月無光。項充、李衮吶聲喊，帶了五百滾刀手殺將過去。宋江軍馬見殺將過來，便分開做兩下。項充、李衮一攪入陣，兩下裡強弓硬弩，射住來人，只帶得四、五十人入去，其餘的都回本陣去了。

宋江在高坡上望見項充、李衮已入陣裡了，便叫陳達把七星號旗只一招，那座陣勢，紛紛滾滾，變作長蛇之陣。項充、李衮正在陣裡東趕西走，左盤右轉，尋路不見。高坡上朱武把小旗在那裡指引。他兩個投東，朱武便望東指；若是投西，便望西指。

原來公孫勝在高埠處看了，已先拔出那松文古定劍來，口中念動咒語，喝聲道：「疾！」

將那風盡隨著項充、李衮腳跟邊亂捲。兩個在陣中，只見天昏地暗，日色無光，四邊並不見一個軍馬，一望都是黑氣。後面跟的都不見了。項充、李衮心慌起來，只要奪路回陣，百般地沒尋歸路處。

正走之間，忽然地雷大震一聲，兩個在陣叫苦不迭，一齊躂◈了雙腳，翻筋斗攧下陷馬坑裡去。兩邊都是撓鈎手，早把兩個搭將起來，便把麻繩綁縛了，解上山坡請功。宋江把鞭梢一指，三軍一齊掩殺過去，樊瑞引人馬奔走上山，走不迭的，折其大半。

宋江收軍，眾頭領都在帳前坐下，軍健早解項充、李衮到於麾下。

◈躂——失足跌倒。音踏。

宋江見了，忙叫解了繩索，親自把盞，說道：「二位壯士，其實休怪，臨敵之際，不如此不得。小可宋江，久聞三位壯士大名，欲來禮請上山，同聚大義。蓋因不得其便，因此錯過。倘若不棄，同歸山寨，不勝萬幸。」

兩個聽了，拜伏在地道：「已聞及時雨大名，只是小弟等無緣，不曾拜識。原來兄長果有大義！我等兩個不識好人，要與天地相拗。今日既被擒獲，萬死尚輕，反以禮待。若蒙不殺，誓當效死，報答大恩！樊瑞那人，無我兩個，如何行得？義士頭領若肯放我們一個回去，就說樊瑞來投拜，不知頭領尊意如何？」

宋江便道：「壯士，不必留一人在此為當，便請二位同回貴寨。宋江來日專候佳音。」

兩個拜謝道：「真乃大丈夫！若是樊瑞不從投降，我等擒來，奉獻頭領麾下。」

宋江聽說大喜，請入中軍，待了酒食，換了兩套新衣，取兩匹好馬，呼小嘍囉拿了槍牌，送二人下山回寨。

兩個於路，在馬上感恩不盡。來到芒碭山下，小嘍囉見了大驚，接上山寨。樊瑞問兩個來意如何，項充、李衮道：「我等逆天之人，合該萬死！」樊瑞道：「兄弟如何說這話？」兩個便把宋江如此義氣，說了一遍。樊瑞道：「既然宋公明如此大賢，義氣最重，我等不可逆天，來早都下山投拜。」兩個道：「我們也為如此而來。」當夜把寨內收拾已了，次日天曉，三個一齊下山，直到宋江寨前，拜伏在地。

宋江扶起三人，請入帳中坐定。三個見了宋江，沒半點相疑之意，彼此傾心吐膽◆，訴說平生之事。三人拜請眾頭領都到芒碭山寨中，殺牛宰馬，管待宋公明等眾多頭領，一面賞勞三軍。飲宴已罷，樊瑞就拜公孫勝為師。宋江立主教公孫勝傳授五雷天心正法與樊瑞，樊瑞大喜。數日之間，牽牛拽馬，捲了山寨錢糧，馱了行李，收聚人馬，燒毀了寨柵，跟宋江等班師回梁山泊，於路無話。

◆傾心吐膽——比喻痛快地說出了心裡話。

宋江同眾好漢軍馬已到梁山泊邊，卻欲過渡，只見蘆葦岸邊大路上一個大漢望著宋江便拜。宋江慌忙下馬扶住，問道：「足下姓甚名誰？何處人氏？」

那漢答道：「小人姓段，雙名景住，人見小弟赤髮黃鬚，都呼小人為『金毛犬』。祖貫是涿州人氏。平生只靠去北邊地面盜馬。今春去到槍竿嶺北邊，盜得一匹好馬，雪練也似價白，渾身並無一根雜毛，頭至尾長一丈，蹄至脊高八尺。那馬又高又大，一日能行千里，北方有名，喚做『照夜玉獅子馬』，乃是大金王子騎坐的，放在槍竿嶺下，被小人盜得來。

「江湖上只聞及時雨大名，無路可見，欲將此馬前來進獻與頭領，權表我進身之意。不期來到淩州西南上曾頭市過，被那曾家五虎奪了去。小人稱說是梁山泊宋公明的，不想那廝多有汙穢的言語，小人不敢盡說。逃走得脫，特來告知。」宋江看這人時，雖是骨瘦形粗，卻甚生得奇怪。怎見得？有詩為證：

焦黃頭髮髭鬚捲，捷足不辭千里遠。

但能盜馬不看家，如何喚做金毛犬？

宋江見了段景住一表非俗，心中暗喜，便道：「既然如此，且同到山寨裡商議。」帶了段景住，一同都下船，到金沙灘上岸。晁天王並眾頭領接到聚義廳上，宋江教樊瑞、項充、李袞和眾頭領相見。段景住一同都參拜了。打起聒廳◈鼓來，且做慶賀筵席。

宋江見山寨連添了許多人馬，四方豪傑，望風而來，因此叫李雲、陶宗旺監工，添造房屋並四邊寨柵。段景住又說起那匹馬的好處，宋江叫神行太保戴宗去曾頭市探聽那匹馬的下落。

戴宗去了四五日，回來對眾頭領說道：「這個曾頭市上共有三千餘家，內有一家，喚做曾家府。這老子原是大金國人，名為曾長者◈。生下五個孩

◈**北邊地面**——指當時金國地界。　**聒廳**——謂通宵宴飲，管弦齊作。

長者——古人稱德高、年長的人為長者。宋元時對做大官和有錢人稍有年紀的，也稱長者，猶如後來稱老太爺。

兒，號為曾家五虎：大的兒子喚做曾塗，第二個喚做曾密，第三個喚做曾索，第四個喚做曾魁，第五個喚做曾升。又有一個教師史文恭，一個副教師蘇定。

「去那曾頭市上，聚集著五七千人馬，紮下寨柵，造下五十餘輛陷車，發願說要與我們勢不兩立，定要捉盡俺山寨中頭領，做個對頭。那匹千里玉獅子馬現今與教師史文恭騎坐。更有一般堪恨那廝之處，杜撰幾句言語，教市上小兒們都唱道：『搖動鐵鐶鈴，神鬼盡皆驚。鐵車並鐵鎖，上下有尖釘。掃蕩梁山清水泊，剿除晁蓋上東京。生擒及時雨，活捉智多星。曾家生五虎，天下盡聞名！』」

晁蓋聽罷，心中大怒道：「這畜生怎敢如此無禮！我須親自走一遭，不捉得此輩，誓不回山！」

宋江道：「哥哥是山寨之主，不可輕動，小弟願往。」

晁蓋道：「不是我要奪你的功勞。你下山多遍了，廝殺勞困，我今替你走一遭。下次有事，卻是賢弟去。」宋江苦諫不聽。

晁蓋忿怒，便點起五千人馬，請啟二十個頭領相助下山。其餘都和宋公明保守山寨。

晁蓋點那二十個頭領：林沖、呼延灼、徐寧、穆弘、劉唐、張橫、阮小二、阮小五、阮小七、楊雄、石秀、孫立、黃信、杜遷、宋萬、燕順、鄧飛、歐鵬、楊林、白勝，共是二十個頭領，部領三軍人馬下山，征進曾頭市。宋江與吳用、公孫勝眾頭領，就山下金沙灘餞行。飲酒之間，忽起一陣狂風，正把晁蓋新製的認軍旗◆半腰吹折。眾人見了，盡皆失色。

吳學究諫道：「此乃不祥之兆，兄長改日出軍。」

宋江勸道：「哥哥方才出軍，風吹折認旗，於軍不利。不若停待幾時，卻去和那廝理會。」

晁蓋道：「天地風雲，何足為怪？趁此春暖之時，不去拿他，直待養成

◆**認軍旗**──行軍時主將所有的作為表識的旗幟。旗上有不同的標記，以便士兵辨認。

那廝氣勢，卻去進兵，那時遲了。你且休阻我，遮莫怎地要去走一遭！」宋江哪裡違拗得住。晁蓋引兵渡水去了。

宋江悒怏不已，回到山寨，再叫戴宗下山，去探聽消息。且說晁蓋領著五千人馬，二十個頭領，來到曾頭市相近，對面下了寨柵。次日，先引眾頭領上馬去看曾頭市。眾多好漢立馬看時，果然這曾頭市是個險隘去處。但見：

周迴一遭野水，四圍三面高岡，
塹邊河港似蛇盤，濠下柳林如雨密。
憑高遠望，綠陰濃不見人家；附近潛窺，青影亂深藏寨柵。
村中壯漢，出來的勇似金剛；田野小兒，生下地便如鬼子。
果然是鐵壁銅牆，端的盡人強馬壯。

晁蓋與眾頭領正看之間，只見柳林中飛出一彪人馬來，約有七八百人。當先一個好漢，戴熟銅盔，披連環甲，使一條點鋼槍，騎著匹衝陣馬，乃是曾家第四子曾魁，高聲喝道：「你等是梁山泊反國草寇，我正要來拿你解官請賞，原來天賜其便！還不下馬受縛，更待何時！」

晁蓋大怒，回頭一覷，早有一將出馬，去戰曾魁。那人是梁山初結義的好漢豹子頭林沖。兩個交馬，鬥了二十餘合，不分勝敗。曾魁鬥到二十合之後，料道鬥林沖不過，掣槍回馬，便往柳林中走，林沖勒住馬不趕。晁蓋領轉軍馬回寨，商議打曾頭市之策。

林沖道：「來日直去市口搦戰，就看虛實如何，再作商議。」

次日平明，引領五千人馬，向曾頭市口平川曠野之地，列成陣勢，擂鼓吶喊。曾頭市上炮聲響處，大隊人馬出來，一字兒擺著七個好漢：中間便是都教師史文恭，上首副教師蘇定，下首便是曾家長子曾塗，左邊曾參、曾魁，右邊曾升、曾索，都是全身披掛。教師史文恭彎弓插箭，坐下那匹卻是千里玉獅子馬，手裡使一枝方天畫戟。

◆**違拗**—彆扭，別拗。　**鬼子**—罵人的話。

三通鼓罷，只見曾家陣裡推出數輛陷車，放在陣前，曾塗指著對陣罵道：「反國草賊，見俺陷車麼？我曾家府裡殺你死的，不算好漢！我一個個直要捉你活的，裝載陷車裡，解上東京，碎屍萬段！你們趁早納降，再有商議！」

晁蓋聽了大怒，挺槍出馬，直奔曾塗。眾將怕晁蓋有失，一發掩殺過去，兩軍混戰。曾家軍馬，一步步退入村裡。林沖、呼延灼緊護定晁蓋，東西趕殺。林沖見路途不好，急退回來收兵。當日兩邊各皆折了些人馬。晁蓋回到寨中。心中甚憂。

眾將勸道：「哥哥且寬心，休得愁悶，有傷貴體。往常宋公明哥哥出軍，亦曾失利，好歹得勝回寨，今日混戰，各折了些軍馬，又不曾輸了與他，何須憂悶？」晁蓋只是鬱鬱不樂。在寨內一連三日，每日搦戰，曾頭市上並不曾見一個。

第四日，忽有兩個和尚直到晁蓋寨裡來投拜。

軍人引到中軍帳前，兩個和尚跪下告道：「小僧是曾頭市上東邊法華寺裡監寺僧人，今被曾家五虎不時常來本寺作踐囉唕，索要金銀財帛，無所不為。小僧已知他的備細出沒去處，特地前來拜請頭領入去劫寨，剿除了他時，當坊◈有幸！」晁蓋見說大喜，便請兩個和尚坐了，置酒相待。

林沖諫道：「哥哥休得聽信，其中莫非有詐。」

和尚道：「小僧是個出家人，怎敢妄語？久聞梁山泊行仁義之道，所過之處，並不擾民，因此特來拜投，如何故來掇賺◈將軍？況兼曾家未必贏得頭領大軍，何故相疑？」

晁蓋道：「兄弟休生疑心，誤了大事。今晚我自去走一遭。」

林沖道：「哥哥休去，我等分一半人馬去劫寨，哥哥在外面接應。」

晁蓋道：「我不自去，誰肯向前？你可留一半軍馬在外接應。」

林沖道：「哥哥帶誰入去？」

◈**當坊**——當地的土地神。　**掇賺**——哄騙。

晁蓋道：「點十個頭領，分二千五百人馬入去。」十個頭領是：劉唐、阮小二、呼延灼、阮小五、歐鵬、阮小七、燕順、杜遷、宋萬、白勝。當晚造飯吃了，馬摘鑾鈴，軍士銜枚◆，黑夜疾走，悄悄地跟了兩個和尚，直奔法華寺內，晁蓋看時，是一個古寺。

晁蓋下馬，入到寺內，見沒僧眾，問那兩個和尚道：「怎地這個大寺院，沒一個僧眾？」

和尚道：「便是曾家畜生薅惱◆，不得已各自歸俗去了。只有長老並幾個侍者，自在塔院裡居住。頭領暫且屯住了人馬，等夜更深些，小僧直引到那廝寨裡。」晁蓋道：「他的寨在哪裡？」

和尚道：「他有四個寨柵，只是北寨裡，便是曾家弟兄屯軍之處。若只打得那個寨子時，別的都不打緊。這三個寨便罷了。」

晁蓋道：「哪個時分可去？」

和尚道：「如今只是二更天氣，且待三更時分，他無準備。」初時聽得曾頭市上整整齊齊打更鼓響，又聽了半個更次，絕不聞更點之聲。

和尚道：「軍人想是已睡了，如今可去。」和尚當先引路。晁蓋帶同諸將上馬，領兵離了法華寺，跟著和尚。

行不到五里多路，黑影處不見了兩個僧人，前軍不敢行動。看四邊路雜難行，又不見有人家。軍士卻慌起來，報與晁蓋知道。

呼延灼便叫急回舊路。走不到百十步，只見四下裡金鼓齊鳴，喊聲震地，一望都是火把。晁蓋眾將引軍奪路而走，才轉得兩個彎，撞出一彪軍馬，當頭亂箭射將來，不期一箭，正中晁蓋臉上，倒撞下馬來。卻得呼延灼、燕順兩騎馬死併將去，背後劉唐、白勝救得晁蓋上馬，殺出村中來。村口林沖等引軍接應，剛才敵得住。

兩軍混戰，直殺到天明，各自歸寨。林沖回來點軍時，三阮、宋萬、杜遷水裡逃得性命，帶入去二千五百人馬，只剩得一千二三百人，跟著歐鵬，

◈銜枚──古代行軍襲敵時，令軍士把箸橫銜在口中，以防喧譁。　䗖惱──打攪、麻煩。

都回到帳中。

眾頭領且來看晁蓋時，那枝箭正射在面頰上。急拔得箭出，血暈倒了。看那箭時，上有史文恭字。林沖叫取金瘡藥◆敷貼上，原來卻是一枝藥箭。晁蓋中了箭毒，已自言語不得。林沖叫扶上車子，便差三阮、杜遷、宋萬先送回山寨。

其餘十五個頭領，在寨中商議：「今番晁天王哥哥下山來，不想遭這一場，正應了風折認旗之兆。我等只可收兵回去，這曾頭市急切不能取得。」呼延灼道：「須等宋公明哥哥將令來，方可回軍。」當日眾頭領悶悶不已，眾軍亦無戀戰之心，人人都有還山之意。

當晚二更時分，天色微明，十五個頭領都在寨中納悶，正是蛇無頭而不行，鳥無翅而不飛，嗟咨◆嘆惜，進退無措。忽聽得伏路小校慌急來報：「前面四五路軍馬殺來，火把不計其數。」林沖聽了，一齊上馬。三面山上火把齊明，照見如同白日，四下裡吶喊到寨前。林沖領了眾頭領不去抵敵，拔寨都起，回馬便走。曾家軍馬，背後捲殺將來，兩軍且戰且走。走過了五、六十里，方才得脫。計點人兵，又折了五七百人。大敗虧輸，急取舊路，望梁山泊回來。退到半路，正迎著戴宗傳下軍令，教眾頭領引軍且回山寨，別作良策。

眾將得令，引軍回到水滸寨，上山都來看視晁頭領時，已自水米不能入口，飲食不進，渾身虛腫。宋江等守定在床前啼哭，親手敷貼藥餌◈，灌下湯散。眾頭領都守在帳前看視。

當日夜至三更，晁蓋身體沉重，轉頭看著宋江囑咐道：「賢弟保重。若哪個捉得射死我的，便教他做梁山泊主！」言罷，便瞑目而死。

宋江見晁蓋死了，如喪考妣一般，哭得發昏。眾頭領扶策宋江出來主事。吳用、公孫勝勸道：「哥哥且省煩惱，生死人之分定，何故痛傷？且請理會大事。」

◈**金瘡藥**—治療刀箭瘡傷的藥物。　**嗟咨**—慨嘆。　**藥餌**—可供調補的藥品。

宋江哭罷，便教把香湯◈沐浴了屍首，裝殮衣服巾幘，停在聚義廳上。眾頭領都來舉哀祭祀。

一面合造內棺外槨，選了吉時，盛放在正廳上，建起靈幃，中間設個神主，上寫道：「梁山泊主天王晁公神主」。

山寨中頭領，自宋公明以下，都帶重孝。小頭目並眾小嘍囉亦帶孝頭巾。把那枝誓箭就供養在靈前。寨內揚起長幡，請附近寺院僧眾上山做功德，追薦晁天王。宋江每日領眾舉哀，無心管理山寨事務。林沖與公孫勝、吳用並眾頭領商議，立宋公明為梁山泊主，諸人拱聽號令。

次日清晨，香花燈燭，林沖為首，與眾等請出宋公明在聚義廳上坐定。吳用、林沖開話道：「哥哥聽稟：『國一日不可無君，家一日不可無主。』晁頭領是歸天去了，山寨中事業豈可無主？四海之內，皆聞哥哥大名，來日吉日良辰，請哥哥為山寨之主，諸人拱聽號令。」

宋江道：「晁天王臨死時囑咐：『如有人捉得史文恭者，便立為梁山泊主。』此話眾頭領皆知。今骨肉未寒，豈可忘了？又不曾報得仇，雪得恨，如何便居得此位？」

吳學究又勸道：「晁天王雖是如此說，今日又未曾捉得那人，山寨中豈可一日無主？若哥哥不坐時，誰人敢當此位？寨中人馬如何管領？然雖遺言如此，哥哥權且尊臨此位，坐一坐，待日後別有計較。」

宋江道：「軍師言之極當。今日小可權當此位，待日後報仇雪恨已了，拿住史文恭的，不拘何人，須當此位。」

黑旋風李逵在側邊叫道：「哥哥休說做梁山泊主，便做了大宋皇帝，卻不好！」

宋江喝道：「這黑廝又來胡說！再休如此亂言，先割了你這廝舌頭！」

李逵道：「我又不教哥哥做社長◈，請哥哥做皇帝，倒要割了我舌頭！」

吳學究道：「這廝不識尊卑的人，兄長不要和他一般見識。且請哥哥主

◈香湯—加了香料的熱水。 社長—社，古代行政區域。社長稱一社之長，即今村長。

張大事。」

宋江焚香已罷，權居主位，坐了第一把椅子。上首軍師吳用，下首公孫勝，左一帶林沖為頭，右一帶呼延灼居長。眾人參拜了，兩邊坐下。

宋江乃言道：「小可今日權居此位，全賴眾兄弟扶助，同心合意，共為股肱，一同替天行道。如今山寨，人馬數多，非比往日，可請眾兄弟分作六寨駐紮。聚義廳今改為忠義堂。前後左右立四個旱寨，後山兩個小寨，前山三座關隘，山下一個水寨，兩灘兩個小寨，今日各請弟兄分投去管。

「忠義堂上，是我權居尊位，第二位軍師吳學究，第三位法師公孫勝，第四位花榮，第五位秦明，第六位呂方，第七位郭盛。

「左軍寨內，第一位林沖，第二位劉唐，第三位史進，第四位楊雄，第五位石秀，第六位杜遷，第七位宋萬；右軍寨內，第一位呼延灼，第二位朱仝，第三位戴宗，第四位穆弘，第五位李逵，第六位歐鵬，第七位穆春。

「前軍寨內，第一位李應，第二位徐寧，第三位魯智深，第四位武松，第五位楊志，第六位馬麟，第七位施恩；後軍寨內，第一位柴進，第二位孫立，第三位黃信，第四位韓滔，第五位彭玘，第六位鄧飛，第七位薛永。

「水軍寨內，第一位李俊，第二位阮小二，第三位阮小五，第四位阮小七，第五位張橫，第六位張順，第七位童威，第八位童猛。六寨計四十三員頭領。

「山前第一關令雷橫、樊瑞守把，第二關令解珍、解寶守把，第三關令項充、李袞守把。金沙灘小寨內令燕順、鄭天壽、孔明、孔亮四個守把，鴨嘴灘小寨內令李忠、周通、鄒淵、鄒潤四個守把。山後兩個小寨：左一個旱寨內，令王矮虎、一丈青、曹正；右一個旱寨內令朱武、陳達、楊春六人守把。

「忠義堂內：左一帶房中，掌文卷蕭讓，掌賞罰裴宣，掌印信金大堅，掌算錢糧蔣敬，右一帶房中，管炮凌振，管造船孟康，管造衣甲侯健，管築城垣陶宗旺。忠義堂後兩廂房中管事人員：監造房屋，李雲；鐵匠總管，湯隆；監造酒醋，朱富；監備筵宴，宋清；掌管什物，杜興、白勝。

「山下四路作眼酒店，原撥定朱貴、樂和、時遷、李立、孫新、顧大嫂、張青、孫二娘，已自定數。管北地收買馬匹，楊林、石勇、段景住。分撥已定，各自遵守，毋得違犯。」

梁山泊水滸寨內，大小頭領，自從宋公明為寨主，盡皆歡喜，拱聽約束。一日，宋江聚眾商議，欲要與晁蓋報仇，興兵去打曾頭市。

軍師吳用諫道：「哥哥，庶民居喪，尚且不可輕動，哥哥興師，且待百日之後，方可舉兵。」宋江依吳學究之言，守住山寨，每日修設好事，只做功果，追薦晁蓋。

一日，請到一僧，法名大圓，乃是北京大名府在城龍華寺僧人，只為遊方來到濟寧，經過梁山泊，就請在寨內做道場。因吃齋之次，閒話間，宋江問起北京風土人物，那大圓和尚說道：「頭領如何不聞河北『玉麒麟』之名？」

宋江、吳用聽了，猛然省起，說道：「你看我們未老，卻恁地忘事！北京城裡是有個盧大員外，雙名俊義，綽號玉麒麟，是河北三絕；祖居北京人氏，一身好武藝，棍棒天下無對。梁山泊寨中若得此人時，何怕官軍緝捕，豈愁兵馬來臨？」

吳用笑道：「哥哥何故自喪志氣？若要此人上山，有何難哉！」

宋江答道：「他是北京大名府第一等長者，如何能夠得他來落草？」

吳學究道：「吳用也在心多時了，不想一向忘卻。小生略施小計，便教本人上山。」

宋江便道：「人稱足下為智多星，端的名不虛傳！敢問軍師用甚計策，賺得本人上山？」吳用不慌不忙，疊兩個指頭，說出這段計來。有分教：盧俊義撇卻錦簇珠圍，來試龍潭虎穴。正是：

只為一人歸水滸，致令百姓受兵戈。

畢竟吳學究怎地賺盧俊義上山？且聽下回分解。

國家圖書館出版品預行編目(CIP)資料

水滸傳/孫家琦編輯．　— 第一版．
— 新北市 ： 人人，2017.02
冊 ； 公分．—(人人文庫)
ISBN 978-986-461-082-2(卷3：平裝)
ISBN 978-986-461-086-0(全套：平裝)
857.46　105024588

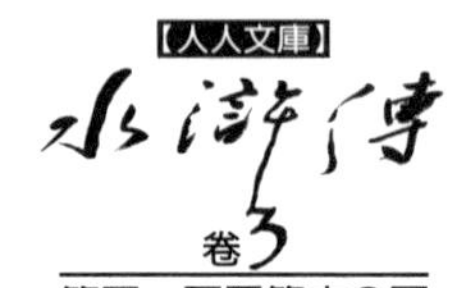

第四一回至第六〇回

題字・篆刻／羅時僖
書系編輯／孫家琦
書籍裝幀／楊美智
發行人／周元白
出版者／人人出版股份有限公司
地址／23145新北市新店區寶橋路235巷6弄6號7樓
電話／(02)2918-3366(代表號)
傳真／(02)2914-0000
網址／www.jjp.com.tw
郵政劃撥帳號／16402311人人出版股份有限公司
製版印刷／長城製版印刷股份有限公司
電話／(02)2918-3366(代表號)
經銷商／聯合發行股份有限公司
電話／(02)2917-8022
第一版第一刷／2017年2月
定價／新台幣250元

※本書內頁紙張採敦榮紙業進口日本王子58g文庫紙